前の学習

年
直，平行と
角形



指導者・保護者のみなさまへ

「新しい算数 5上 プラス」は，自ら必要に応じて取り組むためのオプション教材です。
すべての児童の学習対象としなくても差し支えありません。

5下 もくじ



- 大きい数や小数のしくみとその計算は，これまでの学習を使って…。
- 辺の長さや角の大きさ，辺の垂直(すいちょく)や平行に注目して…。
- ともなって変わる２つの量の関係を調べるときは…。
- 問題を解決(かいけつ)するには，どの表やグラフに表せば…。

４年までに学習したことを使って，
５年でさらに成長していこう。

ますりん
学習の手がかりを
いってくれるよ。

# 学びのとびら

**問題をつかもう。**

●今日はどんな問題かな。

**1** 下のように，おはじきで正三角形の形を作ります。
　10番めの正三角形の形を作るのに，おはじきは何個必要ですか。

1番め　2番め　3番め　4番め　…

●どのように考えれば解決できるかな。

●今まで学習したことで，使えることはないかな。

**1** 求め方の計画を立てましょう。

10番めまで作ればわかるけど…。

何番めかを表す数が増えると，おはじきの数も増える。表にして…。

何番めかを表す数とおはじきの数の関係に注目して，おはじきの数の求め方を考えよう。

**自分の考えをかき表そう。**

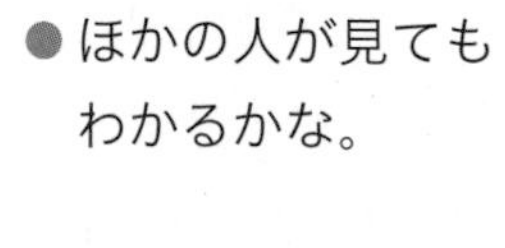

●ほかの人が見てもわかるかな。

**2** 自分の考えを，図や表，式を使ってかきましょう。

155ページにも図があるよ。

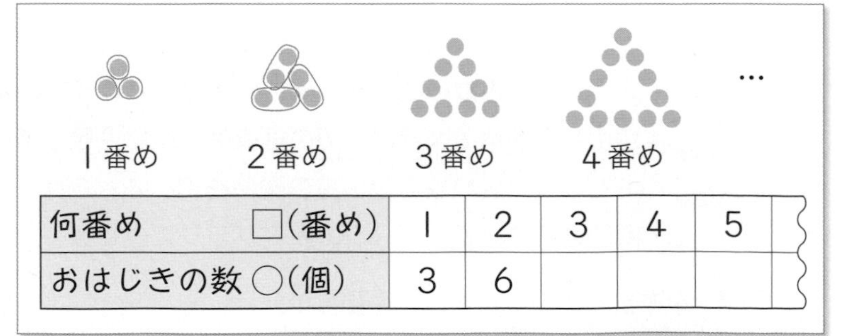


| 何番め　□(番め) | 1 | 2 | 3 | 4 | 5 | |
|---|---|---|---|---|---|---|
| おはじきの数 ○(個) | 3 | 6 | | | | |

みさきさんたちは，友だちの考えを説明しています。

こうた

  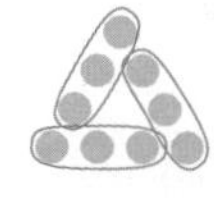 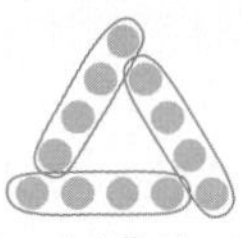 …

| 1番め | 2番め | 3番め | 4番め |
|---|---|---|---|

10番めは，$10 \times 3 = 30$　　答え　30個

はると

| 何番め　□（番め） | 1 | 2 | 3 | 4 | 5 |
|---|---|---|---|---|---|
| おはじきの数　○（個） | 3 | 6 | 9 | 12 | 15 |

（×3）

$10 \times 3 = 30$　　答え　30個

こうたさんは，10番めは10個のまとまりが□つできると考えて…。

友だちと学ぼう。

3 こうたさんの図と式を見て，こうたさんの考えを説明しましょう。

4 はるとさんの表と式を見て，はるとさんの考えを説明しましょう。

表から
どんなきまりを
見つけたのかな。

- 図や表，式から，友だちの考えがわかるかな。
- 自分の考えと同じところやちがうところはないかな。
- 友だちの考えのいいところはどこかな。

5 今日の学習をふり返ってまとめましょう。

**まとめ**

図や表を使って，**何番めかを表す数とおはじきの数の関係を見つける**と，数が大きくなっても計算で答えを求めることができる。

ふり返ってまとめよう。

- 今日の学習でどんなことがわかったかな。
- どんな考えが役に立ったかな。
- 次に考えてみたいことはどんなことかな。

もしも，正方形の形にならべたら…。

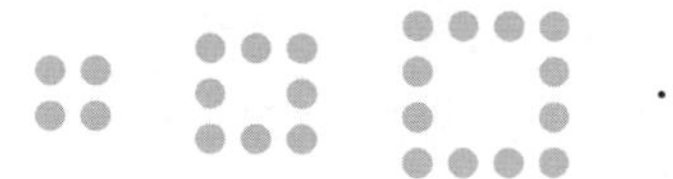

次のページに，ぼくのノートがあるよ。

# 学びのとびら 算数 マイノートをつくろう

算数の学習では，前に学習したことを使います。
ノートに学習の記録を残して，学習のふり返りや
新しい問題の解決(かいけつ)などに生かしましょう。

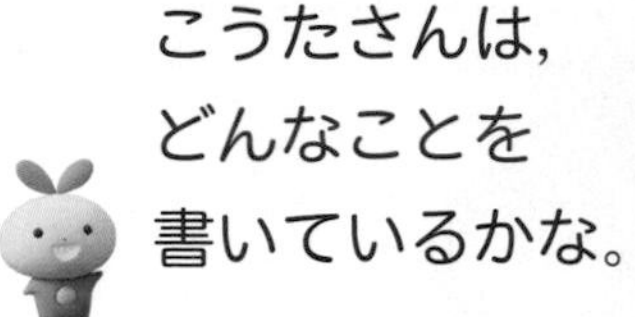

こうたさんは，
どんなことを
書いているかな。

こうた

日付，問題などを書き，
今日の問題をつかむ。

4月11日
<問題>

下のように、おはじきで正三角形の形を作ります。
10番めの正三角形の形を作るのに、おはじきは何個必要ですか。

1番め　2番め　3番め　4番め

・何番めかを表す数とおはじきの数の関係に注目して、おはじきの数の求め方を考えよう。

自分の考えをかく。

<自分の考え>

1番め　2番め　3番め　4番め

3番めは3個のまとまりが3つ、4番めは4個のまとまりが3つだから、10番めは10個のまとまりが3つになる。
$10 \times 3 = 30$　　答え　30個

ノートのくふう 1

まちがえたところは，
消しゴムを使わないで，
――で消すようにしています。

**ノートのくふう ❷**

気をつけることや，
学習中に気づいたことを，
ふきだしに書いています。

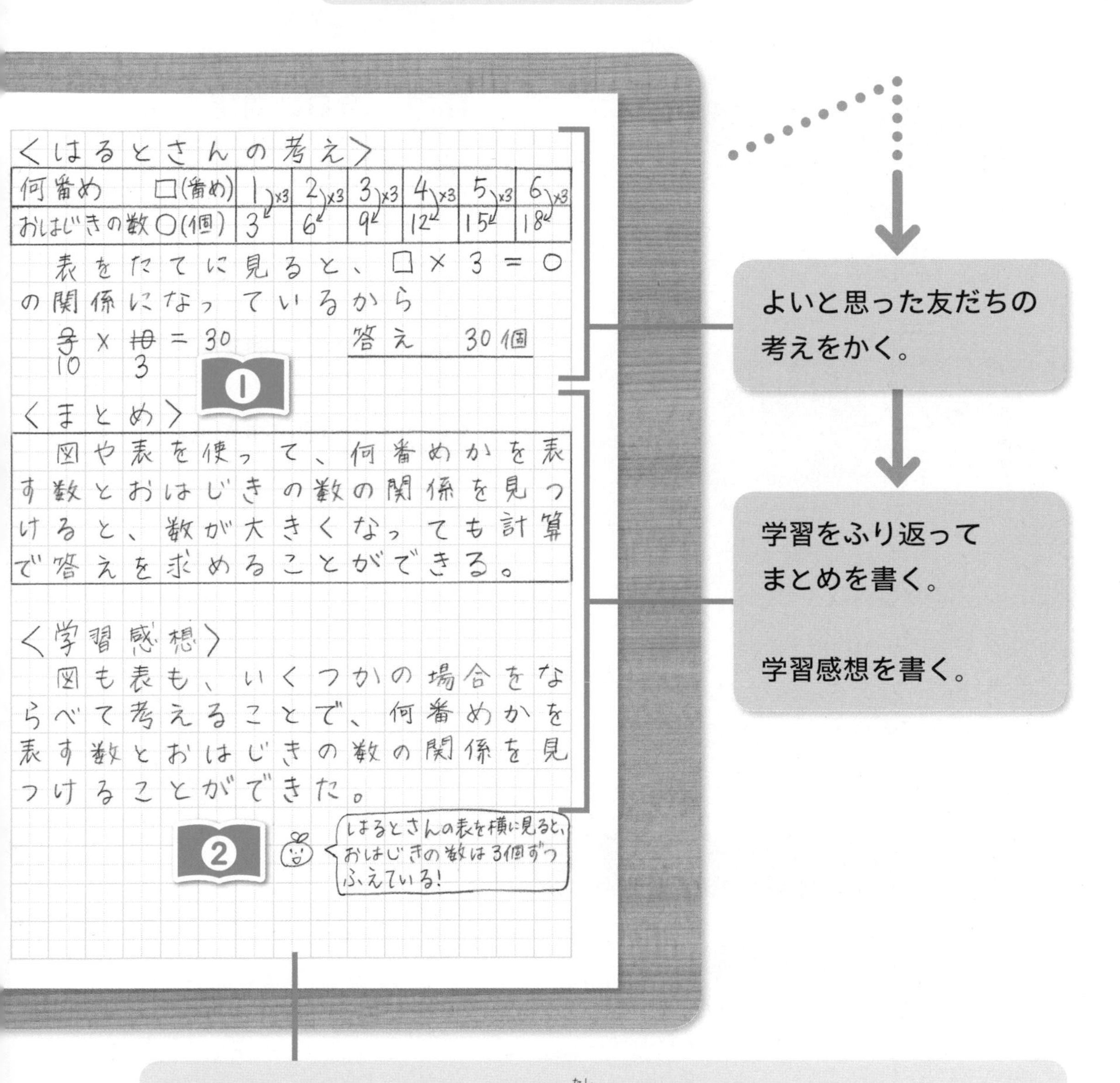


よいと思った友だちの考えをかく。

学習をふり返ってまとめを書く。

学習感想を書く。

〈学習感想〉には，自分の成長を確かめるために，

- わかったこと
- 次に考えてみたいこと
- できるようになったこと
- 友だちの考えをきいて思ったこと

などを書きます。

# “新しい算数”を使った学習の進め方

## 学習のまとまり

### 学習の入口

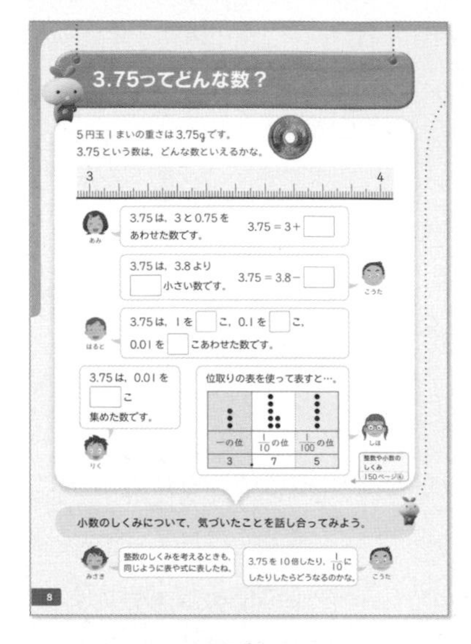


- 生活の中にある算数
- これまでに学習してきたこと

などについて，友だちと話し合いをしながら学習のめあてをつくろう。

### 今日の学習

- 1 今日の問題
- 学習のめあて
- 1 考えるときの手がかり
- 大切な見方や考え方
- まとめ 学習のまとめ
- 1 練習問題

計算問題で大事な問題には色がついているよ。

かけ算の性質(せいしつ)
150ページ①

## 新しい算数 プラス（追加の資料(しりょう)）

もっと練習したいときに使おう。答えがのっているから，自分で答え合わせができるよ。

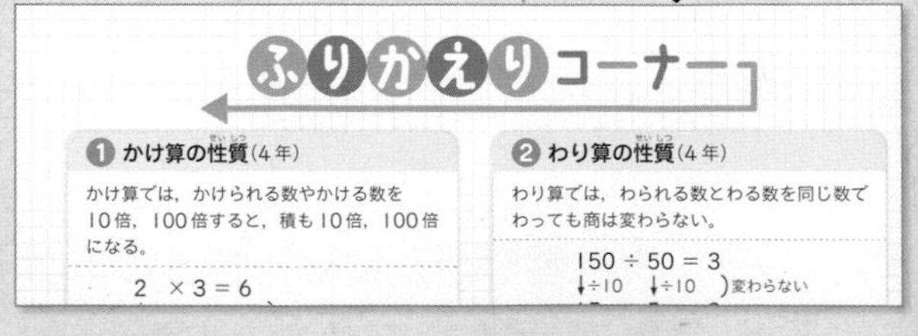


前に学習したことをふり返るときに使おう。

「新しい算数 プラス」は，「もっと学習したい」ときに使えるよ。

## 学習のしあげ

学習したことを使ってみよう。

学習をふり返って練習しよう。

大切な見方や考え方をまとめよう。

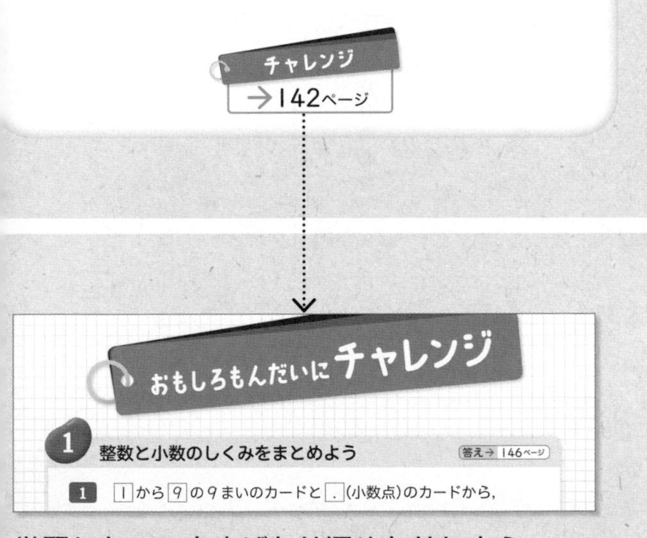


学習したことを広げたり深めたりしよう。
答えがのっているから，自分で
答え合わせができるよ。

## そのほかのページ

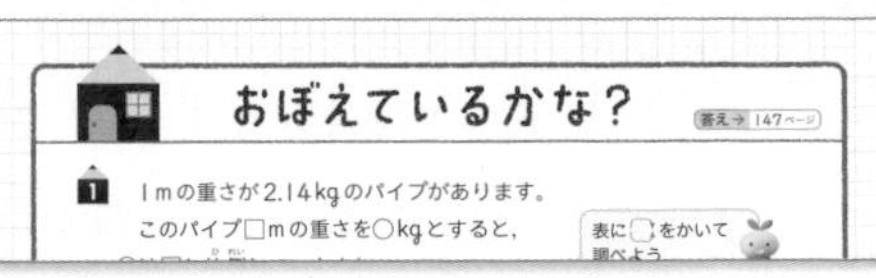


前に学習したことを復習しよう。
答えがのっているから，自分で
答え合わせができるよ。

図や表などを使って考えよう。

グラフや表などから情報を
読み取って問題を解決しよう。

## 自分の考えを伝えよう！

りく：まず，…。次に，…。

あみ：…と思います。その理由は…。

はると：図や式に表すと…。

**指導者・保護者のみなさまへ**

● はってん がついた箇所は，第5学年の学習指導要領に示されていない内容を含みます。すべての児童の学習対象としなくても差し支えありません。
● **おぼえているかな？** は，新規の学習内容ではないため，時数配当はしておりません。自習や家庭学習などにご活用ください。

# 3.75ってどんな数？

5円玉１まいの重さは3.75gです。
3.75という数は，どんな数といえるかな。

3.75は，3と0.75をあわせた数です。　3.75＝3＋□

あみ

3.75は，3.8より□小さい数です。　3.75＝3.8－□

こうた

3.75は，１を□こ，0.1を□こ，0.01を□こあわせた数です。

はると

3.75は，0.01を□こ集めた数です。

りく

位取りの表を使って表すと…。

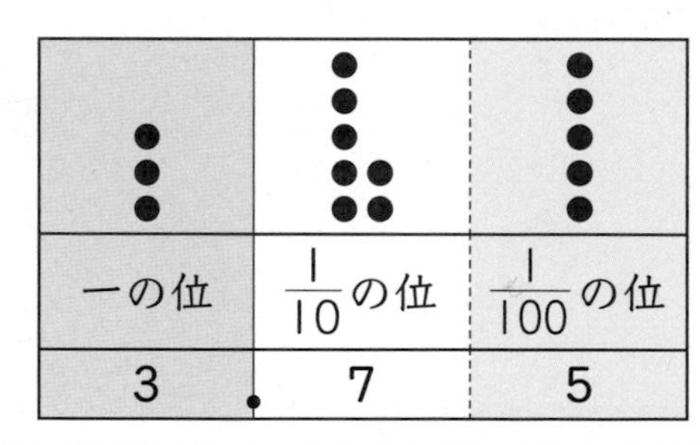

| 一の位 | $\frac{1}{10}$の位 | $\frac{1}{100}$の位 |
|---|---|---|
| 3 | 7 | 5 |

しほ

整数や小数のしくみ
150ページ④

小数のしくみについて，気づいたことを話し合ってみよう。

みさき：整数のしくみを考えるときも，同じように表や式に表したね。

こうた：3.75を10倍したり，$\frac{1}{10}$にしたりしたらどうなるのかな。

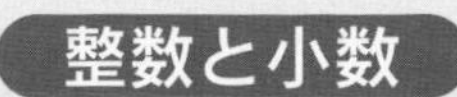


# 1 整数と小数のしくみをまとめよう

徳本峠(長野県松本市)の高さ

2135m

ハンマー投げの，投げる場所の直径

2.135m

## 1 2135という数と，2.135という数を比べましょう。

① 下の位取りの表に●をかいて，それぞれの数を表しましょう。

2135

| 千の位 | 百の位 | 十の位 | 一の位 | $\frac{1}{10}$の位 | $\frac{1}{100}$の位 | $\frac{1}{1000}$の位 |
|---|---|---|---|---|---|---|
| | | | ●●●●● | | | |
| 2 | 1 | ㋐ 3 | 5 | | | |

2.135

| 千の位 | 百の位 | 十の位 | 一の位 | $\frac{1}{10}$の位 | $\frac{1}{100}$の位 | $\frac{1}{1000}$の位 |
|---|---|---|---|---|---|---|
| | | | ●● | | | |
| | | | 2 . | 1 | ㋑ 3 | 5 |

整数や小数のしくみをまとめよう。

② ㋐の3は，どんな数が何こあることを表していますか。また，㋑の3はどうですか。

ほかの数字についても考えてみよう。

3 2.135 について，□にあてはまる数字を書きましょう。

| | | | |
|---|---|---|---|
| 1 が | □ | こ …… | 2 |
| 0.1 が | □ | こ …… | 0.1 |
| 0.01 が | □ | こ …… | 0.03 |
| 0.001 が | □ | こ …… | 0.005 |
| | | あわせて | 2.135 |

| | | | |
|---|---|---|---|
| 1000 が | □ | こ … | 2000 |
| 100 が | □ | こ … | 100 |
| 10 が | □ | こ … | 30 |
| 1 が | □ | こ … | 5 |
| | | あわせて | 2135 |

しほ

4 □にあてはまる数字を書いて，2.135 という数のしくみを式に表しましょう。

2.135 = 1 × □ + 0.1 × □ + 0.01 × □ + 0.001 × □

2135 = 1000 × □ + 100 × □ + 10 × □ + 1 × □

こうた

**まとめ**

整数や小数では，0 から 9 の数字が書かれた位置によって，何の位かが決まる。また，それぞれの数字は，その位の数が何こあるかを表している。

整数と小数のしくみは同じだね。

0 から 9 の数字と小数点を使うと，どんな大きさの整数や小数でも表すことができます。

1 つの位の数が 10 こ集まったら，1 つ上の位にうつるんだね。

1 □にあてはまる数字を書きましょう。

7.608 = 1 × □ + 0.1 × □ + 0.01 × □ + 0.001 × □

ほじゅうのもんだい →128ページ ア

2 □にあてはまる不等号を書きましょう。

不等号 150ページ⑤

① 0.1 □ 0　② 2.967 □ 3　③ 3 □ 3.15 − 1.5

ほじゅうのもんだい →128ページ イ

りく それぞれの位の数が何こあるかに注目して，数のしくみを調べたね。

## 2　2.135は，0.001を何こ集めた数ですか。

0.001をもとにした数の見方を考えよう。

**1**　0.005，0.03，0.1，2は，それぞれ0.001を何こ集めた数ですか。

0.005 …… 0.001を□こ
0.03 …… 0.001を□こ
0.1 ……… 0.001を□こ
2 ………… 0.001を□こ

2.135は，　0.001を□こ集めた数です。

| 一の位 | $\frac{1}{10}$の位 | $\frac{1}{100}$の位 | $\frac{1}{1000}$の位 |
|---|---|---|---|
| 2. | 1 | 3 | 5 |
| 0. | 0 | 0 | 1 |

はると

もとにする大きさを変えると，
**小数の大きさを整数で考えることができる**ね。

あみ

**3**　次の①～④の数は，0.001を何こ集めた数ですか。

①　0.003　　②　0.048　　③　0.999　　④　6.7

→128ページ ウ

## 3　下の□に，右のカードをあてはめて，いろいろな大きさの数をつくりましょう。

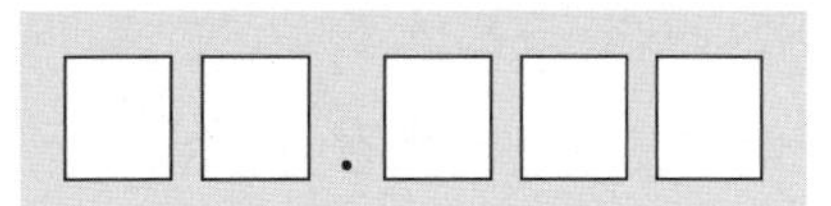

カードは全部使おう。

数のしくみを使って考えよう。

**2**　つくれる数のうち，いちばん小さい数はいくつですか。

**3**　つくれる数のうち，2番めに大きい数はいくつですか。

**4**　つくれる数のうち，50にいちばん近い数はいくつですか。

みさき　カードの数字や小数点の位置を変えて
ほかの問題をつくってみたら，どうなるかな。

教科書に使われている紙の，印刷前の１まいの重さは，
およそ2.98gです。

18.2cm
25.7cm
１まいの重さ 2.98g

## 4

2.98を10倍，100倍，1000倍した数を，下の表に書きましょう。

| | 千の位 | 百の位 | 十の位 | 一の位 | $\frac{1}{10}$の位 | $\frac{1}{100}$の位 | $\frac{1}{1000}$の位 |
|---|---|---|---|---|---|---|---|
| | | | | 2. | 9 | 8 | |
| 10倍（100倍） | | | | | | | |
| 10倍 | | | | | | | |
| 10倍（1000倍） | | | | | | | |

10倍，100倍，1000倍すると，どのような数になるか調べよう。

1 10倍，100倍，1000倍すると，位はそれぞれどのようになりますか。

2 2.98を10倍，100倍，1000倍することを，式に表しましょう。

2.98×　10＝□

2.98×　100＝□

2.98×1000＝□

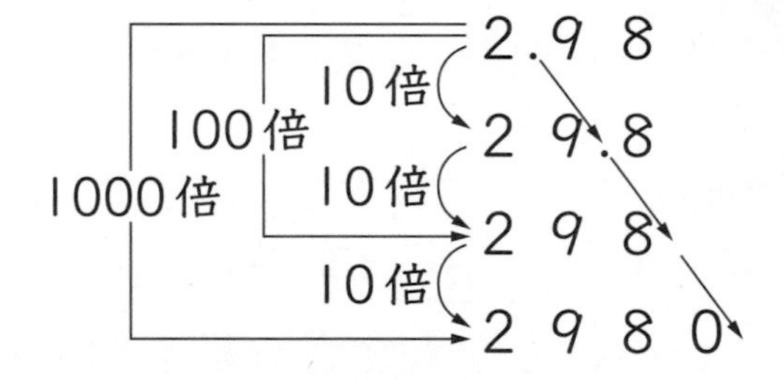


**まとめ**

小数や整数を10倍，100倍，…すると，
- 位は，それぞれ１けた，２けた，…上がる。
- 小数点の位置は，それぞれ右に１けた，２けた，…うつる。

61.9，619，6190は，それぞれ6.19を何倍した数ですか。

① 2.37×10　② 15.2×1000　③ 3.14×100

こうた「今日は，数を10倍，100倍，…して調べたから，次は…。」

東京(とうきょう)スカイツリーの高さは634mです。

## 5

634を$\frac{1}{10}$，$\frac{1}{100}$，$\frac{1}{1000}$にした数を，下の表に書きましょう。

| | 千の位 | 百の位 | 十の位 | 一の位 | $\frac{1}{10}$の位 | $\frac{1}{100}$の位 | $\frac{1}{1000}$の位 |
|---|---|---|---|---|---|---|---|
| | | 6 | 3 | 4 | | | |
| $\frac{1}{10}$ | | | | | | | |
| $\frac{1}{100}$ | | | | | | | |
| $\frac{1}{1000}$ | | | | | | | |

$\frac{1}{10}$，$\frac{1}{100}$，$\frac{1}{1000}$にすると，どのような数になるか調べよう。

1 $\frac{1}{10}$，$\frac{1}{100}$，$\frac{1}{1000}$にすると，位はそれぞれどのようになりますか。

2 634を$\frac{1}{10}$，$\frac{1}{100}$，$\frac{1}{1000}$にすることを，式に表しましょう。

$634 \div 10 = \square$

$634 \div 100 = \square$

$634 \div 1000 = \square$

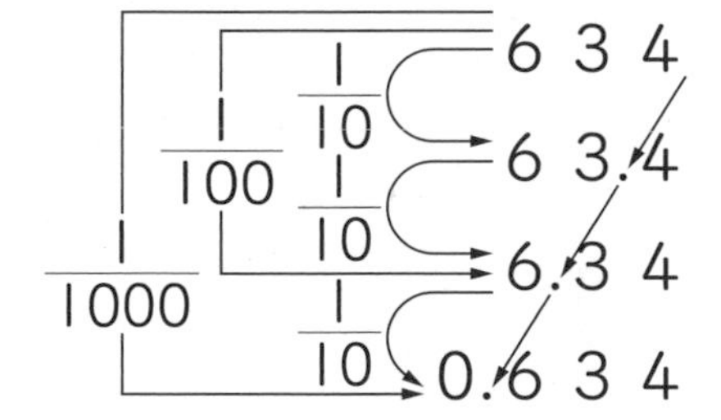


**まとめ**

小数や整数を$\frac{1}{10}$，$\frac{1}{100}$，…にすると，

- **位**は，それぞれ1けた，2けた，…下がる。
- **小数点の位置**は，それぞれ左に1けた，2けた，…うつる。

## 6

1.24，0.124，0.0124は，それぞれ12.4を何分の一にした数ですか。

## 7

① 35.6÷10　② 23.85÷1000　③ 62.5÷100

# たしかめよう

**1** □にあてはまる数字を書きましょう。

① $873 = 100 \times □ + 10 \times □ + 1 \times □$

② $3.05 = 1 \times □ + 0.1 \times □ + 0.01 \times □$

◀整数や小数の しくみを式に 表せるかな？ 9ページ 1

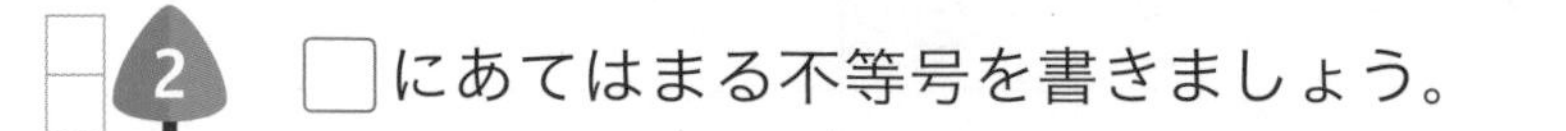

**2** □にあてはまる不等号を書きましょう。

① 0 □ 0.001　　② 51 □ 51.2－2

◀数の大小が わかるかな？ 9ページ 1

**3** 4.823 は，0.001 を何こ集めた数ですか。

◀もとにする 大きさの何こ分か わかるかな？ 11ページ 2

**4** 次の①～④の数は，それぞれ 0.325 を何倍した数ですか。

① 32.5　　② 3250　　③ 3.25　　④ 325

◀小数点の位置から, 何倍した数か わかるかな？ 12ページ 4

**5** 次の①～③の数は，それぞれ 94.1 を何分の一にした数ですか。

① 9.41　　② 0.941　　③ 0.0941

◀小数点の位置から, 何分の一にした 数かわかるかな？ 13ページ 5

**6** 計算をしましょう。

① $341.9 \times 10$　　② $9.81 \times 100$

③ $67.5 \times 1000$　　④ $341.9 \div 10$

⑤ $9.81 \div 100$　　⑥ $67.5 \div 1000$

◀10倍，$\frac{1}{10}$ などにする 計算の答えが わかるかな？ ①～③ 12ページ 4 ④～⑥ 13ページ 5

# つないでいこう算数の目 ～大切な見方・考え方

## 整数と小数のしくみに注目し，共通していることをまとめる

りくさんとみさきさんは，整数と小数の学習をふり返っています。
□にあてはまる数やことばを書きましょう。

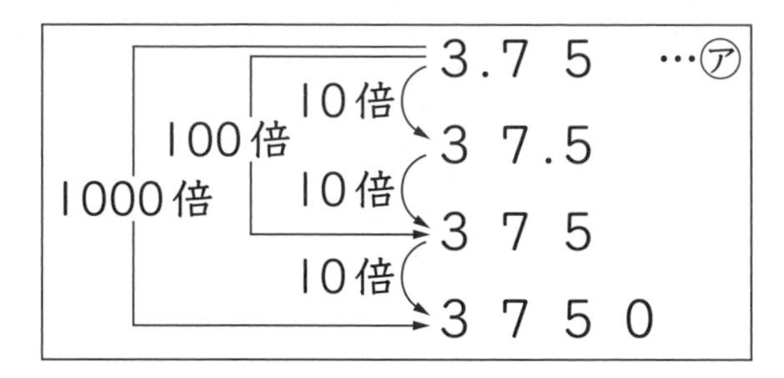

整数と小数のしくみは同じです。
整数や小数では，数字が書かれた位置で，
何の位であるかや，その位の数が何こあるかを表します。
㋐の，3.75という数のしくみを式に表すと，

$3.75 = 1 \times \square + 0.1 \times \square + 0.01 \times \square$

となります。

式に表すと，数のしくみがよくわかるね。

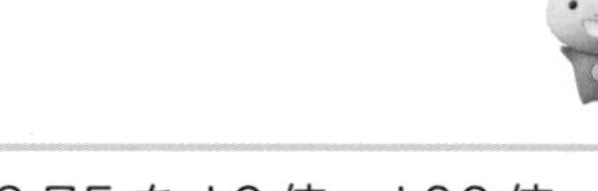

3.75を10倍，100倍，1000倍することを式に表すと，

$3.75 \times 10 = \square$ …㋑

$3.75 \times 100 = \square$

$3.75 \times 1000 = \square$

となります。
整数と小数のしくみは同じだから，㋑のように，小数点の位置を□に1けたうつすと，10倍した数になります。

「整数と小数のしくみをまとめよう」の学習をふり返って話し合ってみよう。

0から9の数字と小数点を使って，どんな大きさの整数や小数でも，表すことができるようになったよ。

整数と小数のしくみは同じだけど，分数は…。分数についてもくわしく調べてみたいな。

# どんな大きさの立体ができるかな？

㋐，㋑の展開図を組み立ててできる立体のかさは，どちらが大きいかな。予想してみよう。

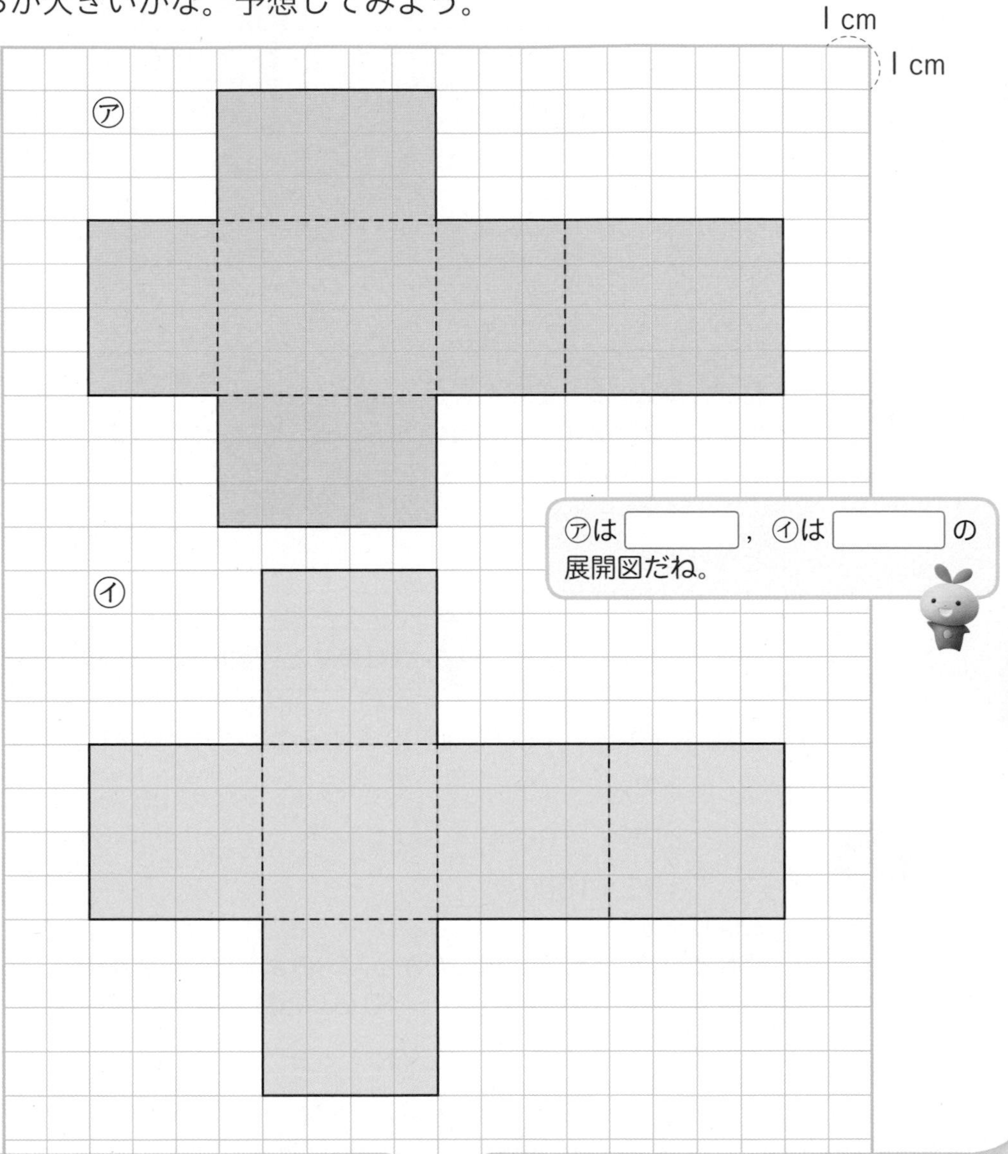


㋐は ＿＿，㋑は ＿＿ の展開図だね。

**自分の予想や，その理由について話し合ってみよう。**

直方体の大きさは，たて，横，高さの３つの辺の長さで決まるから…。

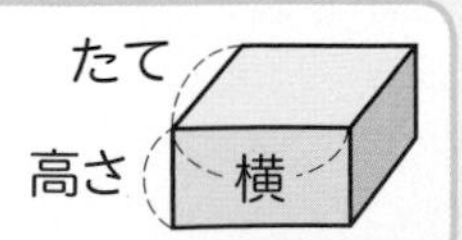


３つの辺の長さを使えば，かさを比べられるのかな。

直方体や立方体の体積

# 2 直方体や立方体のかさの表し方を考えよう

㋐，㋑の展開図を，実際にかいて組み立てました。

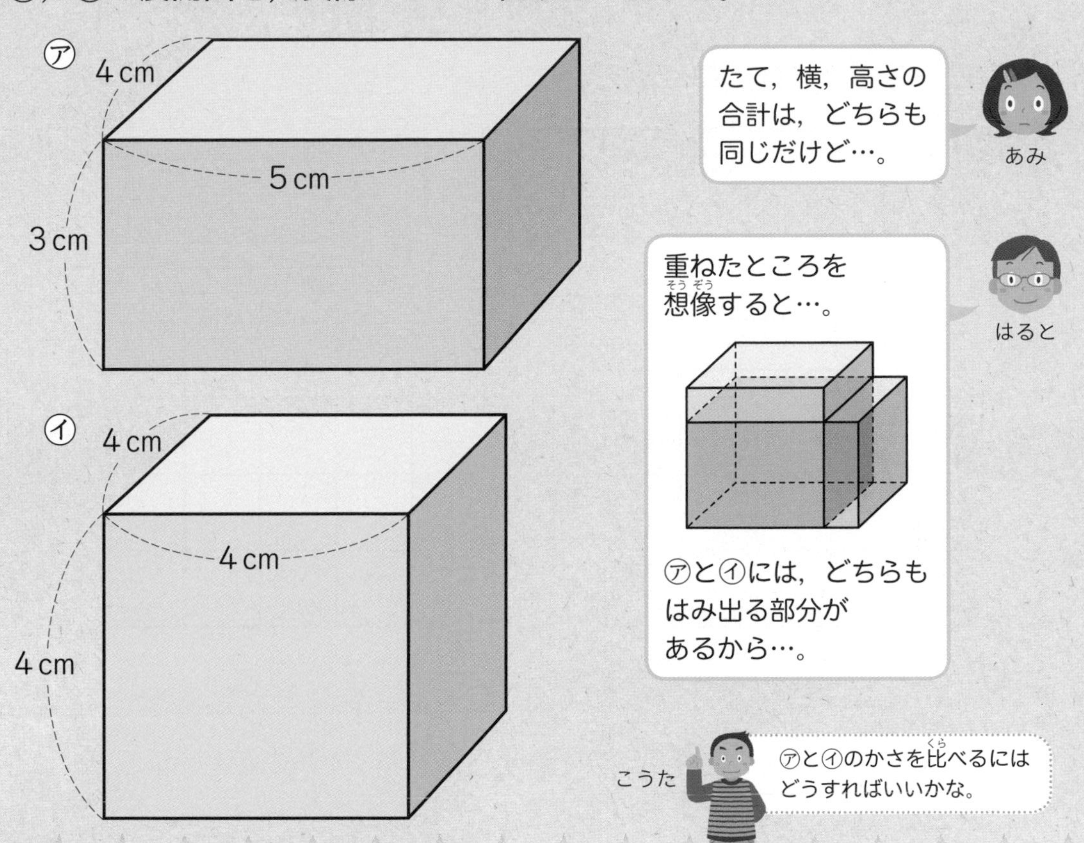


## 1 もののかさの表し方

**1** ㋐の直方体と㋑の立方体のかさは，どちらがどれだけ大きいでしょうか。比べる方法を考えましょう。

同じかさの積み木を使えば比べられそう。

長さは 1 cm の何こ分，面積は 1 $cm^2$ の何こ分で表したけど…。

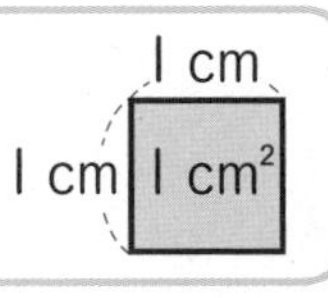

もののかさの表し方を考えよう。

面積の表し方
151 ページ⑪

1 前のページの㋐と㋑のかさは，1辺が1cmの立方体の積み木の何個分ですか。
また，どちらがどれだけ大きいですか。

**まとめ**

直方体や立方体のかさは，**1辺が1cmの立方体が何こ分あるか**で表すことができる。

長さや面積と同じように，
もとにする大きさの何こ分で表すんだね。

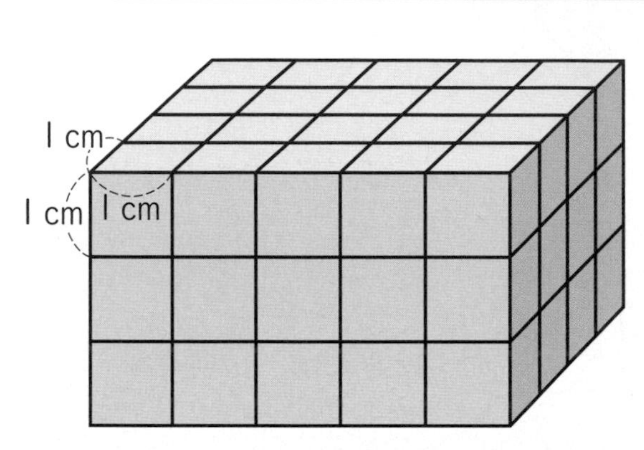


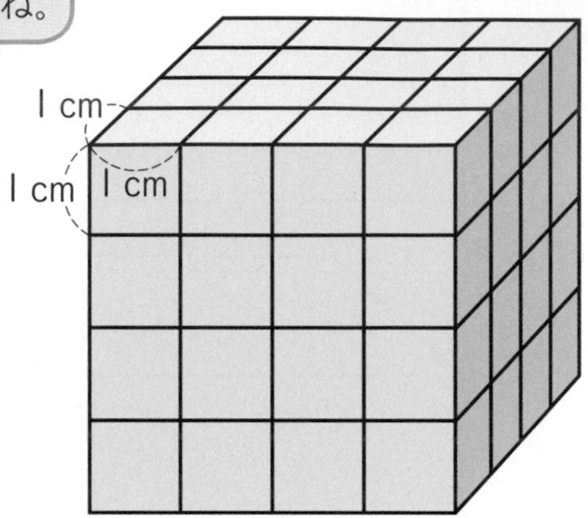


もののかさのことを，**体積**（たいせき）といいます。
1辺が1cmの立方体の体積を
**1立方センチメートル**（りっぽう）といい，
**1cm³**と書きます。

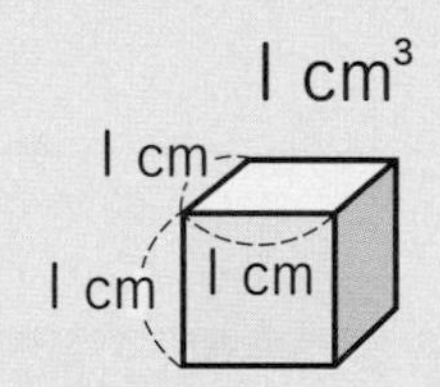


2 前のページの㋐と㋑の体積は，それぞれ何cm³ですか。
また，どちらが何cm³大きいですか。

1 1辺が1cmの立方体の積み木を24個使って，いろいろな直方体を作りましょう。

2 右のような形の体積は何cm³ですか。

①
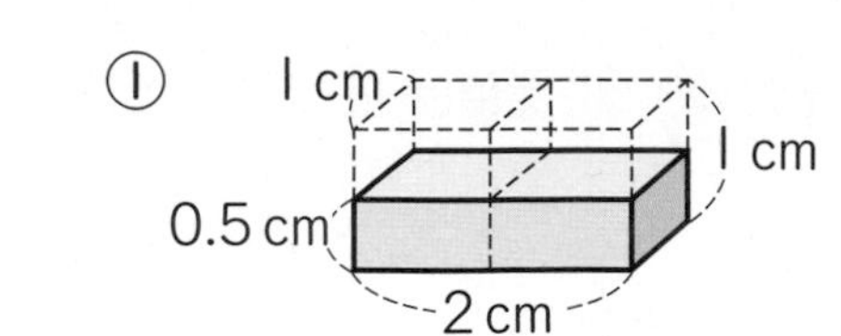


②
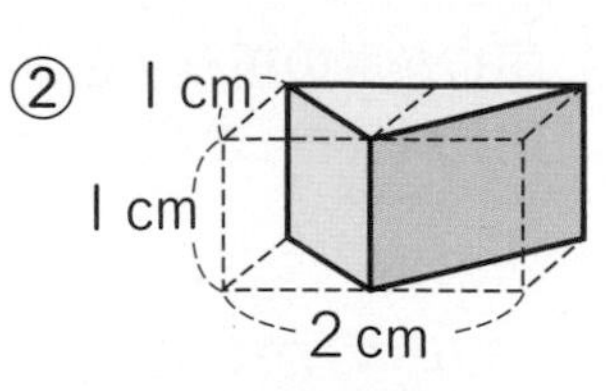


英語 体積は英語でVolume（ボリューム）というよ。

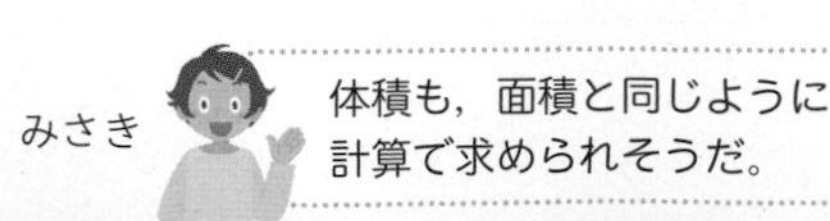

## 2 下の，㋒の直方体と㋓の立方体の体積を求めましょう。

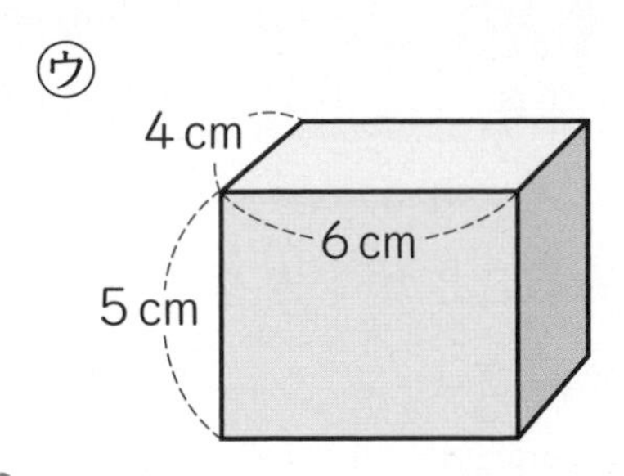


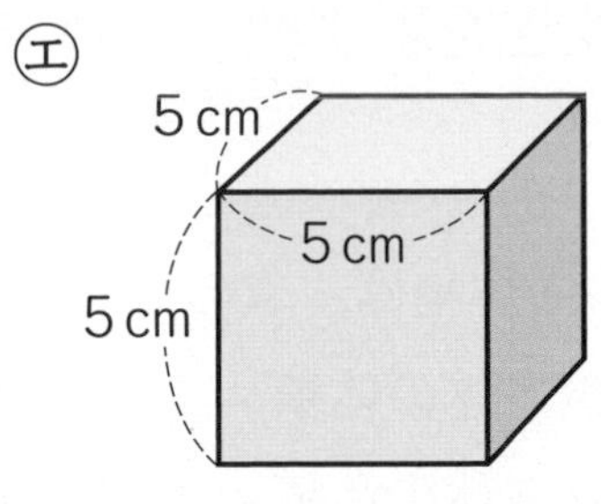

直方体や立方体の体積を，計算で求める方法を考えよう。

**1** ㋒の直方体は，1 cm³ の立方体の何こ分か調べましょう。

(1) 1 だんめには，1 cm³ の立方体が何こならびますか。

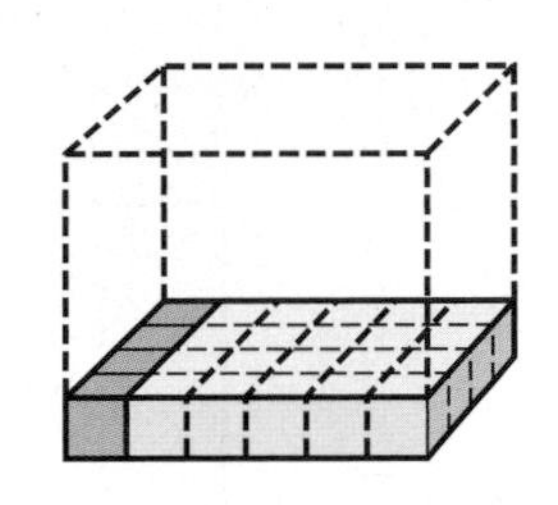

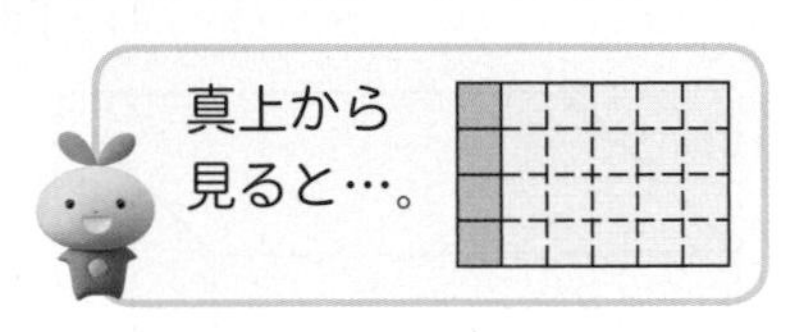


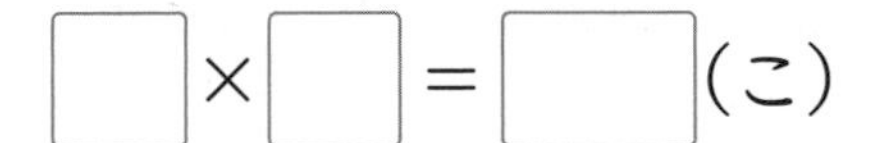


(2) 何だん積めますか。

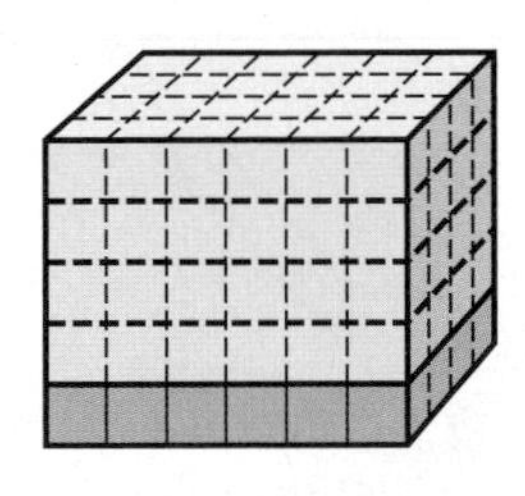

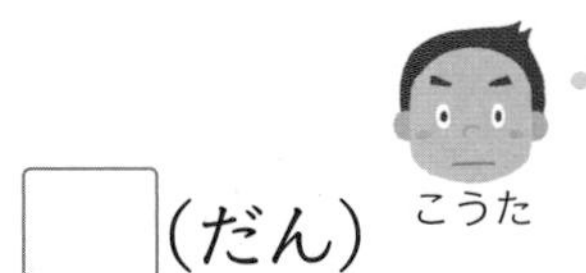

(3) 1 cm³ の立方体の全部の数を，計算で求めましょう。

㋒の直方体の体積は，1 cm³ の立方体が

$4 \times 6 \times 5 = 120$

で，120 こ分なので，120 cm³ です。

**2** ㋓の立方体の体積を，計算で求めましょう。

直方体や立方体の体積を計算で求めるには，次のようにします。

❶ たて，横，高さをはかる。

❷ 3つの辺の長さを表す数をかける。

たて，横，高さがわかれば，体積が求められるね。

**まとめ**

直方体や立方体の体積は，次の公式で求めることができる。

**直方体の体積＝たて×横×高さ**

**立方体の体積＝1辺×1辺×1辺**

長方形や正方形の面積を計算で求めたときと，同じ考え方だね。

立方体は，1辺の長さだけで体積が求められるね。

**3** 下の直方体や立方体の体積は何 $cm^3$ ですか。

①

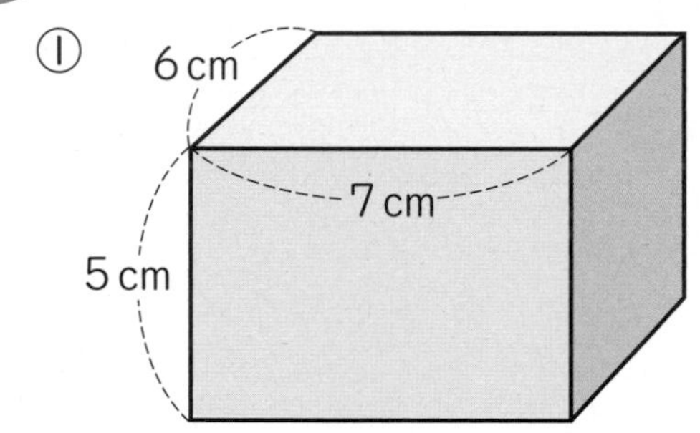


②

8cm
8cm
8cm

③

6cm
4cm
6cm
4cm

④

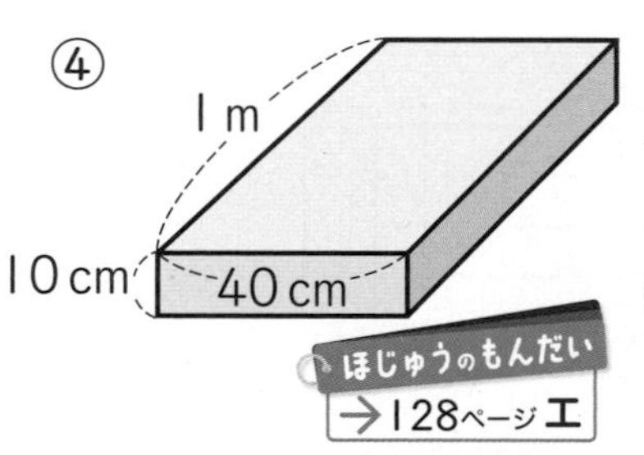


長さの単位
151ページ⑫

単位に気をつけよう。

**4** 下の図は直方体の展開図（てんかいず）です。この直方体の体積を求めましょう。

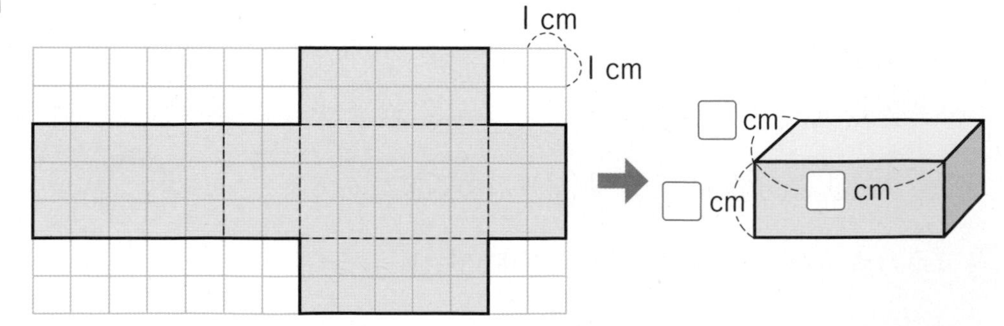


はると

公式を使うと，体積がかんたんに求められるね。

## 体積の求め方のくふう

**3** 右のような形の体積を求めましょう。

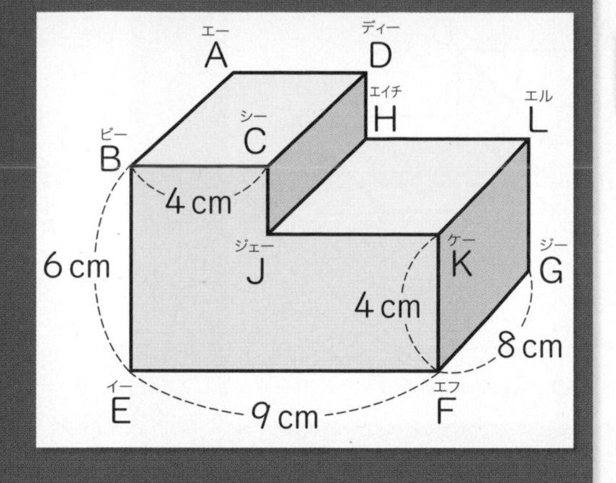


**問題をつかもう。**

- 今日はどんな問題かな。

**1** 求め方の計画を立てましょう。

形の特ちょうに注目すると…。（こうた）

のような形の面積を求めたときには…。（あみ）

どのようにすれば，のような形の体積を求めることができるか考えよう。

- どのように考えれば解決できるかな。
- 今まで学習したことで，使えることはないかな。

**2** 自分の考えを，図や式を使ってかきましょう。

155ページにも図があるよ。

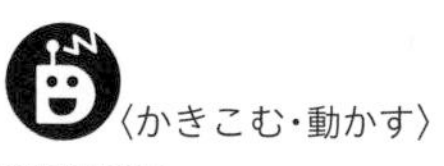


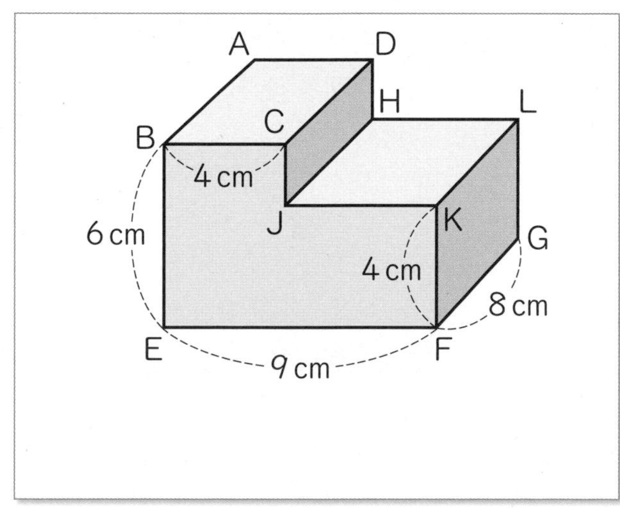


**自分の考えをかき表そう。**

- ほかの人が見てもわかるかな。

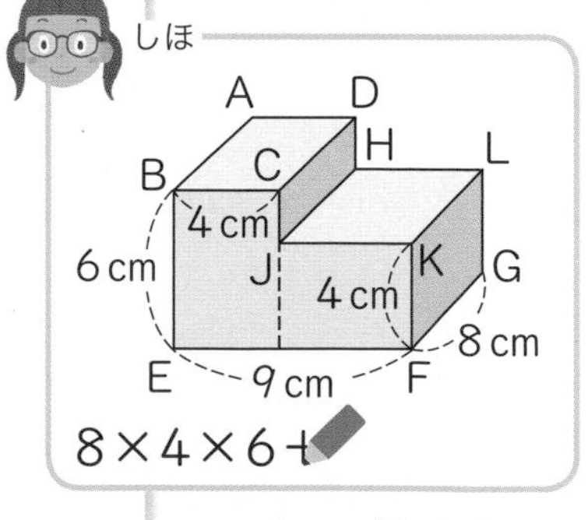


- １つできたら，別の求め方を考えてみよう。

りくさんたちは，友だちの考えを説明しています。

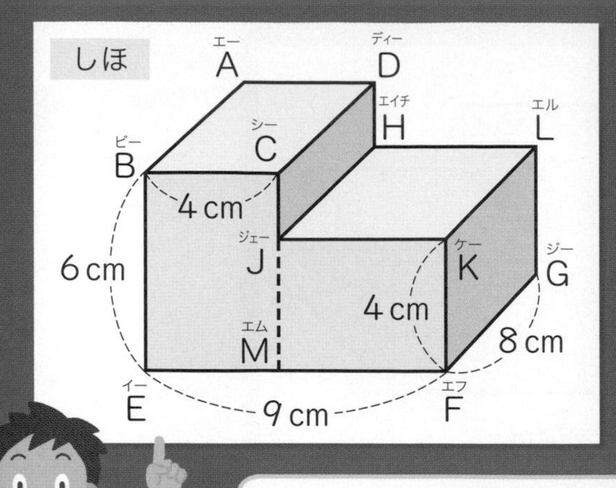


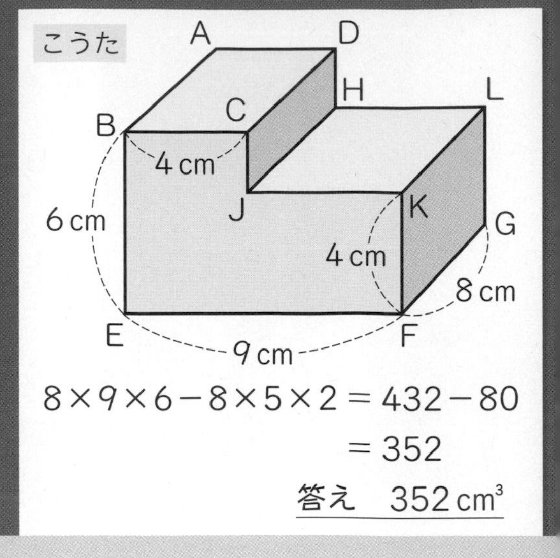


しほさんの考えは，JとMを結ぶ直線で……と思います。

りく

**友だちと学ぼう。**

- 図や式から，友だちの考えがわかるかな。
- 自分の考えと同じところやちがうところはないかな。
- 友だちの考えのいいところはどこかな。

**3** しほさんの図を見て，しほさんの考えを式に表しましょう。

**4** こうたさんの式を見て，こうたさんの考えを図を使って説明しましょう。

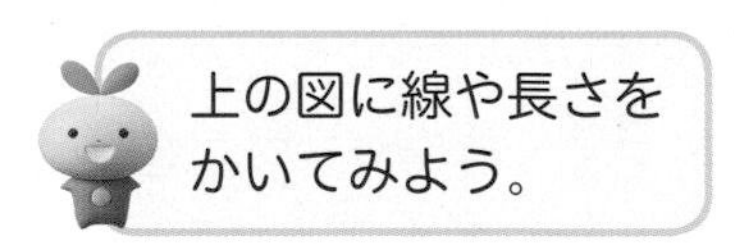


**5** 次のページのみさきさんの式を見て，みさきさんの考えを図を使って説明しましょう。

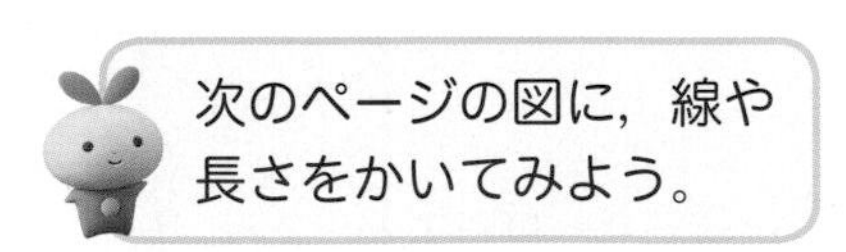


**6** 3人の考えで，共通していることはどんなことでしょうか。

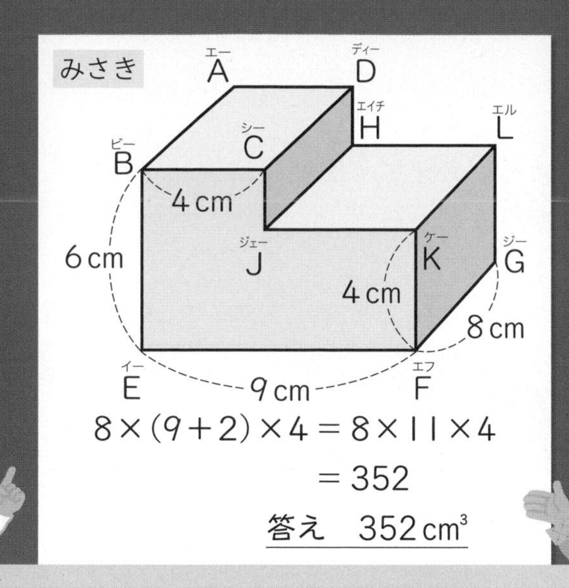


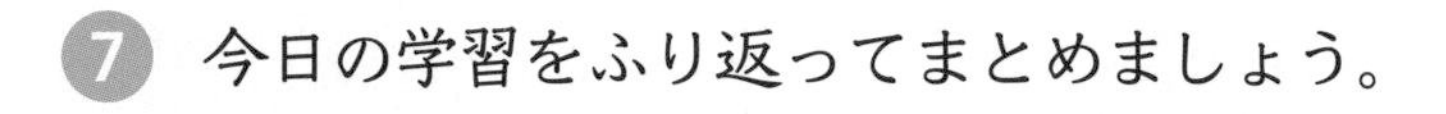

**7** 今日の学習をふり返ってまとめましょう。

**まとめ**

のような形の体積も，**直方体や立方体の形をもとにして**考えれば求めることができる。

のような形の面積を，長方形や正方形をもとにして考えたのと似ているね。

**5** 下のような形の体積を，いろいろな方法で求めましょう。

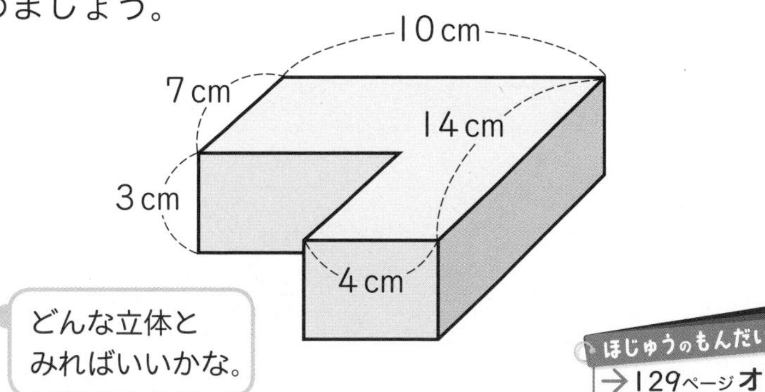


ほじゅうのもんだい →129ページオ

**ふり返ってまとめよう。**

- 今日の学習でどんなことがわかったかな。
- どんな考えが役に立ったかな。
- 次に考えてみたいことはどんなことかな。

**使ってみよう。**

- 学習したことを使って考えられるかな。

今日の深い学び　算数

# マイノートを学習に生かそう

どのように考えて，問題を解決したかをふり返りましょう。

4月22日

<問題>

右のような形の体積を求めましょう。

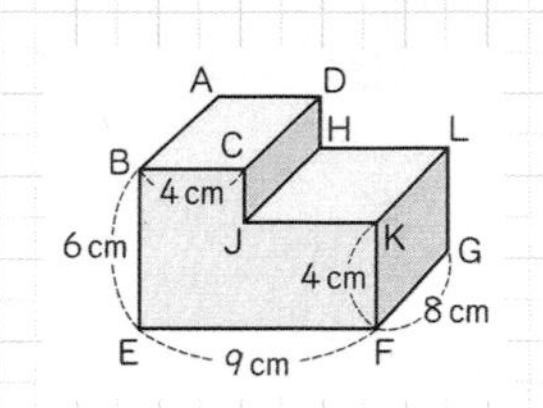


・どのようにすれば、のような形の体積を求めることができるか考えよう。

<自分の考え>

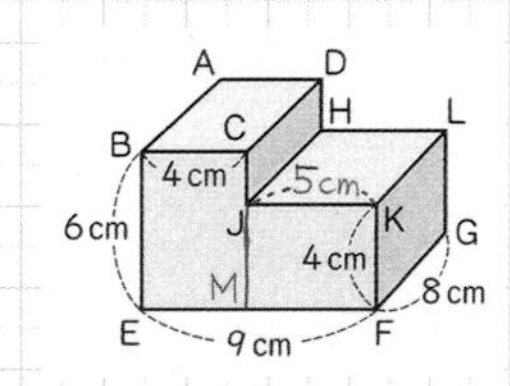


2つの直方体に分けて考えた。

$8\times4\times6+8\times5\times4=192+160$

$=352$

答え　352 cm³

① 直方体の体積を求める公式は4月21日に学習した。

体積の求め方がわかっている図形に分けられないか考えた。

考えるときには，式と答えだけでなく，

- 図
- 表
- グラフ

なども使うようにしましょう。

## 友だちの学習感想

りく

4年で学習したの面積を求めたときと同じように、形を分ける考え方が使えました。

前に学習したことがどのように役に立ったかを書いているね。

**ノートのくふう ❶**

前の学習を使っているところは，そのことが書いてあるノートの日付を書くようにしています。

**ノートのくふう ❷**

分けて動かした後の図形もかいて，友だちの考えを図と式を使って表しています。

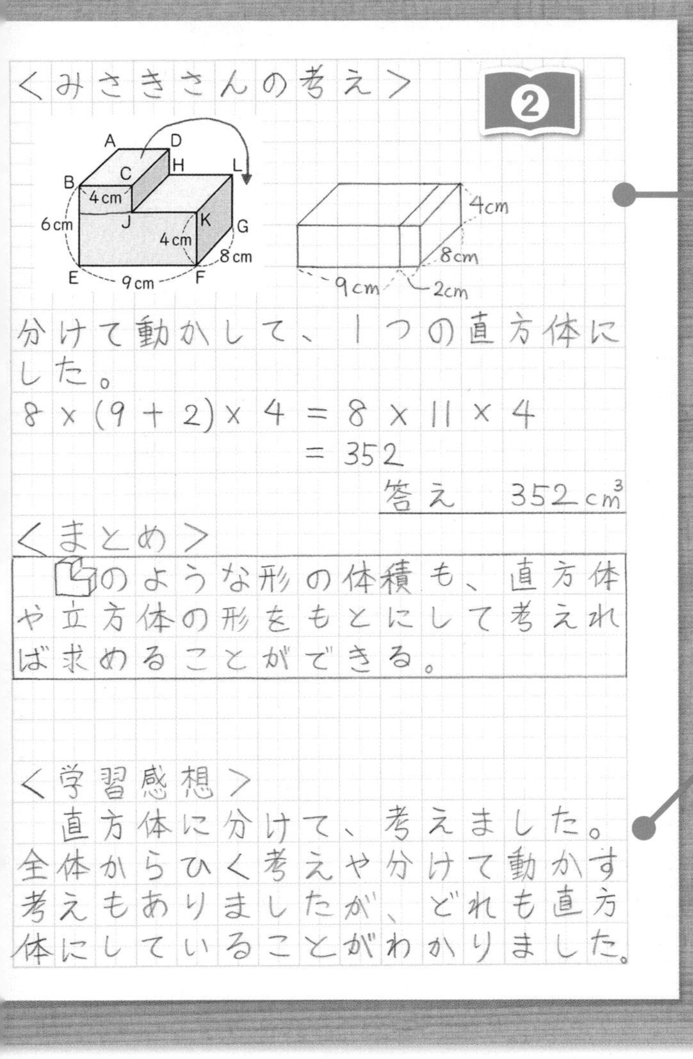


形の特ちょうに注目して，体積を求められる図形に，形を変えた。

体積の求め方がわかっている図形に注目すればよいことがわかった。

あみ

直方体や立方体に分けることができる図形なら、どんな形でも体積を求められると思いました。

次に考えられそうなことを，見通しをもって書いているね。

## 2 いろいろな体積の単位

### 1

右のような直方体の体積の表し方を考えましょう。

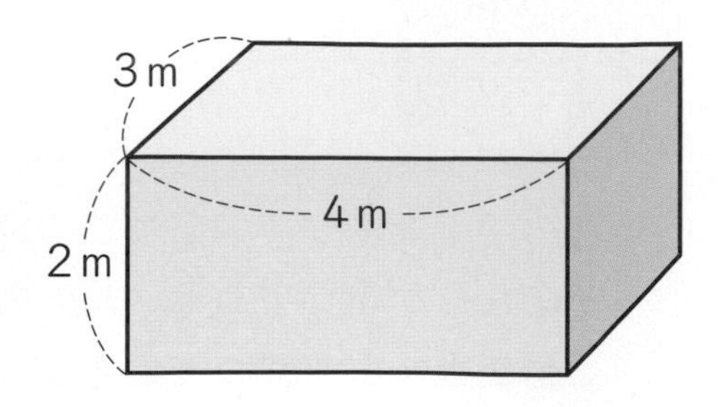


大きなものの体積の表し方を考えよう。

みさき：Ｉm＝100cm だから，体積を求めると…。

はると：大きな面積のときは…。

**まとめ**

大きなものの体積を表すには，Ｉ辺がＩmの立方体の体積を単位にする。

もとにする大きさを変えればいいね。

Ｉ辺がＩmの立方体の体積を**Ｉ立方メートル**（りっぽう）といい，**Ｉm³**と書きます。

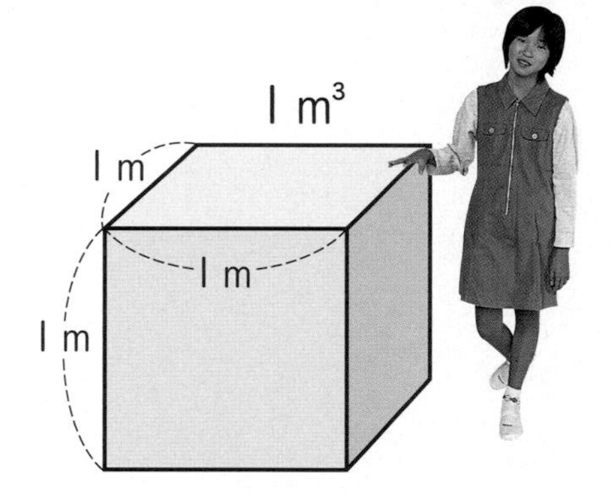


① 上の直方体の体積は何m³ですか。

りく：辺の長さを見ると，Ｉm³の立方体が，たてに□こ，横に□こ，高さに□こならぶから…。

② Ｉm³の立方体のたて，横，高さには，Ｉcm³の立方体がそれぞれ何こならびますか。

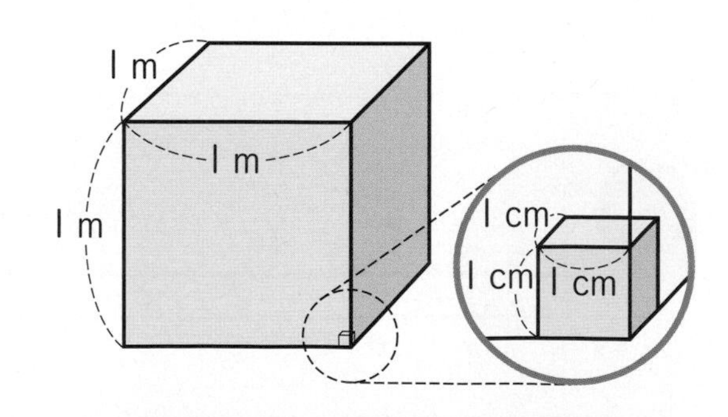

③ $1\,m^3$ の立方体は，$1\,cm^3$ の立方体の何こ分ですか。

$1\,m^3 = 1000000\,cm^3$

1 下の直方体や立方体の体積は何 $m^3$ ですか。

①

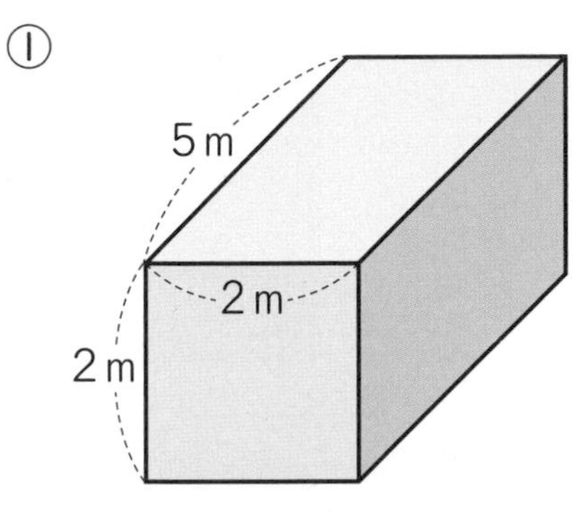


②

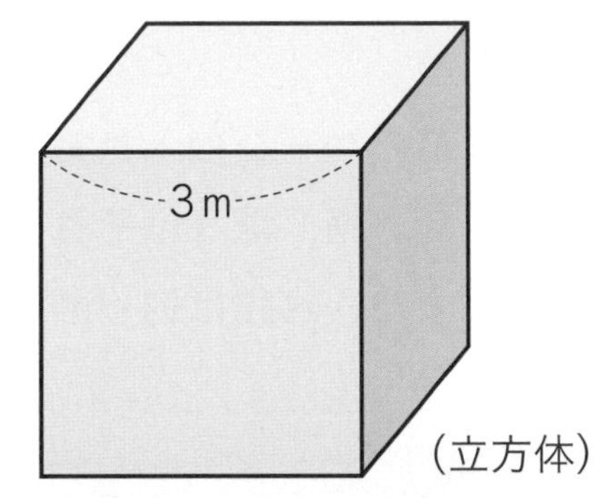


2 1 m のものさしや，テープ，ぼうを使って，$1\,m^3$ の立方体を作りましょう。

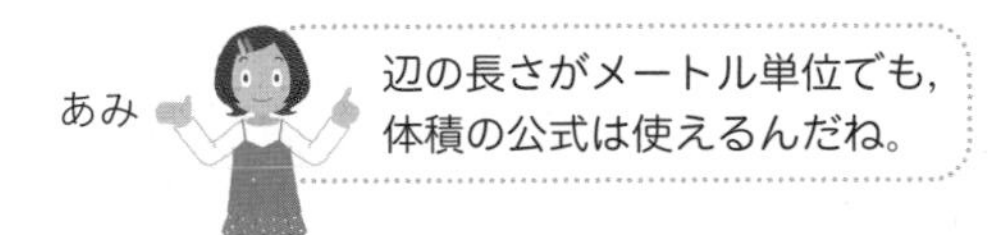


## 2

厚(あつ)さ 1 cm の板で，右のような直方体の形をした入れ物を作りました。
この入れ物に入る水の体積は何 $cm^3$ ですか。

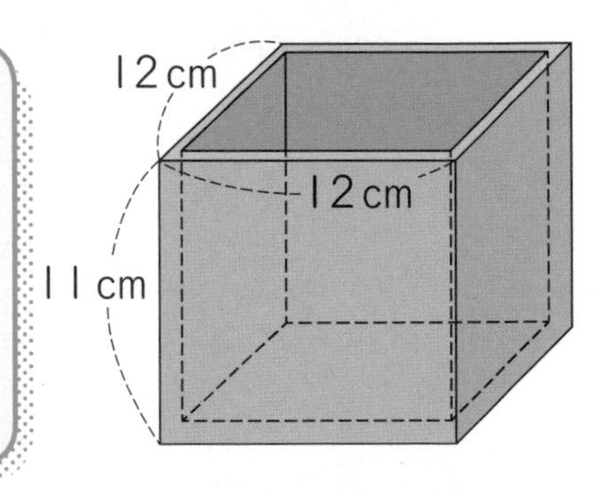


① この入れ物に入る水の体積を求めるには，入れ物のどこの長さがわかればよいですか。

こうた：入れ物に厚さがある…。

入れ物の内側の長さを，内のり(うち)といいます。

また，入れ物の中いっぱいに入る水などの体積を，その入れ物の容積(ようせき)といいます。

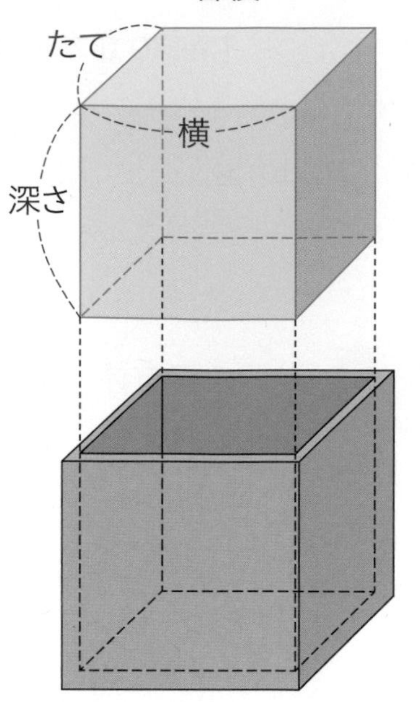


**2** 前のページの入れ物の，内のりのたて，横，深さはそれぞれ何cmですか。
また，容積は何$cm^3$ですか。

□×□×□＝□　　答え □$cm^3$

内のりのたて，横，深さが，どれも10cmの入れ物には，ちょうど1Lの水が入ります。

1Lは1000$cm^3$です。　　1L＝1000$cm^3$

これまでに学習した単位の関係を調べよう。

**3** 1Lは1000mLです。
1mLは何$cm^3$ですか。　　1mL＝1$cm^3$

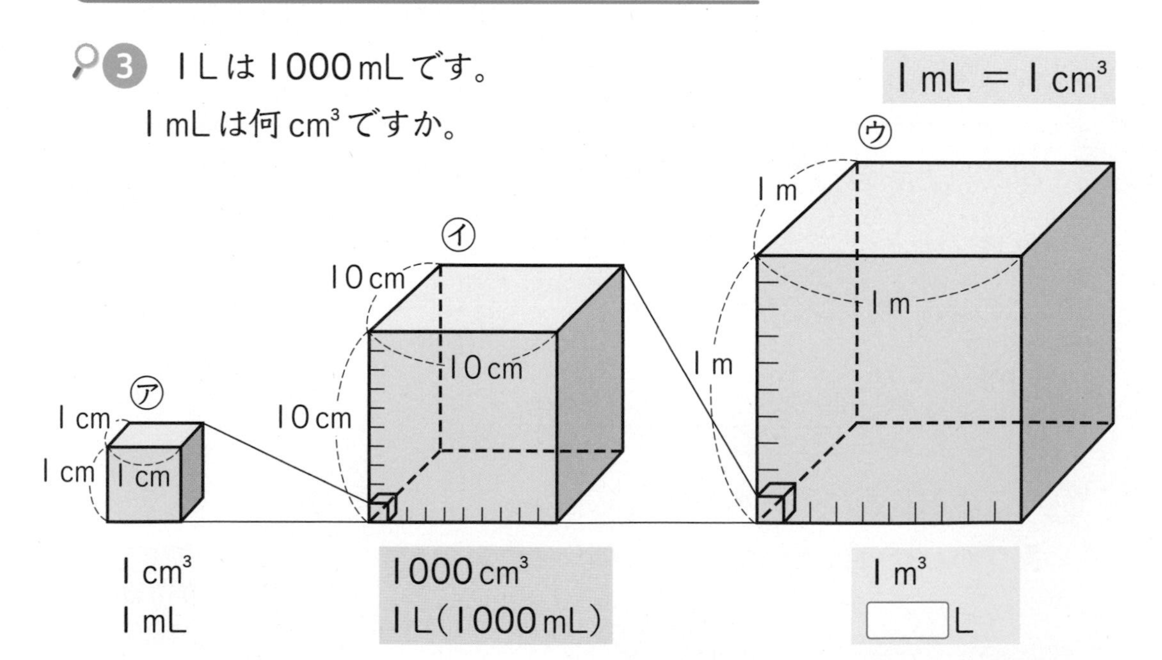

4 $1\,m^3$は何Lですか。

**1L＝1000cm³の関係から**，Lを使った単位とcm³やm³の関係がわかるね。

5 これまでに学習してきた長さや面積，体積の単位どうしの関係を整理しましょう。

| | ㋐ | ㋑ | ㋒ |
|---|---|---|---|
| 1辺の長さ | 1cm | 10cm | 1m |
| 正方形の面積 | $1\,cm^2$ | $100\,cm^2$ | $1\,m^2$ |
| 立方体の体積 | $1\,cm^3$<br>1mL | $1000\,cm^3$<br>1L | $1\,m^3$<br>1kL |

3 右の水そうの容積(ようせき)は何$cm^3$ですか。
また，何Lですか。

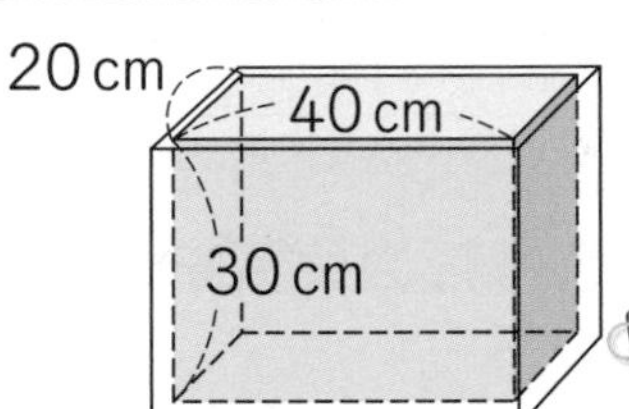


ほじゅうのもんだい →129ページ カ

## 石の体積の求め方

でこぼこした石や，たまごのような形をしたものの体積は，どのようにして求めればよいでしょうか。

1つの方法に，水を使うものがあります。水を入れた水そうの中に，石を入れます。石を入れると，石の体積分だけ水面が上がるので，上がった分の水の体積を求めれば，石の体積がわかります。

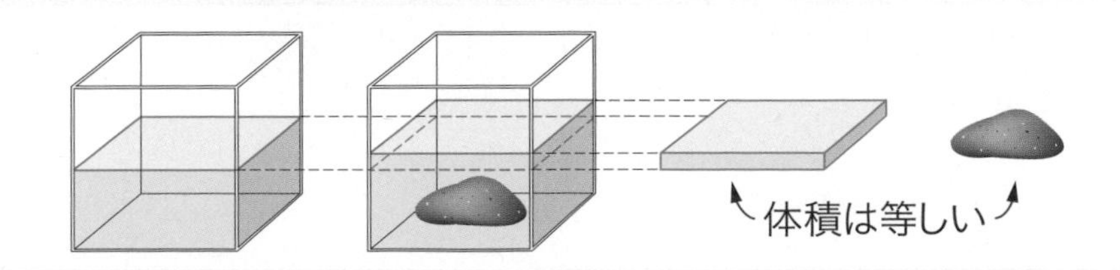

# たしかめよう

**1** 下の立方体や直方体の体積は何 cm³ ですか。

① 
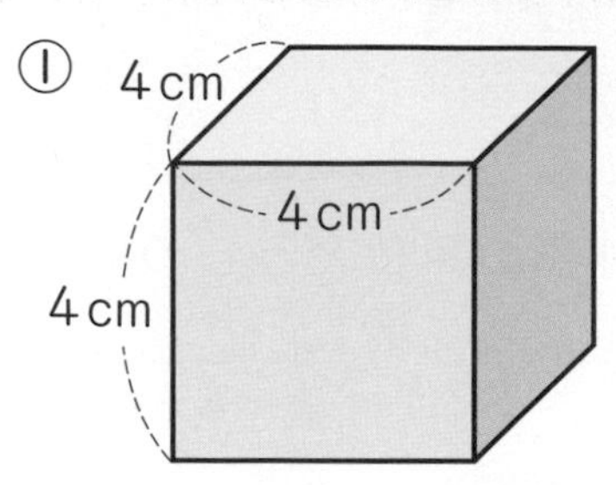


② 
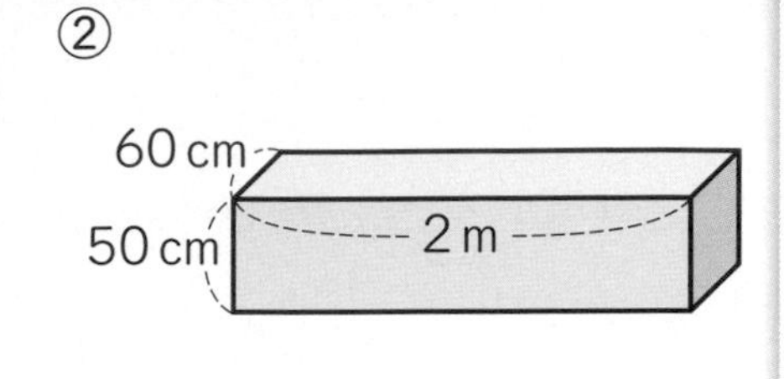


◀立方体や直方体の体積を求められるかな？

19ページ 2

**2** 右のような形の体積を，下の式で求めました。
どのように考えたのかを，右の図に線をかき入れて説明しましょう。

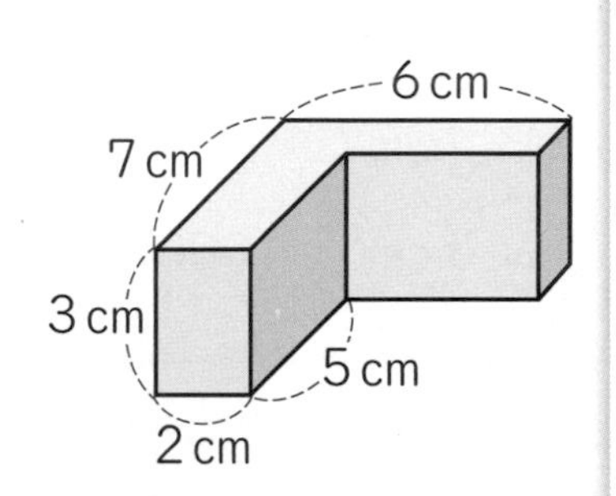


$5 \times 2 \times 3 + 2 \times 6 \times 3$

◀体積の求め方を式から読み取れるかな？

21ページ 3

**3** 下のような形の体積を求めましょう。

① 
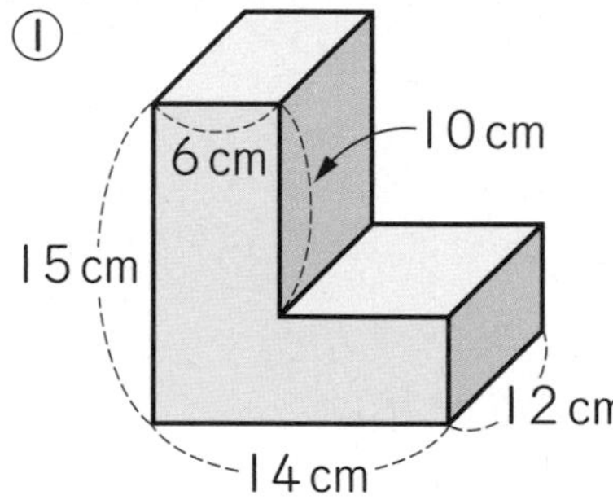


② 
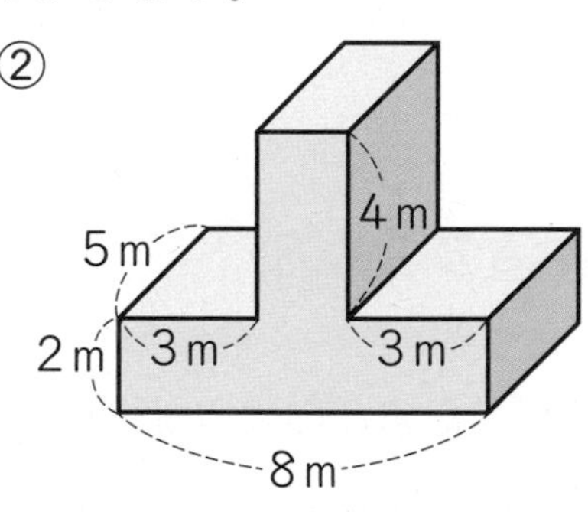


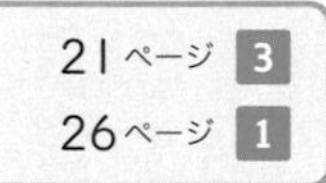
◀ のような形の体積が求められるかな？

21ページ 3
26ページ 1

**4** □にあてはまる単位を書きましょう。

① 1辺が1mの立方体の体積は，1□です。

② 右の入れ物の容積（ようせき）は，1□です。

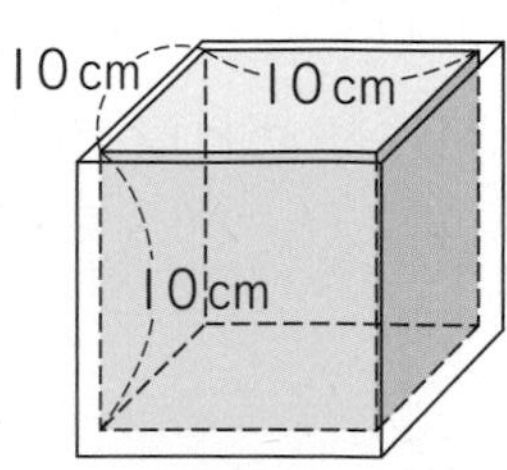


◀体積や容積の単位がわかるかな？

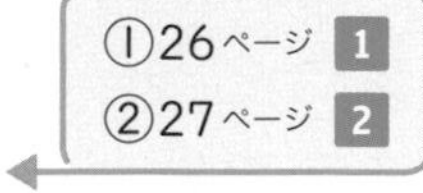
①26ページ 1
②27ページ 2

# つないでいこう 算数の目 ～大切な見方・考え方

## 図形の特ちょうに注目し，体積の求め方を考える

直方体の体積が「たて×横×高さ」の公式で求められる理由を，長方形の面積の求め方と比(くら)べながらふり返ります。

□にあてはまる数を書きましょう。

**直方体**

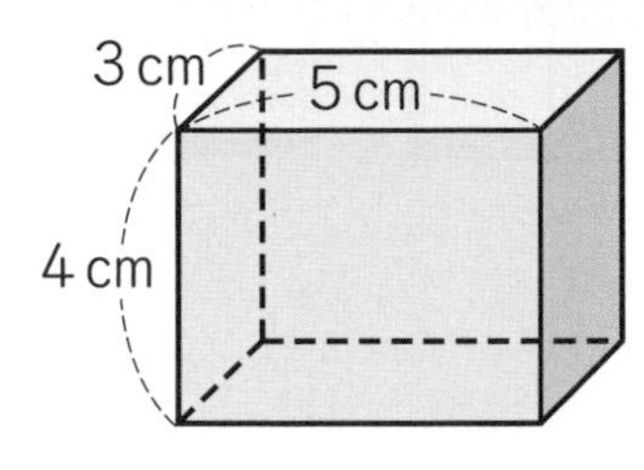


① $1\,cm^3$ の立方体が，たてに□こ，横に□こならぶから，1だんに□こならぶ。

高さが□cm なので，□だん積める。

② $1\,cm^3$ の立方体の全部の数は，

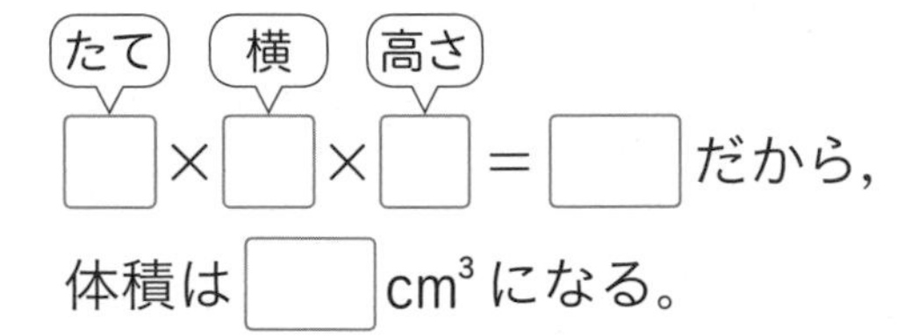


□×□×□＝□だから，

体積は□$cm^3$ になる。

直方体も
長方形も，
辺の長さに…。

**長方形**

5 cm
3 cm

① $1\,cm^2$ の正方形が，たてに□こ，横に□こならぶ。

② $1\,cm^2$ の正方形の全部の数は，

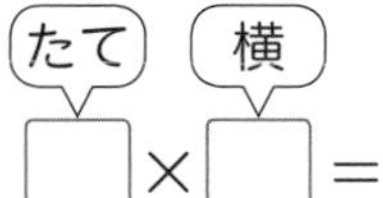


□×□＝□だから，面積は□$cm^2$ になる。

直方体も長方形も，もとにする大きさを決めて，その何こ分かを考えているのは同じだね。

「直方体や立方体のかさの表し方を考えよう」の学習をふり返って話し合ってみよう。

直方体や立方体について，体積を求めることができるようになった。立体を見る見方が1つ増(ふ)えたよ。
辺の長さに注目して考えたのは，面積と同じだったね。

身のまわりには，直方体や立方体ではない立体もあるけど，それらの特ちょうや体積も調べたいな。

5年や6年で学習するよ。

# どんな変わり方をするのかな？

１つの量が増えると，それにともなってもう１つの量は，
どのように変わるかな。

① 全部で80ページの本があります。
読んだページ数が増えると，
残りのページ数は…。

| 読んだページ数（ページ） | 1 | 2 | 3 | 4 | 5 | 6 |
|---|---|---|---|---|---|---|
| 残りのページ数（ページ） | 79 | 78 | | | | |

② たん生日が同じで，３才ちがいの
弟と姉がいます。弟の年れいが
増えると，姉の年れいは…。

| 弟の年れい（才） | 1 | 2 | 3 | 4 | 5 | 6 |
|---|---|---|---|---|---|---|
| 姉の年れい（才） | 4 | 5 | | | | |

③ 高さが１cmで体積が15cm³の直方体が
あります。高さが増えると，
□は…。

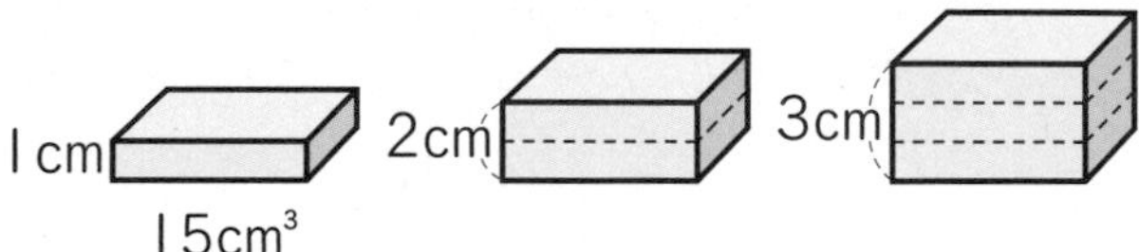


**直方体の高さが１cm，２cm，３cm，…と変わると，それにともなって変わる量は何かな。また，変わり方をどのように調べればいいかな。**

みさき
直方体が大きくなっていき，
体積が増えていきます。

①や②と同じように，
表を使って調べてみたい。
こうた

比例

# 3 変わり方を調べよう (1)

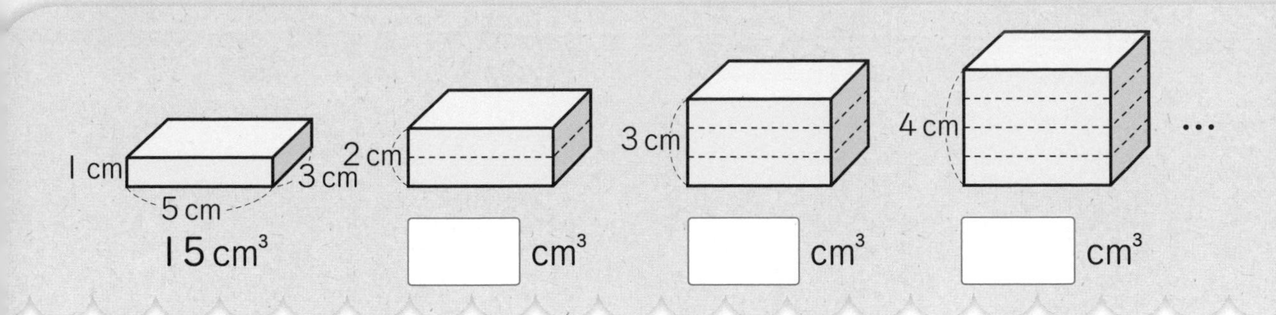


**1** 上の図のように，直方体の高さが1cm，2cm，3cm，… と変わると，それにともなって体積はどのように変わりますか。

❶ 高さ□cmが2cm，3cm，…のとき，体積○cm³は，それぞれ何cm³になりますか。下の表にまとめましょう。

3×5×□=○
15 ×□=○

〈動かす〉

| 高さ□(cm) | 1 | 2 | 3 | 4 | 5 | 6 | 7 | 8 |
|---|---|---|---|---|---|---|---|---|
| 体積○(cm³) | 15 | | | | | | | |

直方体の高さ□cmと体積○cm³の関係を調べよう。

❷ □(高さ)が1の場合，□が2倍になると，○(体積)はどのように変わりますか。
　また，□が3倍，4倍になると，○はそれぞれどのように変わりますか。上の表に，右のような をかいて調べましょう。

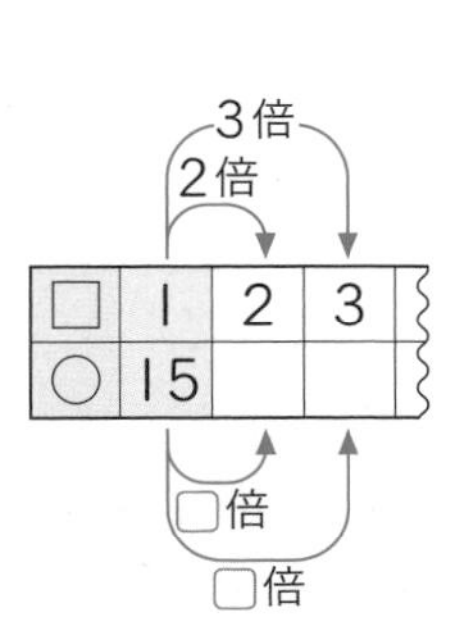


❸ □が2の場合を，❷と同じように調べましょう。

2つの量□と○があり，□が2倍，3倍，…になると，
それにともなって○も2倍，3倍，…になるとき，
「○は□に比例（ひれい）する」といいます。

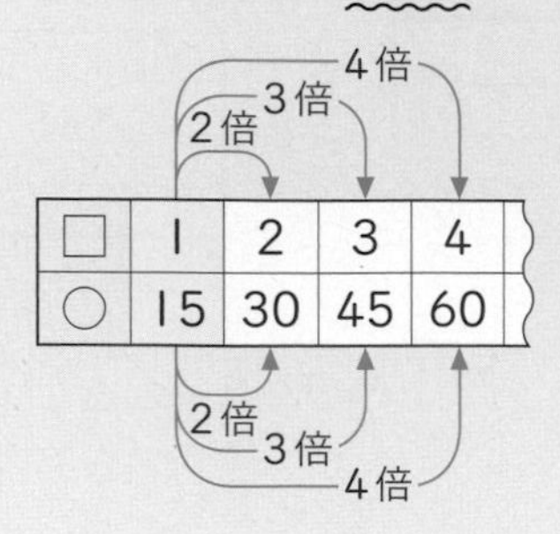


| □ | 1 | 2 | 3 | 4 |
|---|---|---|---|---|
| ○ | 15 | 30 | 45 | 60 |

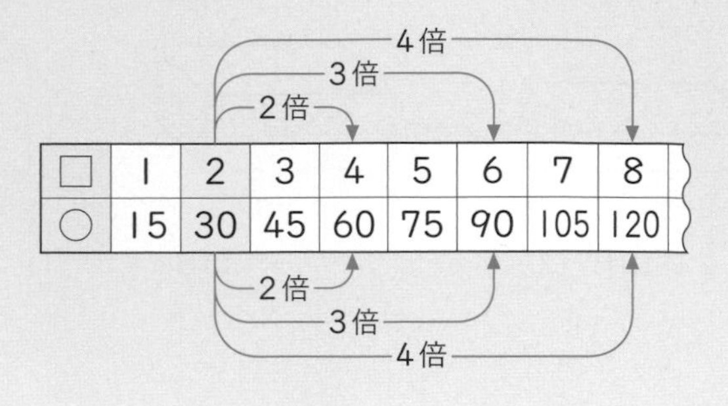


| □ | 1 | 2 | 3 | 4 | 5 | 6 | 7 | 8 |
|---|---|---|---|---|---|---|---|---|
| ○ | 15 | 30 | 45 | 60 | 75 | 90 | 105 | 120 |

1 の直方体では，体積は高さに比例するね。（はると）

あみ：4年で変わり方を調べたときは，15 cm³ずつ増（ふ）えることに注目した。表を横に見るのは同じだけど，今日は2倍，3倍，…の関係に注目したね。

## 2 1 の直方体で，高さが30 cm のときの体積を求めましょう。

直方体の体積の公式を使っても求められるけど…。

体積は高さに比例することを使えば…。（あみ）

### 比例の関係を使って考えよう。

| 高さ □(cm) | 1 | 2 | 3 | 4 | 5 | 6 | 7 | 8 | 9 | 10 | 30 |
|---|---|---|---|---|---|---|---|---|---|---|---|
| 体積 ○(cm³) | 15 | 30 | 45 | 60 | 75 | 90 | 105 | 120 | 135 | 150 | |

体積は高さに比例するから，高さが1 cm から30 cm と30倍になると，体積も…。（りく）

高さが10 cm から30 cm と3倍になると…。（しほ）

① 高さが30 cmのときの体積は，何 $cm^3$ ですか。

高さが30 cmのときのように，表にない部分も比例の関係を使って体積を求めることができるね。

1 次の，ともなって変わる2つの量で，○は□に比例していますか。
また，比例しているときは，□が10のときの○を求めましょう。

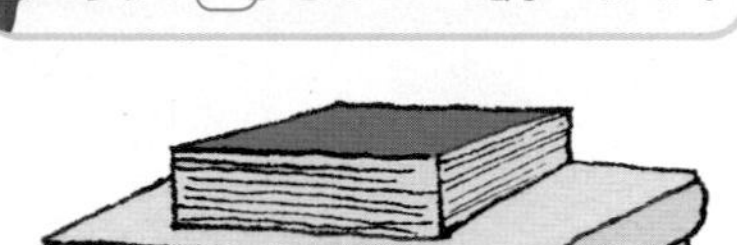


① 1まい25円の色紙を□まい買うときの，代金○円

| まい数 □(まい) | 1 | 2 | 3 | 4 | 5 | 6 | 7 | 8 |
|---|---|---|---|---|---|---|---|---|
| 代金 ○(円) | 25 | 50 | 75 | 100 | 125 | 150 | 175 | 200 |

② 1まい25円の色紙を□まいと50円の消しゴムを1個買うときの，代金○円

①と②は，どちらも25円ずつ増えているけど…。

| まい数 □(まい) | 1 | 2 | 3 | 4 | 5 | 6 | 7 | 8 |
|---|---|---|---|---|---|---|---|---|
| 代金 ○(円) | 75 | 100 | 125 | 150 | 175 | 200 | 225 | 250 |

③ たての長さが4 cmの長方形の横の長さ□cmと，面積○ $cm^2$

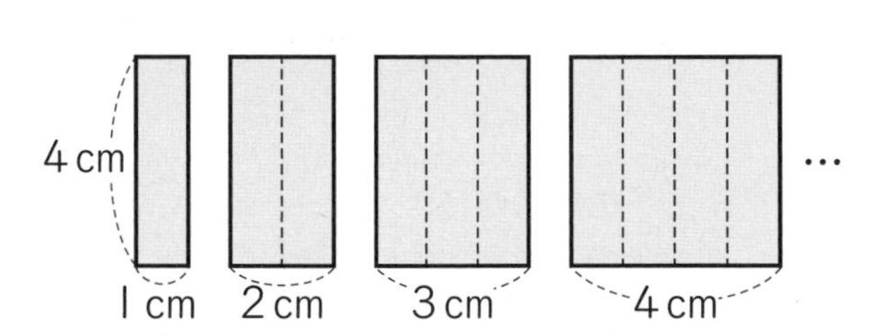


| 横の長さ □(cm) | 1 | 2 | 3 | 4 | 5 | 6 | 7 | 8 |
|---|---|---|---|---|---|---|---|---|
| 面積 ○($cm^2$) | 4 | 8 | 12 | 16 | 20 | 24 | 28 | 32 |

→130ページキ

色紙のまい数と代金など，比例の関係は身のまわりにもあるんだね。

げんとさんは，お楽しみ会で使うリボンを，□m買いに来ました。

## 3

Ｉｍのねだんが80円のリボンがあります。
買う長さがＩm，２m，３m，…と変わると，
それにともなって代金はどのように変わりますか。

Ｉm　80円
2m　160円
3m　240円
⋮

りく

❶ リボンの代金○円は，
長さ□mに比例(ひれい)していますか。

| 長さ □(m) | Ｉ | 2 | 3 | 4 | 5 | 6 | 7 | 8 |
|---|---|---|---|---|---|---|---|---|
| 代金 ○(円) | 80 | Ｉ60 | 240 | 320 | 400 | 480 | 560 | 640 |

代金は長さに比例しているね。

しほ

かけ算の場面では，数直線の図もよく見たけど…。

❷ ❶の表を，数直線の図に表してみましょう。

下の直線が長さ，
上の直線が代金に
なっているね。

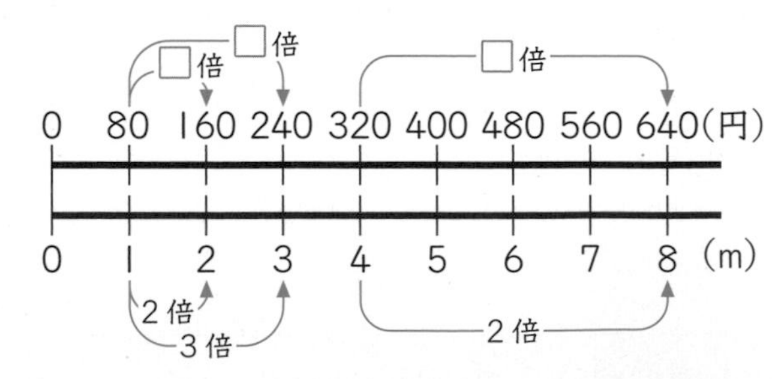


❸ 長さが9m，Ｉ5mのときの代金を，数直線の図を使ってそれぞれ求めましょう。

## 数直線の図を使って，問題を解決しよう。

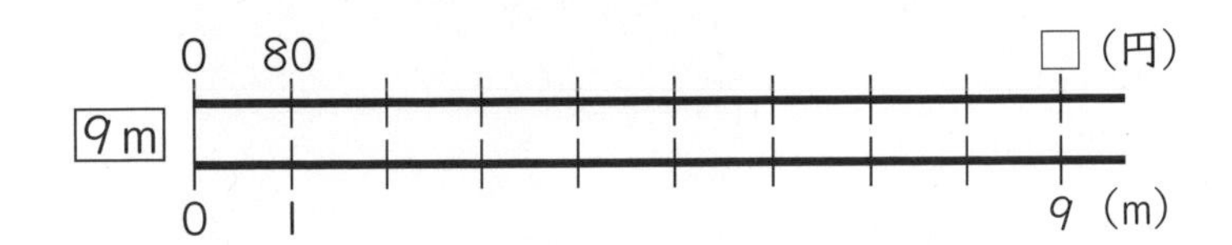


リボンの代金は長さに比例するから，長さが１mから９mと９倍になると…。

求める代金は，80円を１とみたとき，９にあたる大きさだから，式は…。

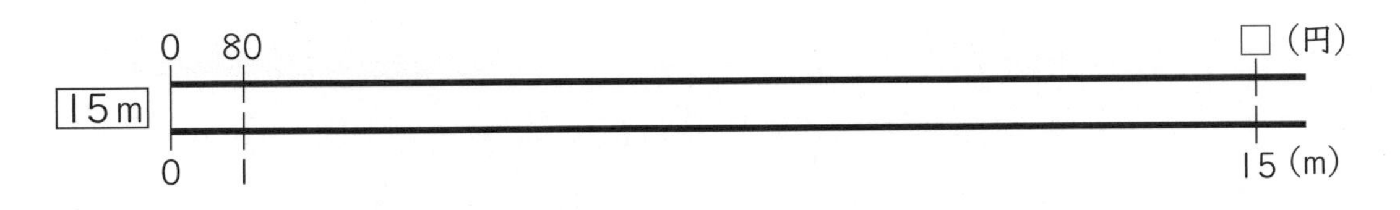

２mのときの代金160円や，３mのときの代金240円などのめもりは，省略しているね。

数直線の図から，**式をたてたり答えを求めたりすることができる**ね。

148ページに，この数直線の図のかき方があるよ。

「変わり方を調べよう (1)」の学習をふり返って話し合ってみよう。

表を横に見て，２倍，３倍，…の関係を調べられるようになった。
１の直方体で，体積は高さに比例することがわかったよ。

数直線の図のしくみがよくわかった。
いろいろな問題で図を使ってみたいな。

学習のしあげ－比例

# いかしてみよう

あやさんの学校は３階建てです。

階だんを使って，１階のゆかから３階のゆかまでの高さを調べます。

階だんの１だんの高さをはかったら15cmでした。

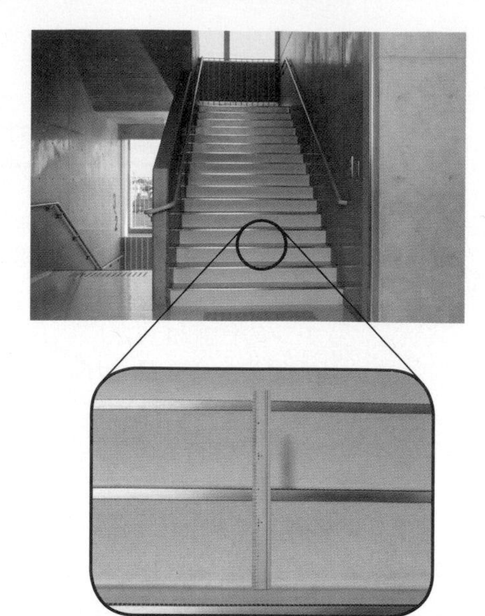

階だんの１だんの高さは，どれも15cmになっているものとして考えよう。

① １階から階だんを１だん，２だん，３だん，…と上がっていくと，それにともなって１階のゆかからの高さはどのように変わりますか。上がる階だんの数を□だん，１階のゆかからの高さを○cmとして，下の表にまとめましょう。

| 上がる階だんの数　□(だん) | 1 | 2 | 3 | 4 | 5 | 6 | 7 |
|---|---|---|---|---|---|---|---|
| １階のゆかからの高さ ○(cm) | 15 | | | | | | |

② １階のゆかからの高さ○cmは，上がる階だんの数□だんに比例(ひれい)していますか。また，□と○の関係を式に表しましょう。

③ １階から３階まで上がるのに，階だんは48だんありました。１階のゆかから３階のゆかまでの高さは何cmですか。また，何mですか。

④ 身のまわりの建物について，あやさんと同じように，階だんの１だんの高さと，上がる階だんの数□だんを調べ，１階のゆかから２階や３階のゆかまでの高さ○cmを求めてみましょう。

１階のゆかからの高さは，上がる階だんの数に比例すると考えるよ。

# おぼえているかな？

答え→ 147ページ

**1** 1mの重さが2.14kgのパイプがあります。

このパイプ□mの重さを○kgとすると，○は□に比例していますか。

表に をかいて調べよう。

| パイプの長さ　□(m) | 1 | 2 | 3 | 4 | 5 | 6 |
|---|---|---|---|---|---|---|
| パイプの重さ　○(kg) | 2.14 | 4.28 | 6.42 | 8.56 | 10.7 | 12.84 |

**2** 白，赤，青のテープがあります。白のテープの長さは80cmで，赤のテープの長さは200cmです。

倍
151ページ⑩

① 赤のテープの長さは，白のテープの長さの何倍ですか。

② 青のテープは白のテープの5倍の長さです。青のテープは何cmですか。

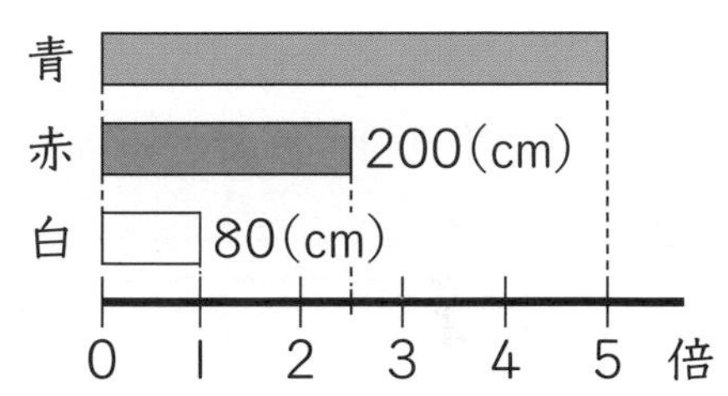


じゅんび

**3** 7×4＝28をもとにして，次の積を求めましょう。

かけ算の性質
150ページ①

① 7×12

7×4 ＝ 28
↓×□　↓×□
7×12 ＝ □

② 70×40

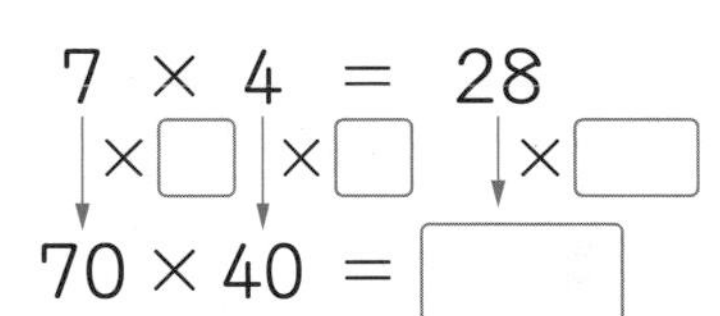


③ 7×40

④ 7×400

## 数と計算であそぼう　かけ算，わり算パズル

たて，横，ななめの3つの数の積が，どれも　　の数になるように，数を入れよう。

① 216

| ㋐ | 4.5 | ㋑ |
|---|---|---|
| ㋒ | 6 | ㋓ |
| 9 | ㋔ | ㋕ |

② 1000

| ㋚ | ㋛ | ㋜ |
|---|---|---|
| ㋝ | 10 | ㋞ |
| ㋟ | 12.5 | 20 |

# どんなかけ算を学習してきたかな？

**4×5＝20**　｜本４cmのテープを５本つないだ長さ

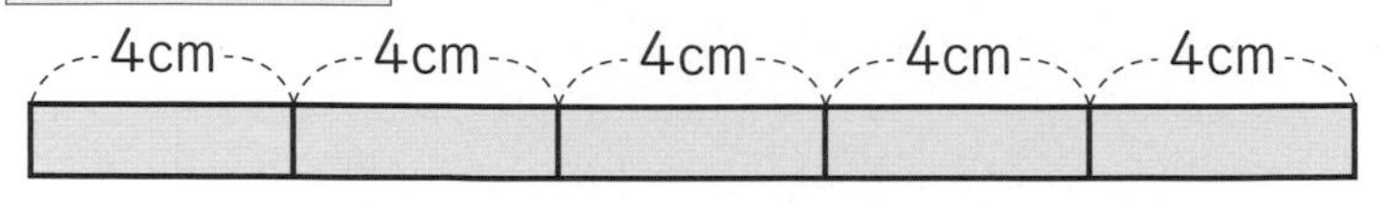


4＋4＋4＋4＋4

テープの長さは，［4cm］の［5倍］で［20cm］です。

---

**23×3＝69**　｜まい23円の色画用紙３まい分の代金

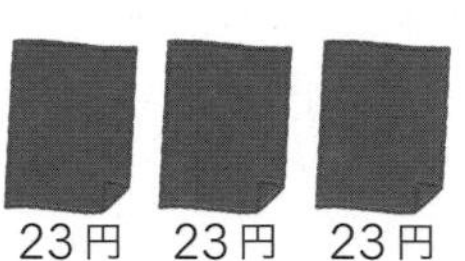


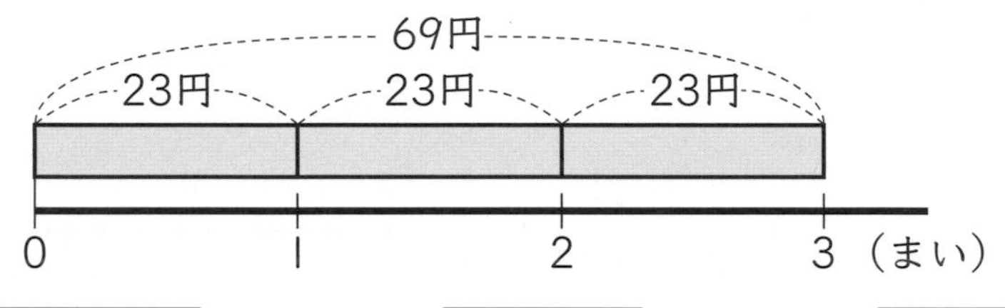


23＋23＋23

［｜まい23円］の色画用紙［3まい分］の代金は，［69円］です。

---

**0.3×4＝1.2**　｜本0.3L入りの飲み物
４本分の飲み物の量

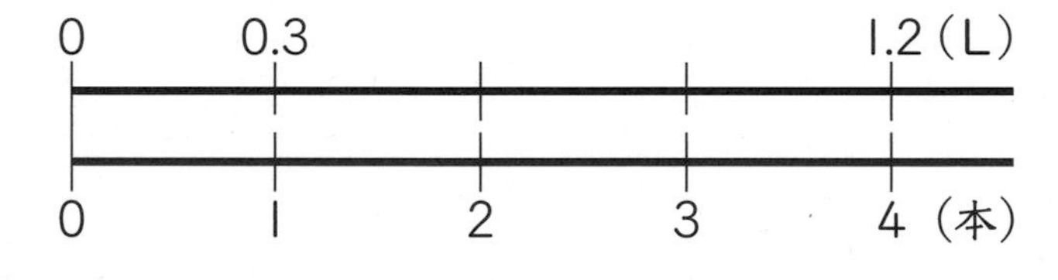


0.3＋0.3＋0.3＋0.3

**これまでに学習してきたかけ算について，話し合ってみよう。**

｜つ分の数 × いくつ分 ＝ 全部の数
という意味だった。

筆算も学習したよ。

整数 × 整数，
小数 × 整数を学習したよ。

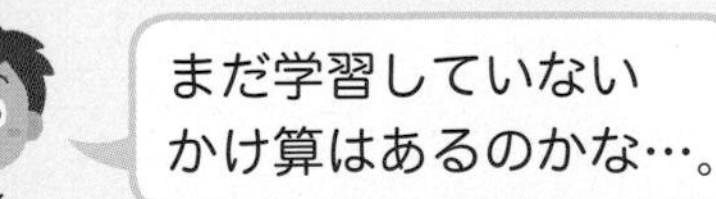


まだ学習していない
かけ算はあるのかな…。

小数のかけ算

# 4 かけ算の世界を広げよう

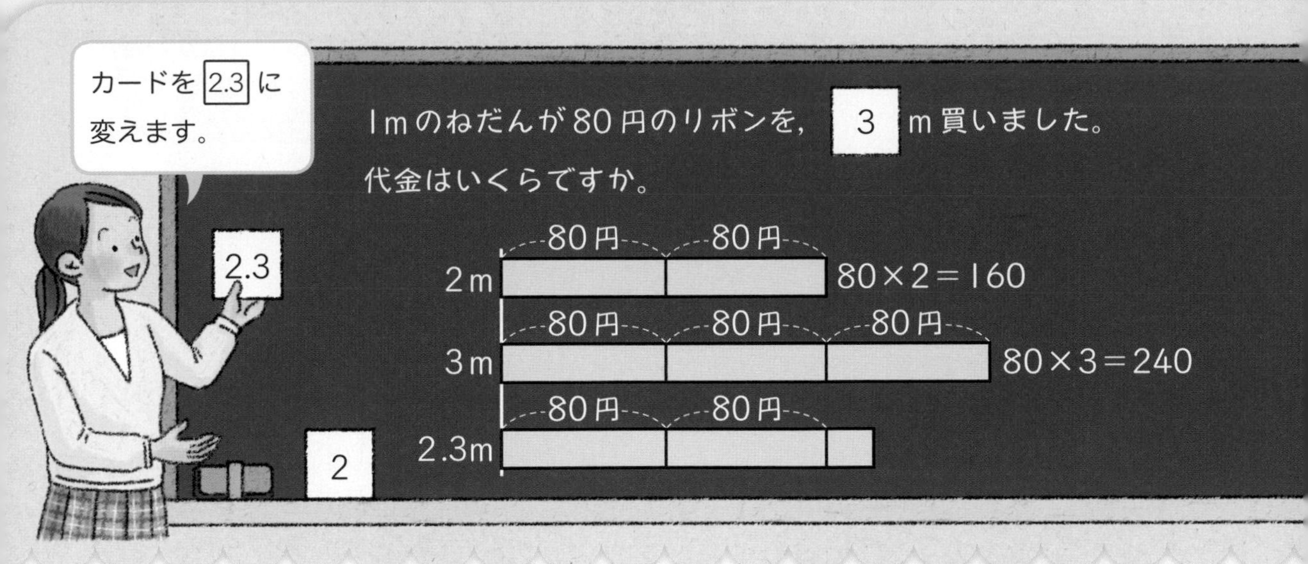


## 1

1mのねだんが80円のリボンを, 2.3m買いました。
代金はいくらですか。

どんな式を書けばよいか考えよう。

3mなら, 1mのねだん
80円の3こ分と
考えられるけど…。

2.3mだと, 1mのねだん
80円の何こ分かには
ならないね。

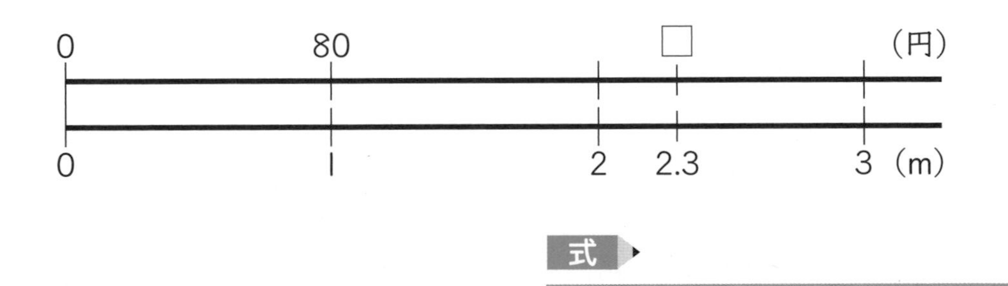


式

1 その式を書いた理由を説明しましょう。

買った長さが，整数のときと同じように考えられないかと思いました。

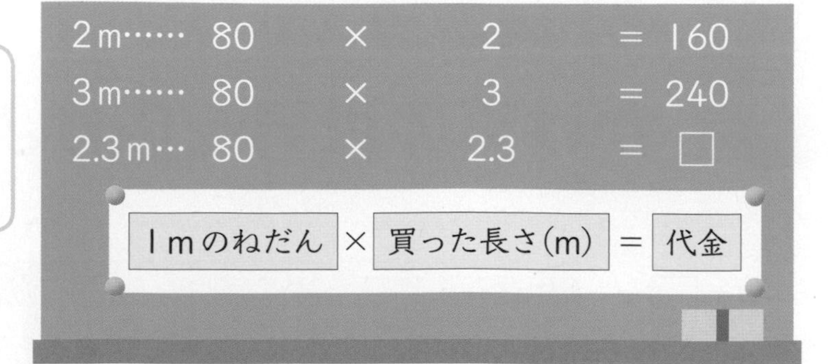


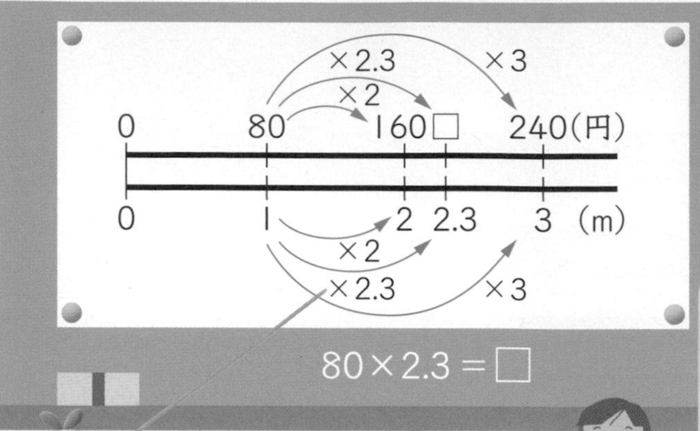


代金は，リボンの長さに比例（ひれい）します。リボンの長さが2.3倍になれば，代金も2.3倍になると考えて，かけ算が使えると思いました。

はると

2.3 m は，1 m の何倍かな。
　2.3÷1 = 2.3(倍)
だから，2.3 倍だね。

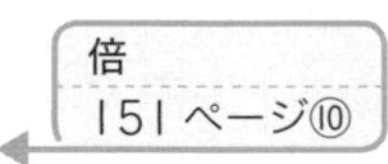


80×2　…　80 円の 2 倍(2 こ分)の代金を求める計算

80 円を 1 とみたとき，2 にあたる代金

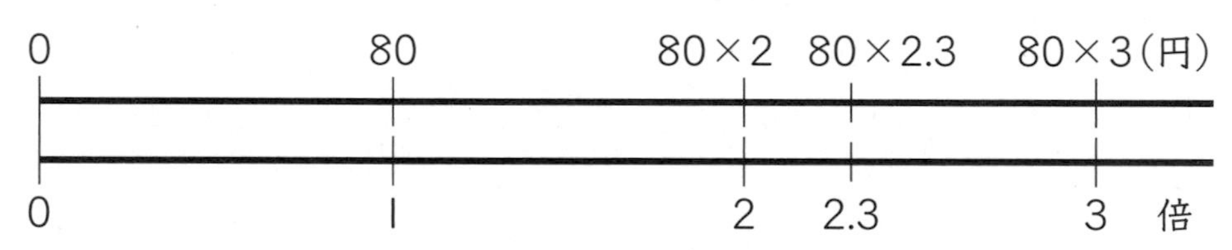


80×2.3　…　80 円の 2.3 倍の代金を求める計算

80 円を 1 とみたとき，2.3 にあたる代金

**まとめ**

リボンの長さが小数で表されていても，代金を求めるときには，**整数のときと同じように**，かけ算の式をたてることができる。

80×2.3

しほ　80×2.3 は，どのように計算するのかな。

## 小数をかける計算のしかたを考えよう。

だいたい何円かな。
80×2より大きく，
80×3より…。

2.3 m は，0.1 m の 23 こ分。
0.1 m のねだんを求めて，
23 倍すればよい。

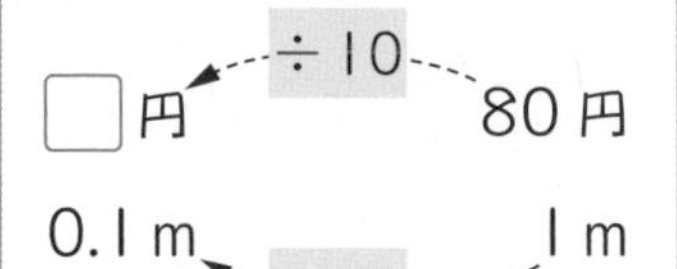


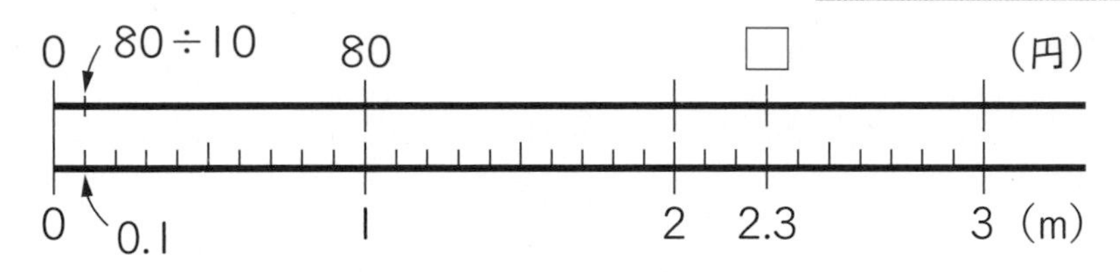


- 0.1 m のねだん……80÷10
- 2.3 m の代金………(80÷10)×23

80×2.3＝80÷10×23
＝□

答え □ 円

みさき

リボンの長さが 10 倍になると，
代金も 10 倍になる。

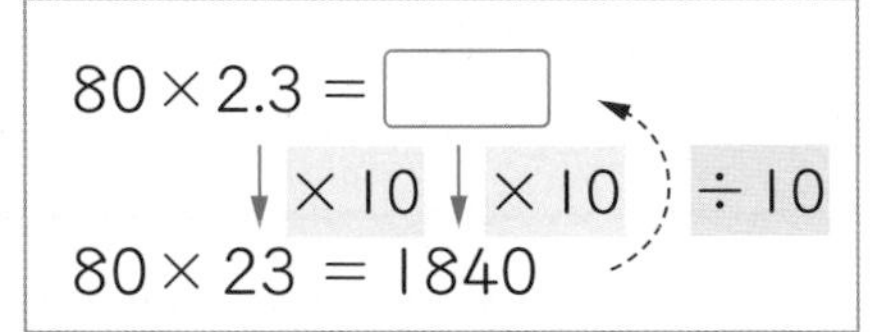


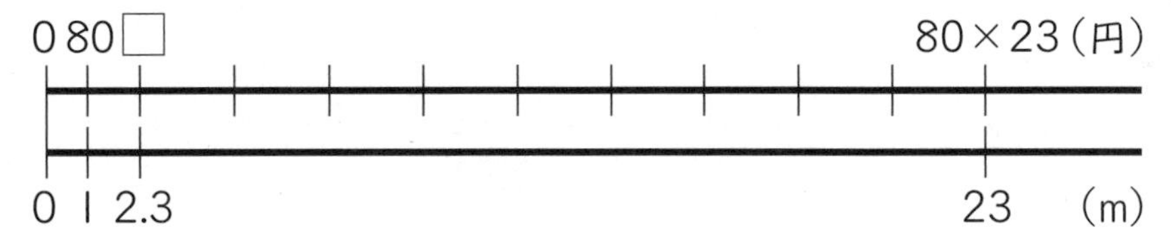


- 23 m の代金 …… 80×23
- 2.3 m の代金……(80×23)÷10

80×2.3＝80×23÷10
＝□

答え □ 円

**2** 2人の考えを説明しましょう。

③ 2人の考えで，共通していることはどんなことでしょうか。

**まとめ**

小数をかける計算は，**整数の計算でできるように考える**と，答えを求めることができる。

1 1mの重さが180gのホースがあります。
このホース1.6mの重さは何gですか。

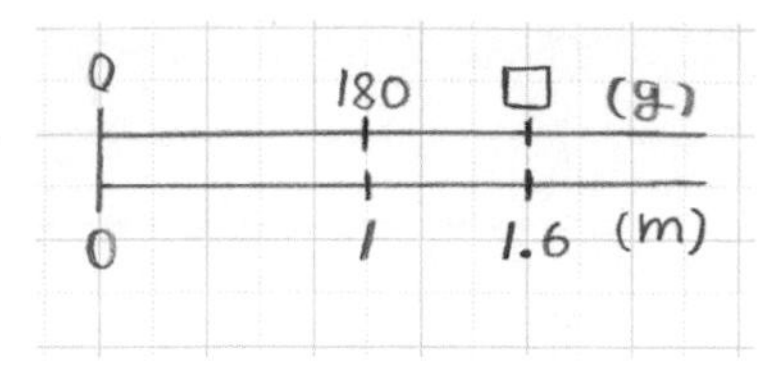

→131ページク

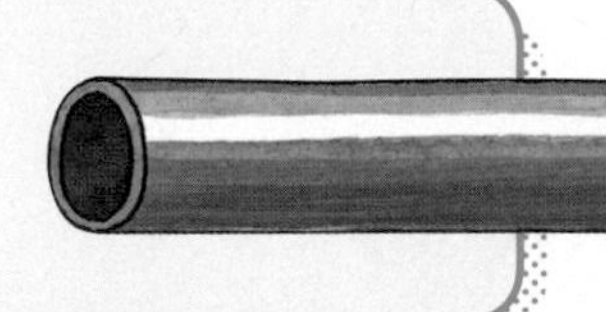


## 2

1mの重さが2.14kgのパイプがあります。
このパイプ3.8mの重さは何kgですか。

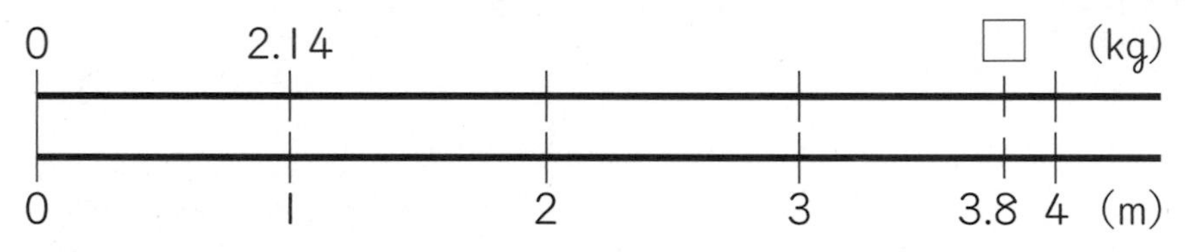

パイプの長さが3.8倍になると，重さも…。

式

計算のしかたを考えよう。

2.14と3.8を，両方とも□にできないかな。

① 右の計算のしかたを説明しましょう。

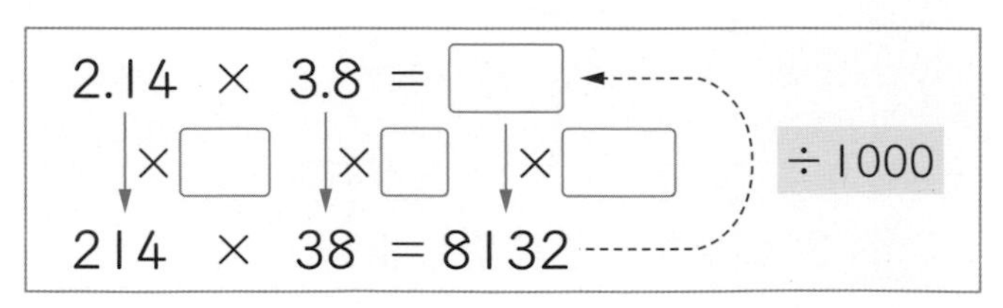

**まとめ**

2.14×3.8の積は，2.14を100倍し，3.8を10倍して214×38の計算をし，積を1000でわれば求められる。

整数の計算でできるように，かけ算の性質(せいしつ)を使ったんだね。

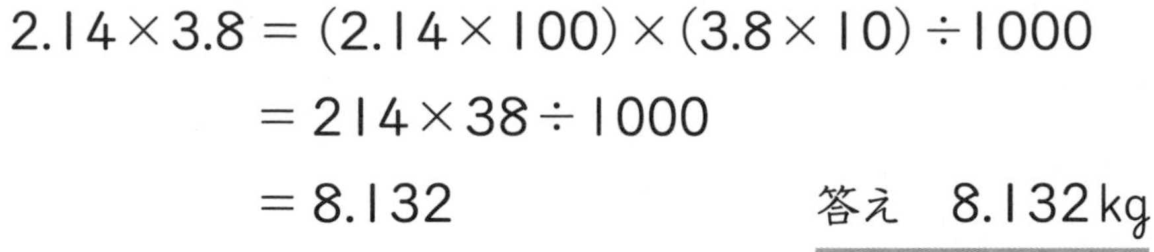

$$2.14\times3.8=(2.14\times100)\times(3.8\times10)\div1000$$
$$=214\times38\div1000$$
$$=8.132$$

答え　8.132kg

筆算のしかたを考えよう。

| | | | 小数点の位置 |
|---|---|---|---|
| 2.14 | —100倍→ | 214 | ……右へ②けたうつる。 |
| × 3.8 | —10倍→ | × 38 | ……右へ①けたうつる。 |
| 1712 | | 1712 | ↓ (2+1) |
| 642 | | 642 | |
| 8.132 | —1000倍→ | 8132 | ……左へ③けたうつる。 |
| ← | $\frac{1}{1000}$ | | |

## 小数をかける筆算のしかた

❶　小数点がないものとして計算する。

❷　積の小数点は，かけられる数とかける数の小数点の右にあるけたの数の和だけ，右から数えてうつ。

| | |
|---|---|
| 2.14 | →右へ②けた |
| × 3.8 | →右へ①けた |
| 1712 | (2+1) |
| 642 | |
| 8.132 | ←左へ③けた |

かける数が小数のときも，整数のときと同じように計算できるね。

**2** 176×54＝9504をもとにして，次の積を求めましょう。

① 17.6×54　② 176×5.4　③ 1.76×5.4

**3** 正しい積になるように，積に小数点をうちましょう。

①
```
   1.7
 ×2.3
   51
  34
  391
```

②
```
   76.5
 ×  8.3
  2295
 6120
 63495
```

ほじゅうのもんだい →131ページコ

**4** 答えの見当をつけてから，筆算で計算しましょう。

① 4.37×5.6　② 3.81×7.4　③ 3.9×2.1

④ 19.6×3.02　⑤ 54×6.8　⑥ 816×2.3

ほじゅうのもんだい →132ページサ

〈練習する〉

## 3 右の筆算のしかたを説明しましょう。

(1)
```
   4.92
 ×  7.5
  2460
 3444
 36.900
```

(2)
```
   0.18
 ×  3.4
     72
    54
  0.612
```

これまでの筆算とどこがちがうかな。

積の大きさについて考えよう。

**1** (1)，(2)の積は，それぞれ36900，612を何分の一にした数ですか。

**積の大きさに注目して**，0を消したりつけたりすればいいね。

① 2.35×5.6　② 3.6×9.5　③ 875×1.2

④ 0.17×1.2　⑤ 0.23×3.1　⑥ 0.6×1.5

ほじゅうのもんだい →132ページシ

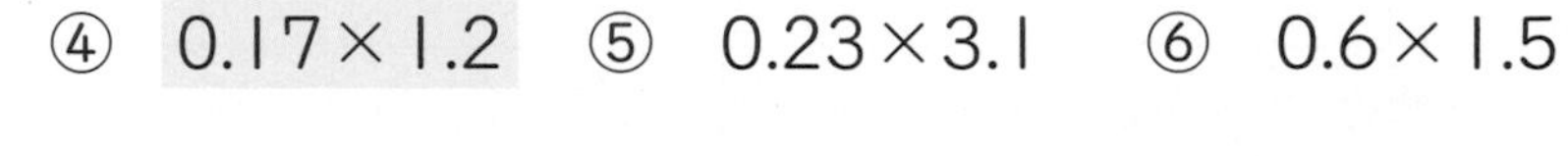

## 4

1Lの重さが400gの土があります。
この土の1.3L，0.6Lの重さは，
それぞれ何gですか。

❶ 式を書いて，答えも求めましょう。

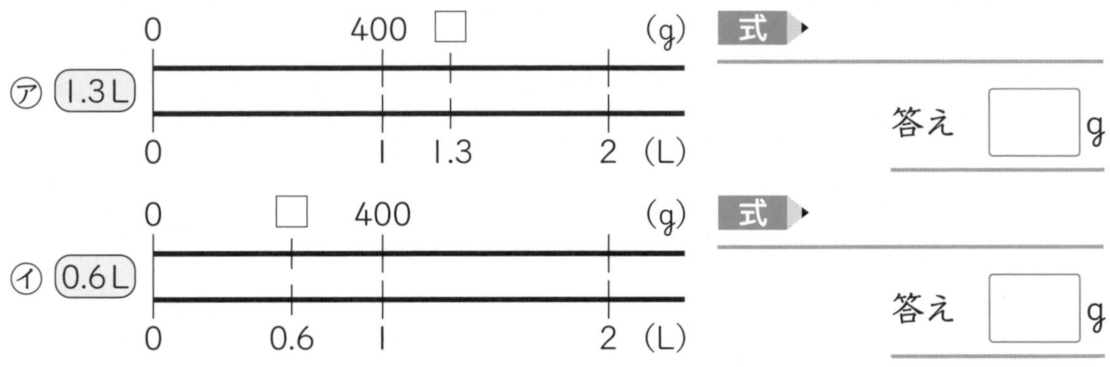


かけ算だけど，0.6Lのほうは，積が400より…。

しほ

かける数の大きさと積の大きさの関係を調べよう。

❷ 400gを1とみたとき，㋐，㋑の式はそれぞれ，どれだけにあたる重さを求めていますか。

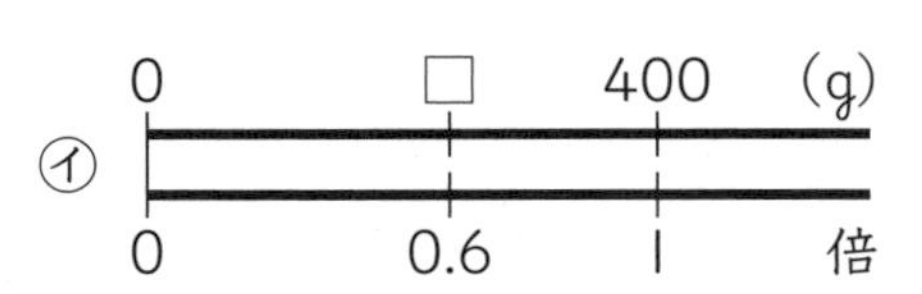


**まとめ**

1より小さい数をかけると，「積＜かけられる数」となる。

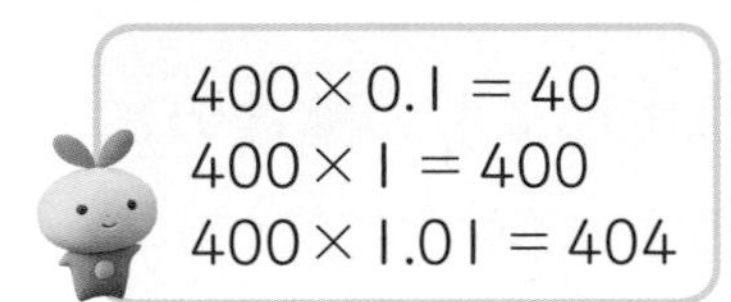

1より小さい数にあたる大きさを求めるときも，かけ算を使えるね。

**6** 積が，6より小さくなるのはどれですか。

㋐ 6×0.9　㋑ 6×1.4　㋒ 6×2.08　㋓ 6×0.85

**7** ① 8.3×0.7　② 29.3×0.4　③ 0.9×0.6
④ 0.2×0.03　⑤ 0.5×0.8　⑥ 1.25×0.4

ほじゅうのもんだい →133ページス

こうた　かけ算の意味が，さらにはっきりわかったよ。

## 5 下の，㋐の長方形の面積，㋑の直方体の体積をそれぞれ求めましょう。

㋐ 3.6 cm, 2.3 cm

㋑ 0.8 m, 1.2 m, 0.7 m

辺の長さが小数で表されているときも，
面積や体積の公式が使えるかどうか調べよう。

面積の表し方と公式
151ページ⑪

**1** ㋐の長方形には，1辺が1 mmの正方形が何こありますか。

3.6 cm, 2.3 cm

**2** ㋐の長方形の面積は何 $cm^2$ ですか。

1辺が1 mmの正方形が100こで，1 $cm^2$ だね。

**3** 2.3×3.6の式で，㋐の長方形の面積は求められますか。確(たし)かめましょう。

**4** ㋑の直方体の体積を，たて，横，高さをセンチメートル単位とメートル単位でそれぞれ計算して，答えを比(くら)べましょう。

**まとめ**

面積や体積は，辺の長さが小数で表されていても，**整数のときと同じように**，公式を使ってかけ算で求めることができる。

**8** 右の長方形の形をした，へき画の面積は何 $m^2$ ですか。

2.5 m, 1.9 m

東京駅　宮城県石巻(いしのまき)市産の雄勝(おがつ)石にかかれたへき画「輝(かがや)く」

しほ　ほかにも，整数のときと同じように考えられることはあるのかな。

## 6 右の長方形の面積は何 cm² ですか。

6.3 cm
5.5 cm
4.5 cm

❶ 上の長方形，下の長方形の面積は，それぞれ何 cm² ですか。また，あわせて何 cm² ですか。

❷ たて 10 cm，横 6.3 cm の長方形とみて面積を求め，❶ の答えと比（くら）べましょう。

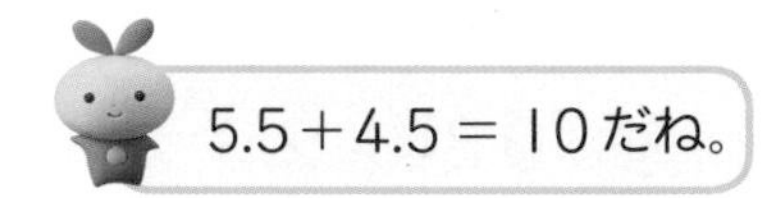


(5.5＋4.5)×6.3＝5.5×6.3＋4.5×6.3 になっているよ。
計算のきまりは，小数のときも成り立つのかな。

整数のときに成り立った計算のきまりは，小数のときにも成り立つかどうか調べよう。

㋐ ■×●＝●×■

㋑ (■×●)×▲＝■×(●×▲)

㋒ (■＋●)×▲＝■×▲＋●×▲

㋓ (■－●)×▲＝■×▲－●×▲

❸ ㋐から㋓の■，●，▲に，自分で小数を決めてあてはめ，等号の左側と右側が等しいか確（たし）かめましょう。

等号
150ページ⑤

■＝3.6，●＝0.4とします。
㋐は，3.6×0.4の積と
0.4×3.6の積を比べると…。

**まとめ**

整数のときに成り立った計算のきまりは，小数のときにも**整数のときと同じように**成り立つ。

### 9 上の㋐から㋓の計算のきまりを使って，くふうして計算しましょう。

① 1.7×4×2.5　　② 2.4×1.8＋2.6×1.8

③ 15.3×4　　④ 9.8×15

ほじゅうのもんだい
→133ページ セ

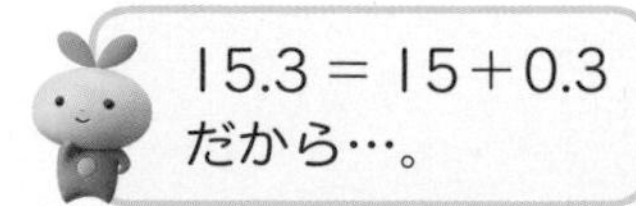

学習のしあげ－小数のかけ算

# たしかめよう

1 計算をしましょう。

① 8×1.7　② 14×3.9　③ 7.8×2.9
④ 21.3×3.5　⑤ 4.2×5.34　⑥ 10.3×3.14
⑦ 5.5×4.4　⑧ 4.26×6.5　⑨ 315×4.6
⑩ 0.34×2.5　⑪ 0.62×1.3　⑫ 0.47×1.9

◀小数をかける筆算ができるかな？
①～⑥ 44ページ 2
⑦～⑫ 46ページ 3

2 1mの重さが18.5gのはり金があります。
このはり金3.6mの重さは何gですか。

◀場面から式と答えがわかるかな？
47ページ 4

3 (　)の中の式で，積がかけられる数より小さくなるのはどちらですか。

① (4×1.2　4×0.8)
② (1.6×0.7　1.6×1.1)
③ (0.3×0.9　0.3×1.4)

◀かける数の大きさと積の大きさの関係がわかるかな？
47ページ 4

4 計算をしましょう。

① 24×0.8　② 0.69×0.37　③ 0.4×0.5

◀1より小さい数をかける計算ができるかな？
47ページ 4

5 たてが2.7m，横が4.35mの長方形の面積を求めましょう。

◀辺の長さが小数で表された長方形の面積を求められるかな？
48ページ 5

6 計算のきまりを使って，くふうして計算しましょう。

① 4×7.63×2.5　② 6.4×2.3＋3.6×2.3

◀計算のきまりを使って計算できるかな？
49ページ 6

# つないでいこう 算数の目 ～大切な見方・考え方

## 1 かけ算の性質に注目し，筆算のしかたを考える

しほさんは，3.14×2.6 の筆算で，まず，314×26 の積を求めました。

次に，積の小数点をうつ位置を考え，8と1の間に小数点をうちました。

その理由を，しほさんに続けて説明しましょう。

$$
\begin{array}{r}
3.14 \\
\times\ \ 2.6 \\
\hline
1884 \\
628\ \ \\
\hline
8.164
\end{array}
$$

しほ

まず，314×26 の積 8164 を求めます。8164 は，3.14 を 100 倍，2.6 を 10 倍して求めたものだから…。

## 2 計算のきまりを生かして，計算のしかたをくふうする

はるとさんは，3.99×25 の計算を右のようにしました。

はるとさんは，下のどの計算のきまりを使いましたか。

はると

$$
\begin{aligned}
3.99\times25 &= (4-0.01)\times25 \\
&= 4\times25-0.01\times25 \\
&= 100-0.25 \\
&= 99.75
\end{aligned}
$$

㋐ (■×●)×▲＝■×(●×▲)

㋑ (■＋●)×▲＝■×▲＋●×▲

㋒ (■－●)×▲＝■×▲－●×▲

あみ

計算のきまりを使うと，計算がかんたんにできることがあるね。

「かけ算の世界を広げよう」の学習をふり返って話し合ってみよう。

りく

小数をかける計算もできるようになった。かけ算の性質（せいしつ）がとても役に立ったね。

みさき

かけ算は，かけられる数を１とみたとき，かける数にあたる大きさを求める計算だとわかったよ。

チャレンジ →144ページ

# どんなわり算を学習してきたかな？

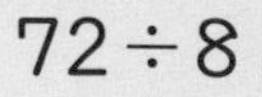


72÷8の商は，

□ です。

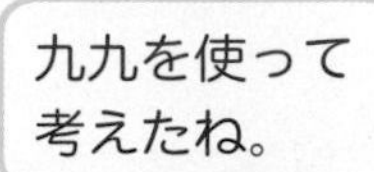

**84÷21**

```
        □
21)84
     □
     0
```

21を20と
みて…。

---

**7200÷800**

$72 \div 8 = \square$

↓×100　↓×100　　等しい

$7200 \div 800 = \square$

わられる数とわる数に
同じ数をかけても，
商は変わらない。

わり算の性質（せいしつ）

150ページ②


---

**9.4÷4**

```
   2.3 5
4)9.4 0
  8
  1 4
  1 2
    2 0
    2 0
      0
```

9.4を □ と考えて
計算を続けます。

**これまでに学習してきたわり算について，話し合ってみよう。**

整数 ÷ 整数，
小数 ÷ 整数を
学習したよ。

筆算も
学習したよ。

小数をかける計算を
学習したけど，小数でわる
計算はできるのかな。

小数のわり算

# 5 わり算の世界を広げよう

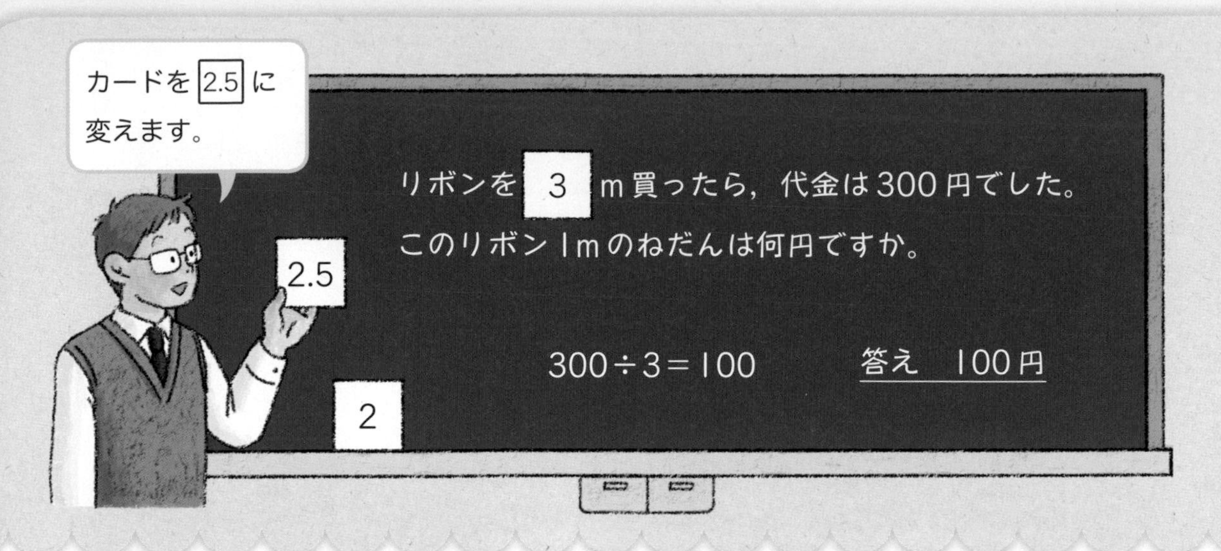


## 1

リボンを2.5m買ったら，代金は300円でした。
このリボン1mのねだんは何円ですか。

どんな式を書けばよいか考えよう。

3mなら，1mの3こ分だから，300円を3等分して，と考えられるけど…。

2.5mだと，300円を2.5等分して，とは考えられないね。

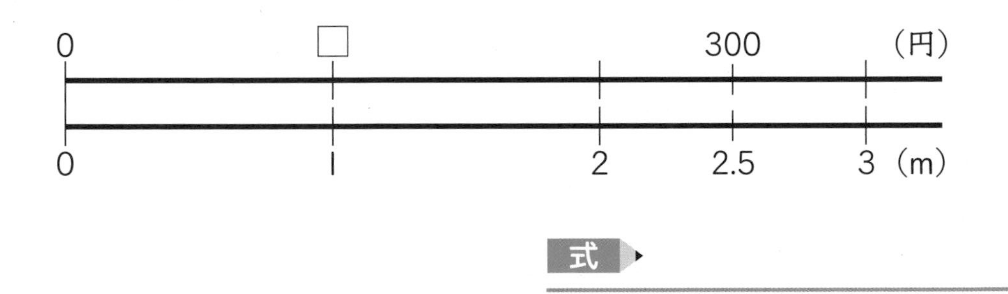


式

① その式を書いた理由を説明しましょう。

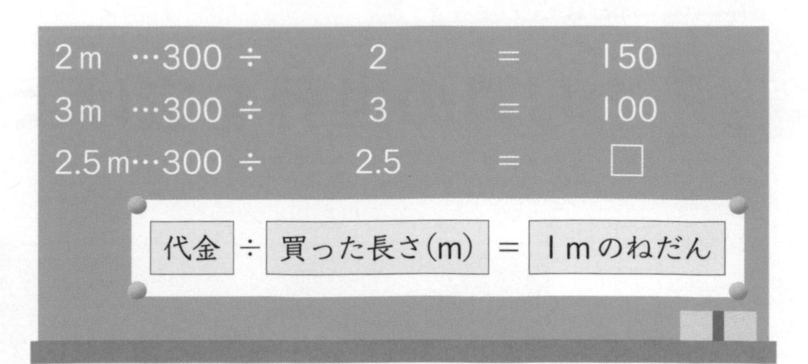


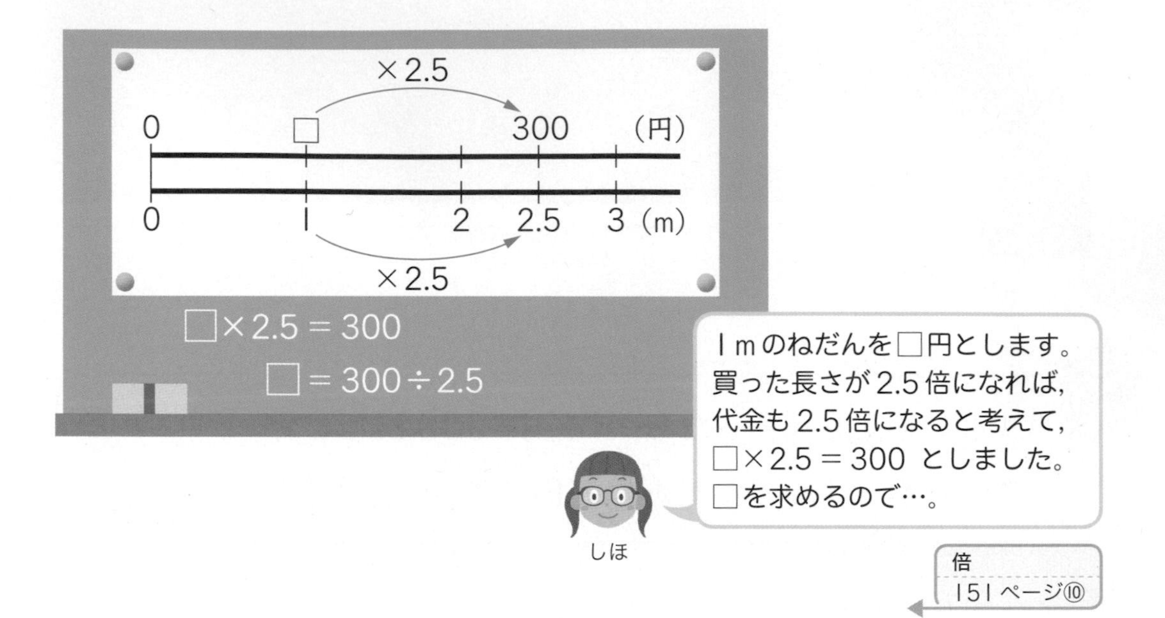


1 mのねだんを□円とします。
買った長さが 2.5 倍になれば，
代金も 2.5 倍になると考えて，
□×2.5 = 300 としました。
□を求めるので…。

倍
151 ページ⑩


□×2.5 = 300 は，□を 1 とみたとき，2.5 にあたる
大きさが 300 という意味だね。
だから，1 とみた□を求める式は，わり算になるね。

みさき

**まとめ**

リボンの長さが小数で表されていても，1 mのねだんを
求めるときには，**整数のときと同じように**，わり算の式を
たてることができる。

300÷2.5

300÷2.5 は，どのように計算するのかな。

## 小数でわる計算のしかたを考えよう。

だいたい何円かな。
300÷2＝150,
300÷3＝100
だから…。

2.5 m は，0.1 m の 25 こ分。

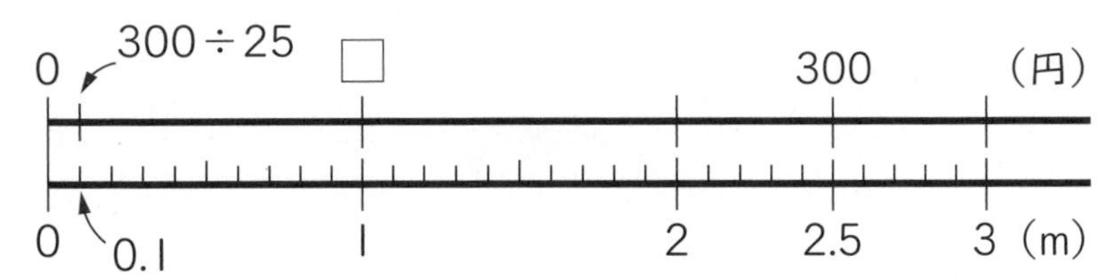


- 0.1 m のねだん……300÷25
- 1 m のねだん………(300÷25)×10

300÷2.5＝300÷25×10

＝□

答え □ 円

こうた

リボンの長さが 10 倍になると，
代金も 10 倍になるけど，
1 m のねだんは変わらない。

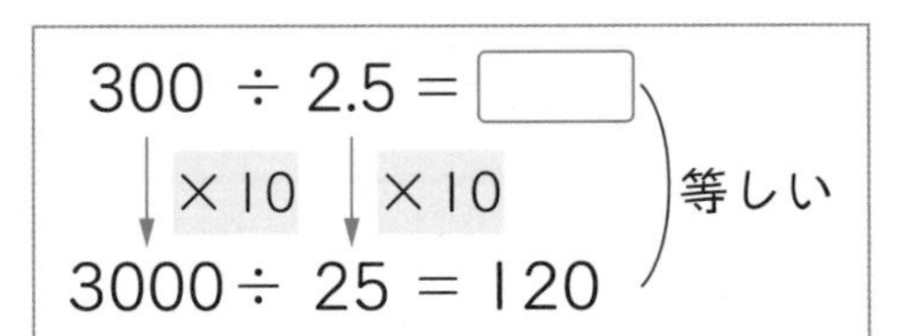

- 25 m の代金 …… 300×10
- 1 m のねだん……(300×10)÷25

300÷2.5＝300×10÷25

＝□

答え □ 円

**2** 2人の考えを説明しましょう。

**3** 2人の考えで，共通していることはどんなことでしょうか。

2人とも，□だけの計算にして…。

まとめ

小数でわる計算は，**整数の計算でできるように考える**と，答えを求めることができる。

1 1.5 m のホースの重さをはかったら，270 g ありました。
このホース 1 m の重さは何 g ですか。

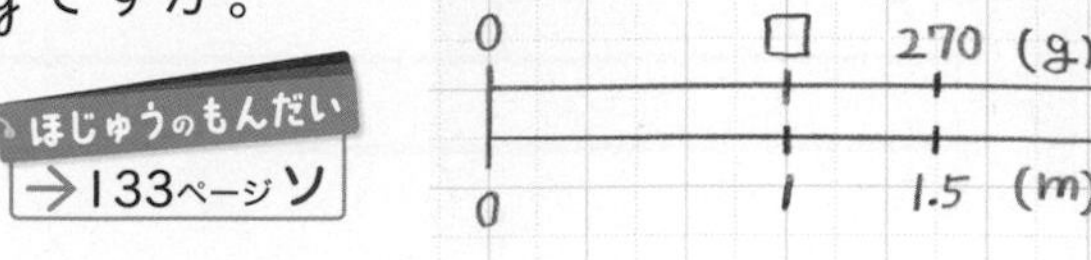


ほじゅうのもんだい →133ページ ソ

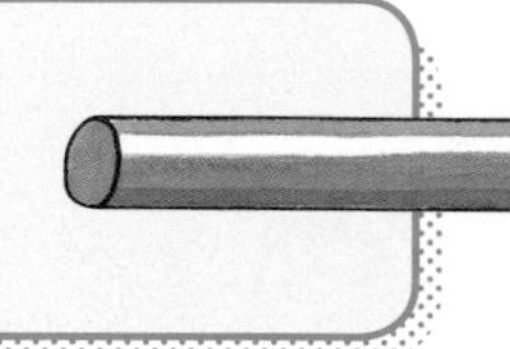


## 2

6.3 m の重さが 7.56 kg の鉄のぼうがあります。
この鉄のぼう 1 m の重さは何 kg ですか。

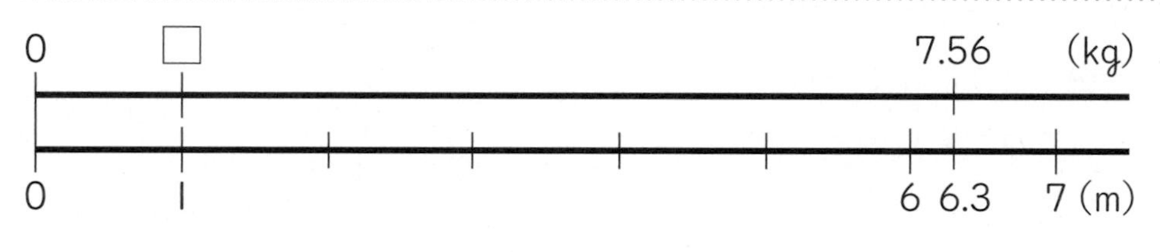


式

計算のしかたを考えよう。

6.3 を，□ にできないかな。

1 右の計算のしかたを説明しましょう。

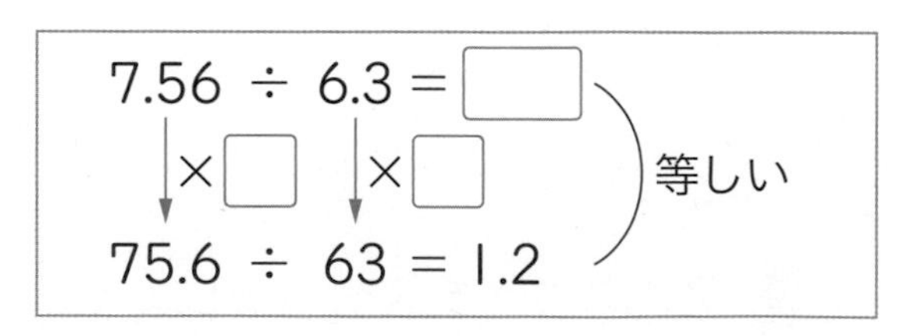


わり算の性質(せいしつ)を使って…。

7.56÷6.3 の商は，7.56 と 6.3 の両方を 10 倍した
75.6÷63 の商と等しいことを使えば，求められる。

整数でわる計算でできるように，わり算の性質（せいしつ）を使ったんだね。

$$7.56 \div 6.3 = (7.56 \times 10) \div (6.3 \times 10)$$
$$= 75.6 \div 63$$
$$= 1.2$$

答え　1.2 kg

## 筆算のしかたを考えよう。

6.3)7.5 6　→（10倍）（10倍）→　6.3)7.5.6

6.3)7.5 6

## 小数でわる筆算のしかた

❶　わる数の小数点を右にうつして，整数になおす。

❷　わられる数の小数点も，わる数の小数点をうつしたけたの数だけ右にうつす。

❸　わる数が整数のときと同じように計算し，右にうつしたわられる数の小数点にそろえて，商の小数点をうつ。

```
      1.2
6.3)7.5.6
    6 3
    1 2 6
    1 2 6
        0
```

わる数が小数のときも，整数のときと同じように計算できるね。

**2** 221÷65＝3.4 をもとにして，次の商を求めましょう。

① 22.1÷6.5　② 2.21÷0.65　③ 0.221÷0.065

ほじゅうのもんだい →133ページ タ

**3** 答えの見当をつけてから，筆算で計算しましょう。

| | | |
|---|---|---|
| ① 2.38÷1.7 | ② 8.96÷2.8 | ③ 38.7÷8.6 |
| ④ 7.8÷6.5 | ⑤ 4.71÷3.14 | ⑥ 58.4÷7.3 |
| ⑦ 25.8÷4.3 | ⑧ 65.6÷1.6 | ⑨ 47.7÷1.59 |

ほじゅうのもんだい →134ページ チ

商の小数点は，わられる数のうつした小数点にそろえてうつことに気をつけよう。

## 3 下の筆算のしかたを説明しましょう。

これまでの筆算とちがうところは…。

(1) 2.34÷3.9

```
       0.6
3.9)2.3.4
      234
        0
```

(2) 1.8÷2.4

```
       0.75
2.4)1.8.0
      168
       120
       120
         0
```

(3) 8÷2.5

```
       3.2
2.5)8.0
     75
      50
      50
       0
```

筆算のしかたを考えよう。

理由も説明しよう。

(1)は，23＜39だから，商の一の位に0を書き，小数点をうってから…。

(2)は，0を書いて小数点をうった後，18を18.0と考えて…。

**4**

| | | |
|---|---|---|
| ① 5.04÷8.4 | ② 3.92÷5.6 | ③ 2.1÷2.5 |
| ④ 1.17÷3.6 | ⑤ 6÷2.4 | ⑥ 42÷5.6 |

ほじゅうのもんだい →134ページ ツ

はると：わる数が整数になるように小数点をうつした後は，4年で学習した小数÷整数の筆算と同じだね。

## 4

1.2 m の代金が 240 円の赤いリボンと，
0.8 m の代金が 240 円の青いリボンがあります。
1 m のねだんは，それぞれいくらですか。

① 式を書いて，答えも求めましょう。

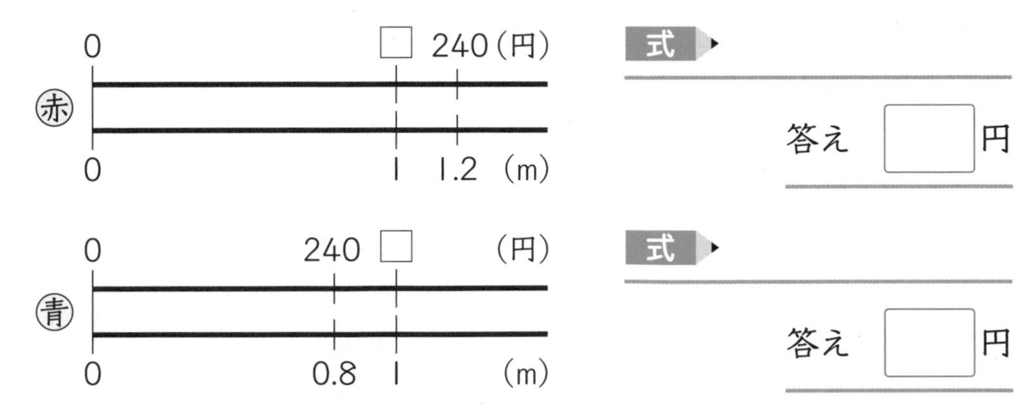


② 商がわられる数の 240 より大きくなるのはどちらですか。

わる数の大きさと商の大きさの関係を調べよう。

③ わる数が 1 より小さいのはどちらですか。

**まとめ**

1 より小さい数でわると，「商 ＞ わられる数」となる。

㊔の数直線の図を見ると，□×0.8＝240 で，
1 とみた□は，240 よりも大きいことがわかるね。

## 5

商が，8 より大きくなるのはどれですか。

㋐ 8÷1.5　㋑ 8÷0.02　㋒ 8÷0.64　㋓ 8÷5

## 6

① 19.8÷0.3　② 3.9÷0.6　③ 7.4÷0.4
④ 3.75÷0.6　⑤ 0.51÷0.4　⑥ 6÷0.5

しほ：わり算の答えは，いつもわられる数より小さくなるとは限らないことがわかったよ。

## 5

2.5 m のリボンを，1人に 0.7 m ずつ配ります。何人に配れますか。
また，何 m あまりますか。

式

小数のわり算のあまりについて考えよう。

1 右の筆算で，あまりの 4 はどんな大きさを表していますか。

$$\begin{array}{r} 3 \\ 0.7\overline{)2.5} \\ 21 \\ \hline 4 \end{array}$$

「あまりは4」でいいのかな。（こうた）

0.1 が 4 こあるということだから…。（あみ）

2 図や検算（けんざん）で，あまりが 0.4 であることを確（たし）かめましょう。

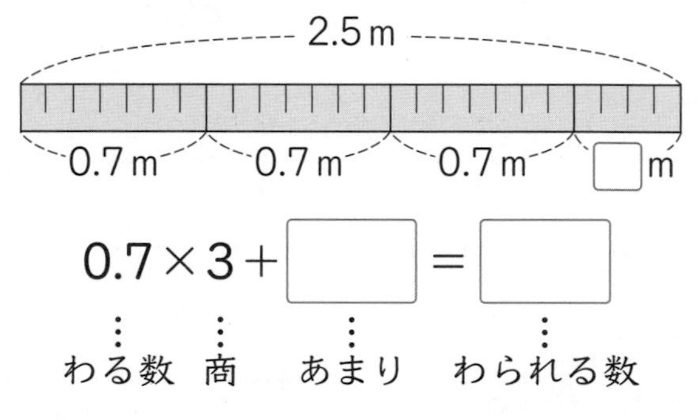


0.7×3＋□＝□

わる数　商　あまり　わられる数

**まとめ**

小数のわり算であまりを考えるとき，あまりの小数点は，わられる数のもとの小数点にそろえてうつ。

$$\begin{array}{r} 3 \\ 0.7\overline{)2.5} \\ 21 \\ \hline 0.4 \end{array}$$

あまりの大きさは，小数点をうつす前の数の大きさで考えるんだね。

7 商は一の位まで求めて，あまりも出しましょう。

① 4.9÷2.3　② 17.5÷9.6　③ 340÷7.2

りく：2.5÷0.7 で計算を続けるとわりきれない。答えは，あまりを出して表すしかないのかな。

**6** 1.5Lのすなの重さをはかったら，2.5kgありました。
このすな1Lの重さは何kgですか。

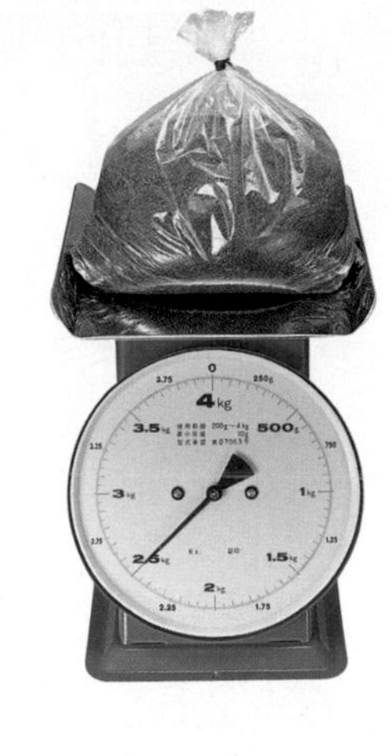

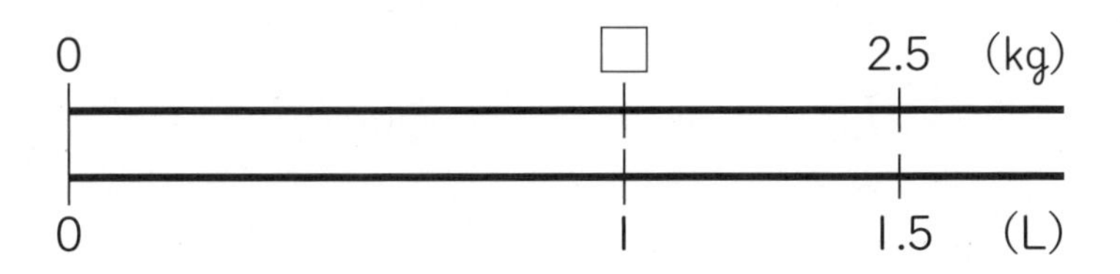


**1** 式を書きましょう。

式▸

わりきれないときに，あまりを出さないで商を表す方法を考えよう。

**2** 商を四捨五入(ししゃごにゅう)して，上から2けたのがい数にしましょう。

$$2.5 \div 1.5 = 1.\overset{7}{\cancel{6}}\cancel{6}\cdots$$

答え　約1.7kg

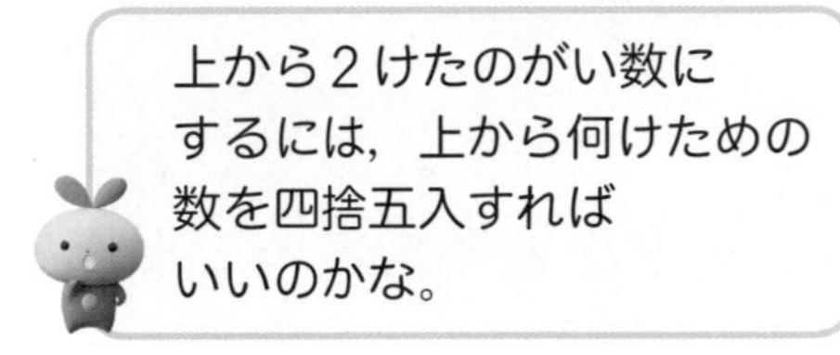


がい数の表し方
150ページ③

**まとめ**

わり算では，わりきれないときや，商のけた数が多いときなどに，**商をがい数で表す**ことがある。

**3** このすな5Lの重さは，約何kgですか。1Lの重さが約1.7kgであることを使って求めましょう。

**8** 1.8m² の重さが4.8kgの鉄の板があります。この鉄の板1m²の重さは何kgですか。
四捨五入して，上から2けたのがい数で求めましょう。

# たしかめよう

**1** わりきれるまで計算しましょう。

① 36.1÷3.8　② 7.44÷6.2　③ 37.4÷8.5
④ 12.3÷4.1　⑤ 45.6÷3.8　⑥ 5.36÷6.7
⑦ 2.24÷3.2　⑧ 3.6÷4.5　⑨ 6.11÷9.4
⑩ 6÷2.5　⑪ 33÷7.5　⑫ 10.8÷0.4
⑬ 1.96÷0.5　⑭ 1.8÷0.8　⑮ 9÷0.6

◀小数でわる筆算ができるかな？
①～⑤ 56ページ 2
⑥～⑪ 58ページ 3
⑫～⑮ 59ページ 4

**2** 下の式の□に，次の６つの数をあてはめます。
商が最も大きくなるもの，最も小さくなるものは，それぞれどれですか。計算をしないで答えましょう。

2.4÷□

㋐ 0.8　㋑ 1　㋒ 1.25
㋓ 0.09　㋔ 2.4　㋕ 0.1

◀わる数の大きさと商の大きさの関係がわかるかな？
59ページ 4

**3** 4.5mの重さが0.9kgのホースがあります。
このホース1mの重さを求める式を書きましょう。

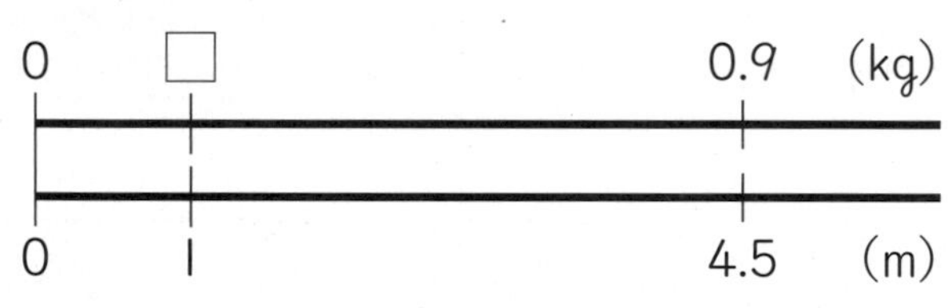


◀式を正しくたてられるかな？
59ページ 4

**4** 3のホース1kgの長さを求める式を書きましょう。

0　4.5　□　(m)
0　0.9　1　(kg)

◀式を正しくたてられるかな？
59ページ 4

**5** 商は四捨五入(ししゃごにゅう)して，上から２けたのがい数で求めましょう。

① 8.3÷2.9　② 6.13÷4.7　③ 24.2÷8.9

◀商をがい数を使って表せるかな？
61ページ 6

# つないでいこう算数の目 ～大切な見方・考え方

## わり算の性質に注目し，計算のしかたを考える

① はるとさんは，46.2÷2.8と商が等しくなるわり算を，下の㋐，㋑，㋒，㋓から選んでいます。

□にあてはまることばを答え，はるとさんの考えを使って，46.2÷2.8と商が等しくなるわり算を選びましょう。

わり算は，わられる数とわる数に同じ数をかけても，同じ数でわっても，□は変わらない。
㋐は，2.8だけを10でわっているから…。

はると

| | | | |
|---|---|---|---|
| ㋐ | 46.2÷0.28 | ㋑ | 462÷28 |
| ㋒ | 4.62÷0.28 | ㋓ | 4.62÷2.8 |

② 右の752÷1.6の筆算はまちがっています。その理由を説明して，正しく計算しましょう。

```
      4 7
1.6)7 5 2
    6 4
    1 1 2
    1 1 2
        0
```

こうた

1.6の小数点を右にうつすのは，1.6を10倍しているからです。このとき，商が変わらないためには，752の小数点も右へ1けたうつして…。

あみ

小数のかけ算も，かけ算の性質(せいしつ)を使って考えたね。

「わり算の世界を広げよう」の学習をふり返って話し合ってみよう。

みさき

小数でわる計算もできるようになって，わり算の世界が広がったよ。

りく

分数をかけたり，分数でわったりする計算もできるのかな。

6年で学習するよ。

→144ページ

# 小数の倍

これまでの学習で，いろいろなものの大きさを，差や倍で
比(くら)べてきました。

## ドッジボールとたっ球のボールの直径比べ

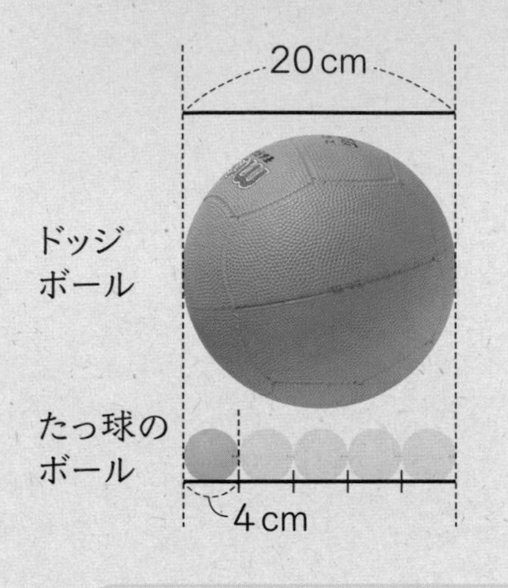


差　□－□＝□

□cm

倍　ドッジボールの直径は，たっ球のボールの直径の何倍ですか。

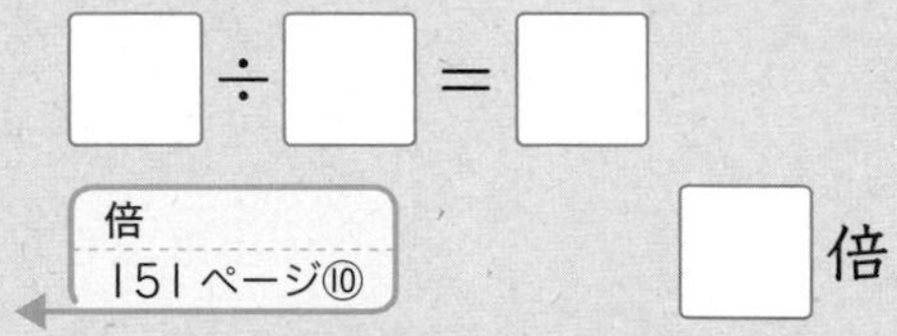

□÷□＝□

倍 151ページ⑩

□倍

こうた：差で比べるときは，数が大きいほうから小さいほうをひいたね。

しほ：倍で比べるときは，もとにするたっ球のボールの直径 4 cm を 1 とみたね。

りく：4 cm を 1 とみると，20 cm は□にあたるね。

**1**　右の表のような長さのリボンがあります。
もとにするリボンを決めて，いろいろなリボンの長さを比べましょう。

リボンの長さ

|  | 長さ (m) |
|---|---|
| 赤 | 4 |
| 青 | 10 |
| 黄 | 5 |

リボンの長さの関係を，倍を使って調べよう。

**1** 青のリボンの長さは，赤のリボンの長さの何倍ですか。

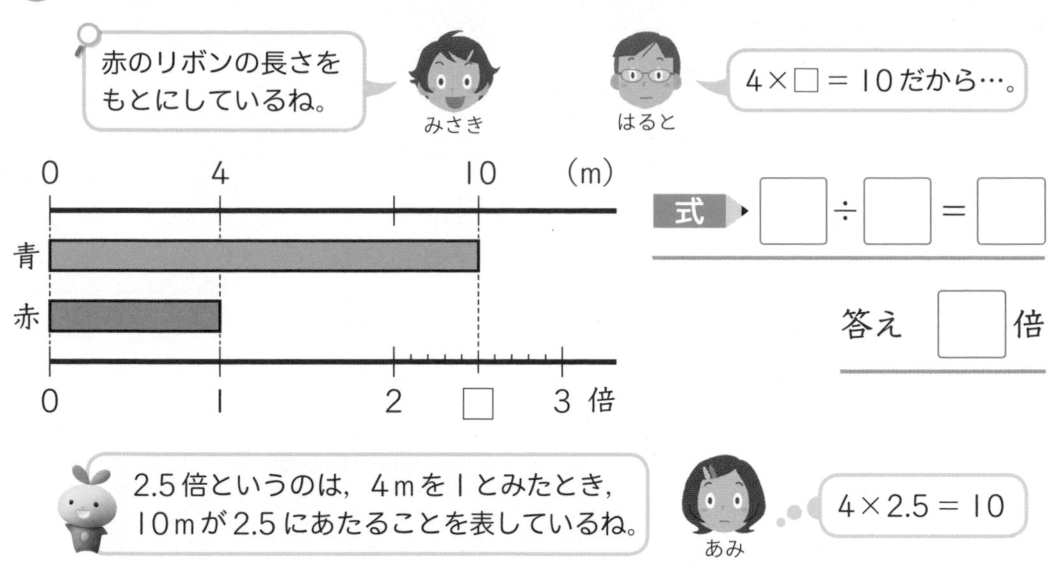


式 □÷□＝□

答え □倍

**2** 赤のリボンの長さは，青のリボンの長さの何倍ですか。

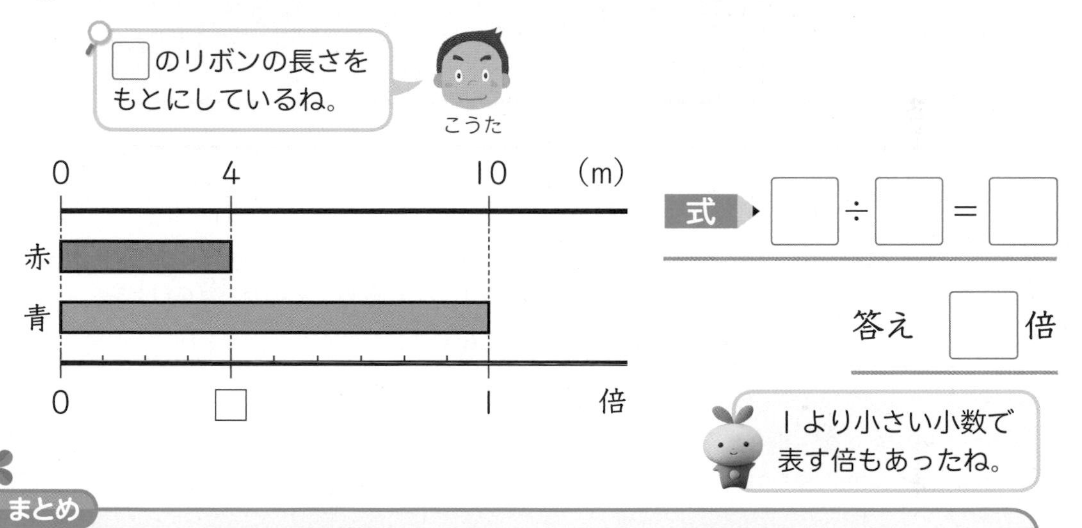


式 □÷□＝□

答え □倍

**まとめ**

同じ2つの量の関係でも，**もとにする大きさをどちらにするかで，倍を表す数が変わる**。

0.4倍というのは，10mを1とみたとき，4mが0.4にあたることを表しているね。

**1** 前のページの **1** で，赤のリボンの長さをもとにすると，黄のリボンの長さは何倍ですか。また，黄のリボンの長さをもとにすると，赤のリボンの長さは何倍ですか。

→134ページ

しほ 前のページで，ドッジボールの直径20cmを1とみると，たっ球のボールの直径4cmは0.2とみることもできるね。

## 2

右の表は，はるかさんたちの家から駅までの道のりを表しています。

はるかさんの道のりをもとにすると，ほかの人の道のりは，それぞれ何倍ですか。

家から駅までの道のり

| 名前 | 道のり(km) |
|---|---|
| はるか | 2.4 |
| ゆうた | 4.8 |
| ゆみ | 3.6 |
| ひろし | 1.8 |

どんな計算をすればよいか考えよう。

2.4×□で考えればいいから…。

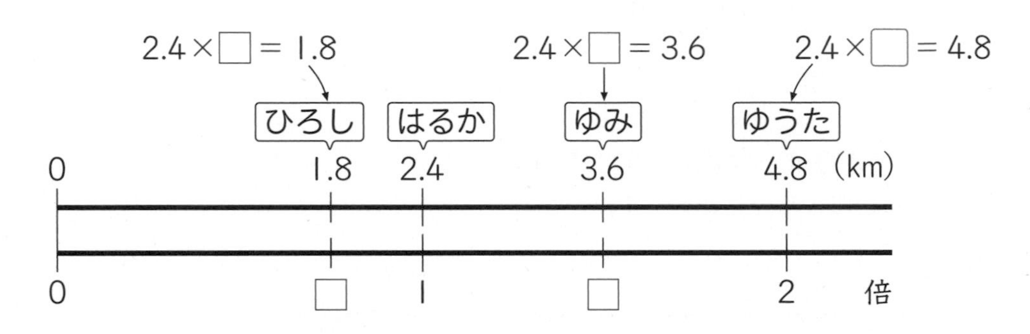


**1** ゆみさんとひろしさんの道のりは，はるかさんの道のりをもとにすると，それぞれ何倍ですか。

ゆみ　式　　　　答え □ 倍

ひろし　式　　　　答え □ 倍

**まとめ**

**小数のときも**，ある大きさが，もとにする大きさの何倍にあたるかを求めるときは，わり算を使う。

0.75倍は，2.4kmを1とみたとき，1.8kmが0.75にあたることを表している。

こうた：数直線の図を使うことで，整数のときと同じように考えることができたね。

## 3

赤，白，青，黄の４本のテープがあります。赤のテープは５mです。赤のテープをもとにすると，白のテープは３倍，青のテープは3.5倍，黄のテープは0.6倍の長さです。

白，青，黄のテープは，それぞれ何mですか。

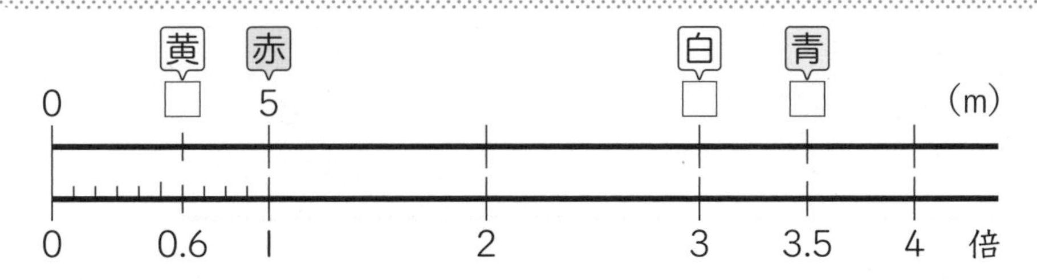


❶ 式を書いて，答えを求めましょう。

白 式 ________ 答え □ m

青 式 ________ 答え □ m

黄 式 ________ 答え □ m

式の意味を考えよう。

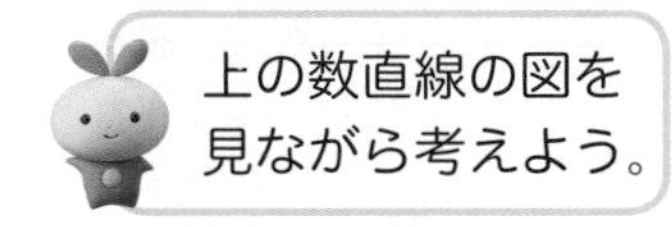


❷ □にあてはまる数を書きましょう。

白 $5 \times 3 = 15$ の式は，5mを1とみたとき，3にあたる長さが15mであることを表しています。

青 $5 \times 3.5 = 17.5$ の式は，5mを1とみたとき，□にあたる長さが17.5mであることを表しています。

黄 $5 \times 0.6 = 3$ の式は，5mを□とみたとき，□にあたる長さが3mであることを表しています。

倍を表す数が整数のときも小数のときも，意味は同じだね。

みさき 式の意味を，数直線の図をもとに考えたね。

## 4

れなさんの家には，生後 10 日の犬がいます。今の体重は 630 g で，生まれたときの体重の 1.8 倍です。

生まれたときの犬の体重は何 g でしたか。

求め方を考えよう。

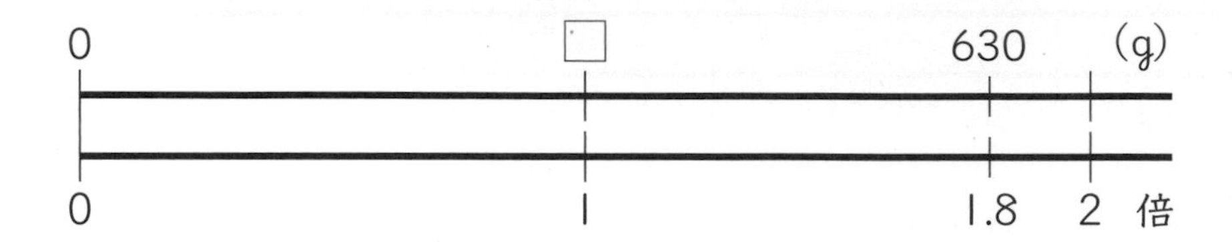


生まれたときの体重を 1 とみたとき，生後 10 日の体重が 1.8 にあたるんだね。

1 生まれたときの体重を□ g として，生まれたときの体重と今の体重の関係を，かけ算の式に表しましょう。

□×［　］＝［　］

2 □にあてはまる数を求める式になおしてから，答えを求めましょう。

□＝［　］÷［　］

＝［　］

答え［　］g

**まとめ**

小数のときも，**もとにする大きさを求めるときは，□を使ってかけ算の式に表す**と考えやすくなる。

□× 1.8 ＝ 630 だから，□＝ 630 ÷ 1.8 だね。

**2** A（エー）町の面積は 13.8 $km^2$ です。これは B（ビー）町の面積の 0.6 倍です。B 町の面積は何 $km^2$ ですか。

ほじゅうのもんだい →135ページ ナ

## 5

あるお店で，おにぎりとハンバーガーの安売りをしています。

もとのねだんとねびき後のねだんを比べて，より安くなったのは，どちらといえますか。

おにぎり

〈もとのねだん〉　〈ねびき後〉

160円 ➡ 110円

ハンバーガー

〈もとのねだん〉　〈ねびき後〉

200円 ➡ 150円

こうた「差で比べると，どちらも□円下がっているけど…。」

しほ「もとのねだんがちがうから…。」

ねだんの下がり方を比べる方法を考えよう。

**1** 上のおにぎりとハンバーガーのねびき後のねだんは，それぞれもとのねだんの何倍になっていますか。

おにぎり　式　　答え □ 倍

ハンバーガー　式　　答え □ 倍

**まとめ**

上の，ねだんの下がり方のように，もとにする大きさがちがうときには，**倍を使って比べることがある**。

倍を表す数が小数でも，整数の倍と同じように倍を使って比べることができたね。

もとのねだんを１とみたとき，ねびき後のねだんがどれだけにあたるかを表す数を，割合といったね。

## どんな計算になるのかな？

### 1

デパートのビルの高さは25mです。タワーの高さは，デパートの高さの1.6倍あります。
タワーの高さは何mですか。

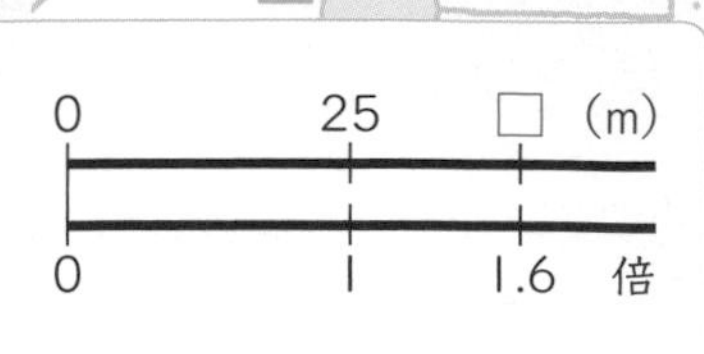


### 2

1Lのガソリンで12.6km走る自動車があります。
9.5Lでは，何km走れますか。

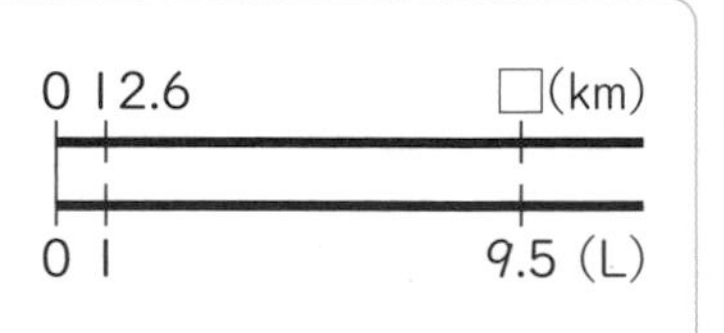


### 3

長方形の形をしたビニールハウスがあります。横の長さは18.9mで，たての長さの4.2倍です。
たての長さは何mですか。

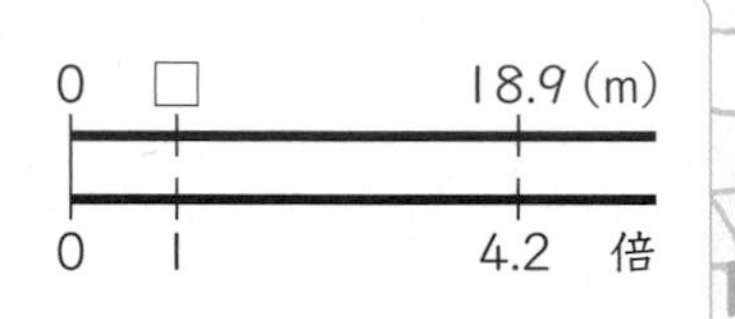


### 4

南山トンネルの長さは1.4km，北山トンネルの長さは3.5kmです。

南山トンネルの長さは，北山トンネルの長さの何倍ですか。

また，北山トンネルの長さは，南山トンネルの長さの何倍ですか。

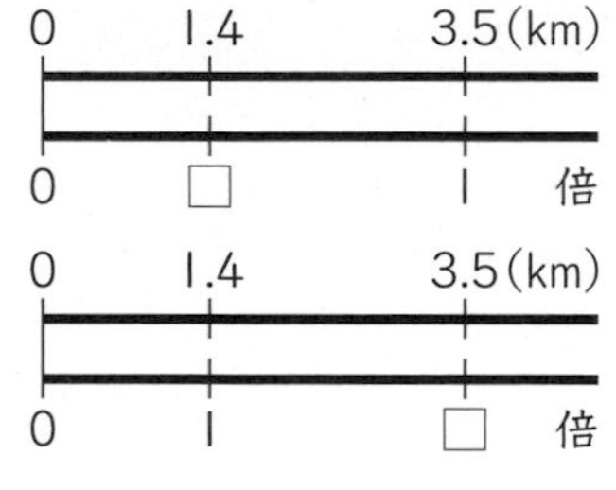


### 5

海岸の市場で，あさりを買いました。1.6kgで816円でした。
1kgではいくらですか。

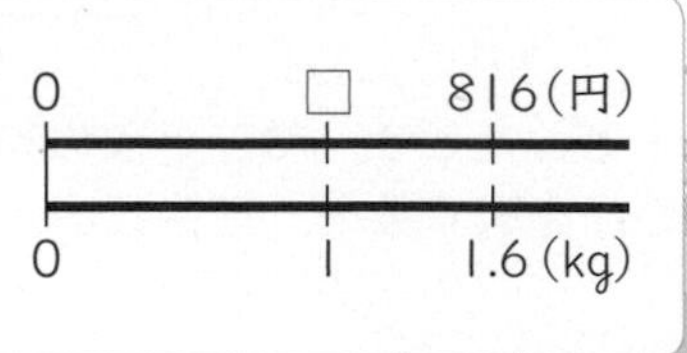

# おぼえているかな？

答え→ 147ページ

**1** ㋐〜㋓のめもりが表している分数はいくつですか。
1より大きい分数は，仮分数と帯分数の両方で表しましょう。

分数の表し方としくみ 150ページ⑥

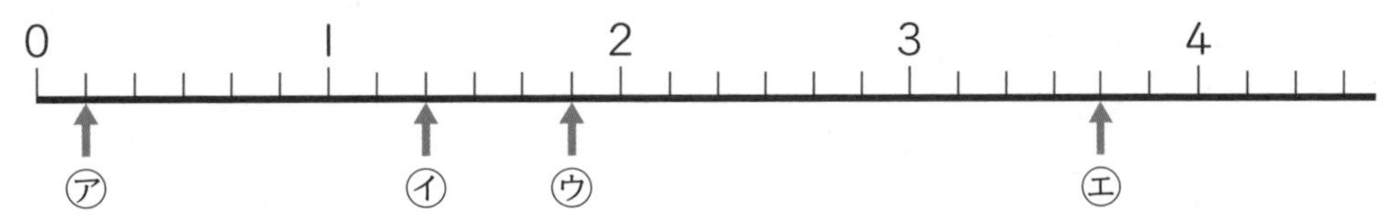


**2** □にあてはまる数を書きましょう。

① $4.385 = 1 \times \square + 0.1 \times \square + 0.01 \times \square + 0.001 \times \square$

② $51.6 \times 10 = \square$　　③ $51.6 \div 10 = \square$

④ $2.4 \times 100 = \square$　　⑤ $2.4 \div 100 = \square$

**3** ① $6.43 + 1.4$　② $0.48 + 1.52$　③ $37.2 + 1.08$　④ $22 + 3.859$
⑤ $0.8 - 0.29$　⑥ $5.45 - 4.5$　⑦ $6 - 1.74$　⑧ $1 - 0.092$

じゅんび
**4** 下の図のような二等辺三角形と平行四辺形をかきましょう。

①

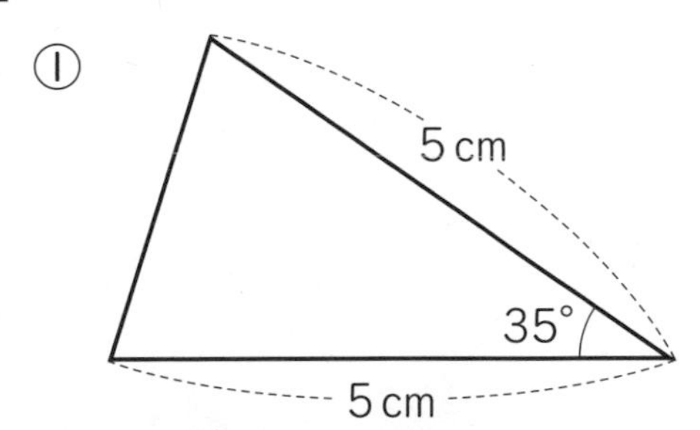


②

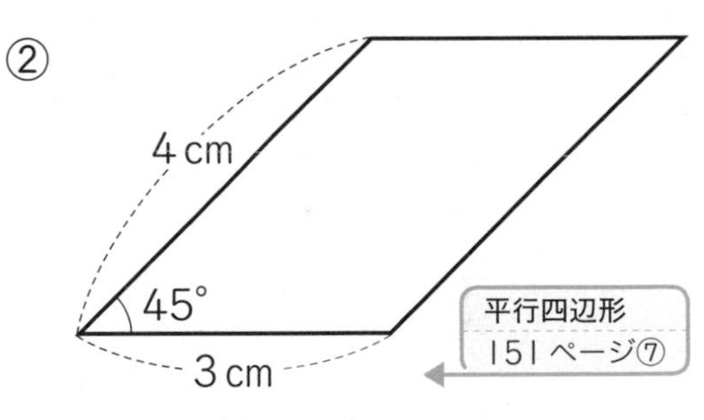


平行四辺形 151ページ⑦

## 100や1000を使って

まず，①〜④の積を求め，それを使って⑤〜⑧の積を求めよう。

① $25 \times 4$　② $50 \times 2$　③ $125 \times 8$　④ $250 \times 4$

⑤ $97 \times 25 \times 4$　⑥ $50 \times 93 \times 2$　⑦ $13 \times 8 \times 125$　⑧ $44 \times 250$

⑤〜⑧は，①〜④のどのかけ算を使うと，かんたんになるかな。

# 何が同じなのかな？

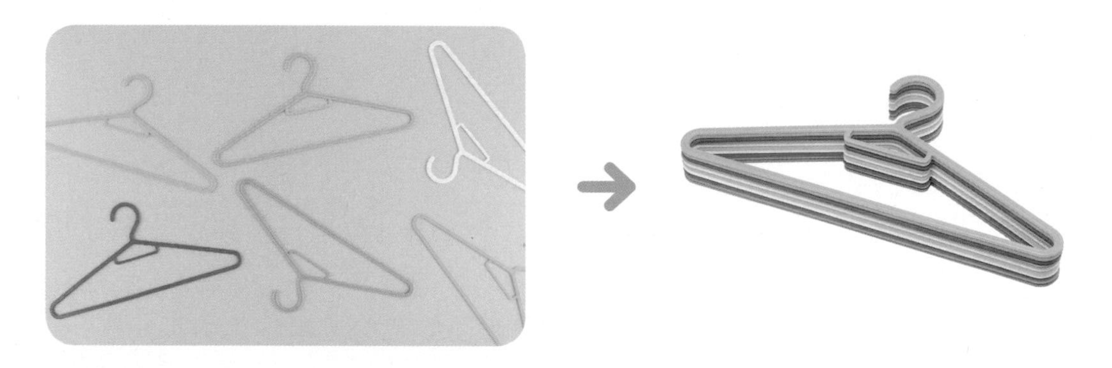

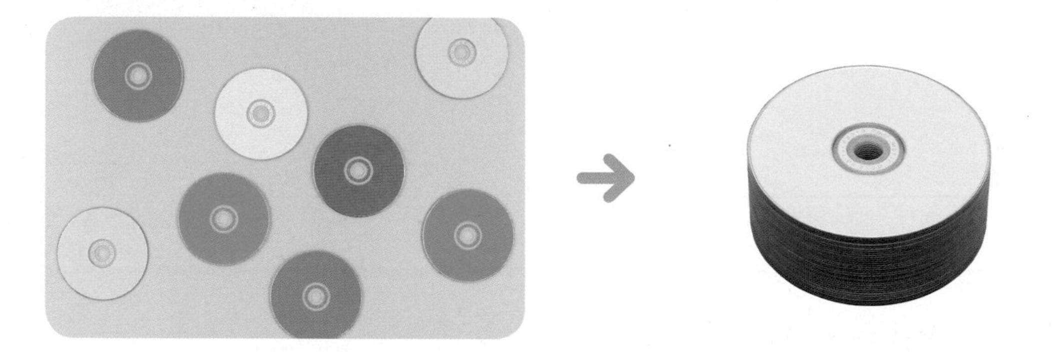

上のものが，ぴったり重なるのはどうしてかな。
みんなで話し合ってみよう。

しほ

どれも，形が同じだよ。

こうた

形だけではなく，□も同じものどうしじゃないと…。

合同な図形

# 6 形も大きさも同じ図形を調べよう

**1** 上の図形で，153ページの㋐，㋕と，それぞれ形も大きさも同じ図形はどれですか。

形も大きさも同じ図形の調べ方を考えよう。

153ページの㋐，㋕を切り取って使おう。

形も大きさも同じということは，重ねると…。

ぴったり重ね合わせることのできる２つの図形は，**合同**（ごうどう）であるといいます。

合同な図形は，形も大きさも同じです。

❶ ㋗は，㋕と合同であるといえるでしょうか。

㋕をうら返して
㋗に重ねてみると…。

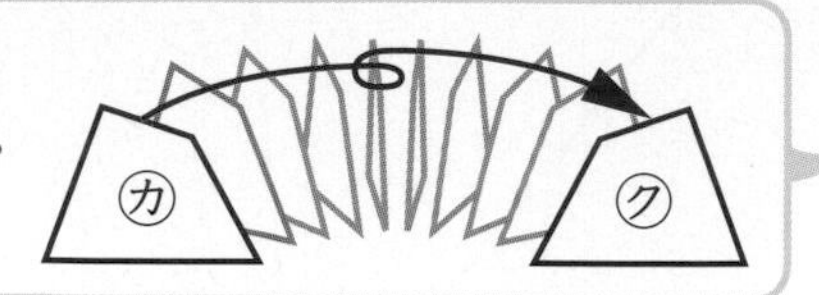

うら返すとぴったり重ね合わせることのできる２つの図形も，合同であるといいます。

２つの図形が合同かどうかを調べるには，図形をずらしたり，回したり，うら返したりして重ねればいいね。

２つの図形を重ねられないときに，合同であることを説明する方法はないのかな。

## 2

右の㋚，㋛の四角形は合同です。
㋚，㋛を使って，合同な図形の性質（せいしつ）をくわしく調べましょう。

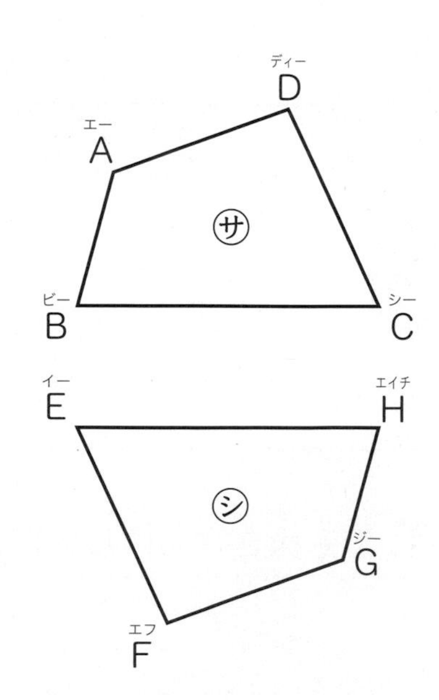


❷ ㋚，㋛のどこに注目して調べればよいでしょうか。

㋚，㋛をぴったり重ねたときに重なるところは…。

合同な図形で，重なり合う辺，角，頂点を，それぞれ**対応する辺**，**対応する角**，**対応する頂点**といいます。

合同な図形の，対応する辺どうし，対応する角どうしの関係を調べよう。

**3** ㋚と㋛の，対応する辺の長さや角の大きさを調べましょう。

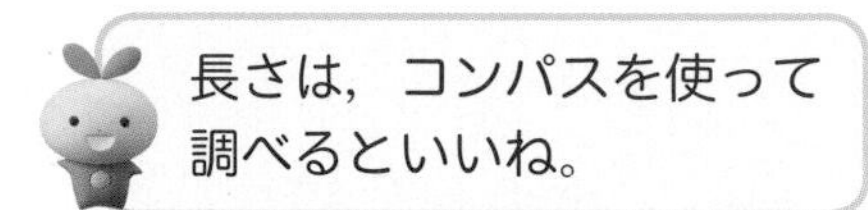


**まとめ**

合同な図形では，**対応する辺の長さは等しく**なっている。
また，**対応する角の大きさも等しく**なっている。

図形どうしの関係を調べるときも，これまでの図形の学習と同じように，辺の長さや角の大きさに注目するといいね。

**1** ㋜と㋝の四角形は合同です。

① 辺ADに対応する辺，角Bに対応する角をいいましょう。

② 辺EHの長さは何cmですか。また，角Fの大きさは何度ですか。

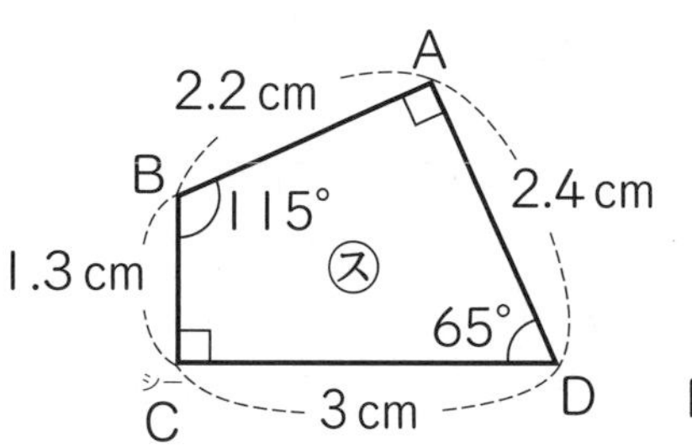


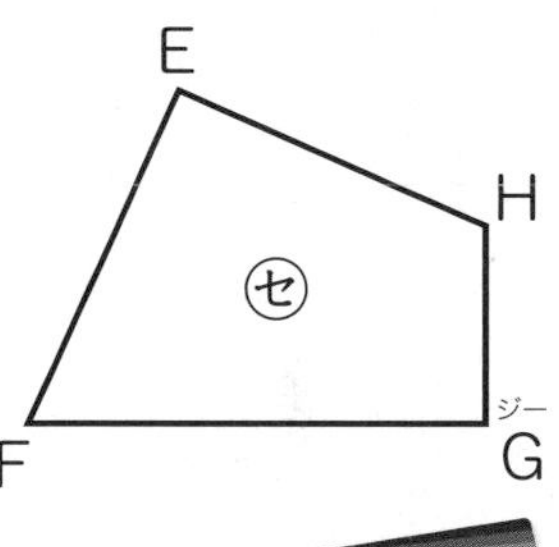


ほじゅうのもんだい →135ページ 二

**2** 下の２つの四角形は合同であるといえますか。

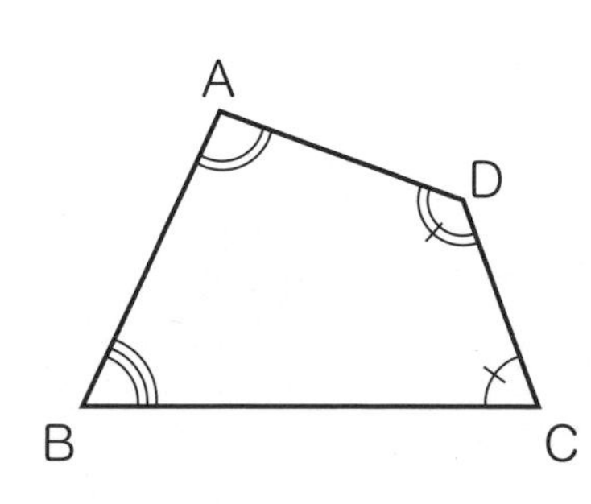


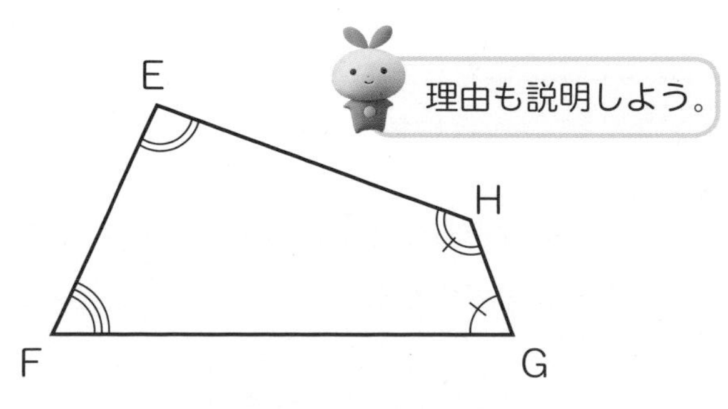

## 3 これまで学習してきた四角形を，それぞれ対角線で三角形に分けます。できた三角形が合同であるかどうか調べましょう。

対角線 151ページ⑨

四角形の性質（せいしつ）を，対角線で分けた三角形が合同かどうかに注目して調べよう。

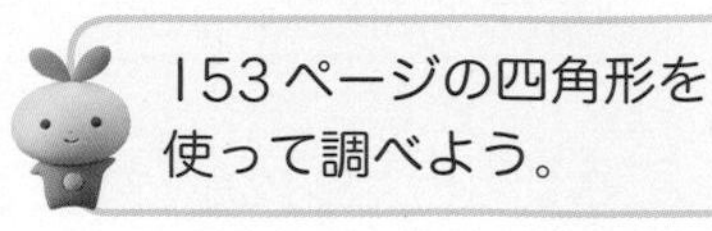


① 1本の対角線をひいてできる，2つの三角形を調べましょう。

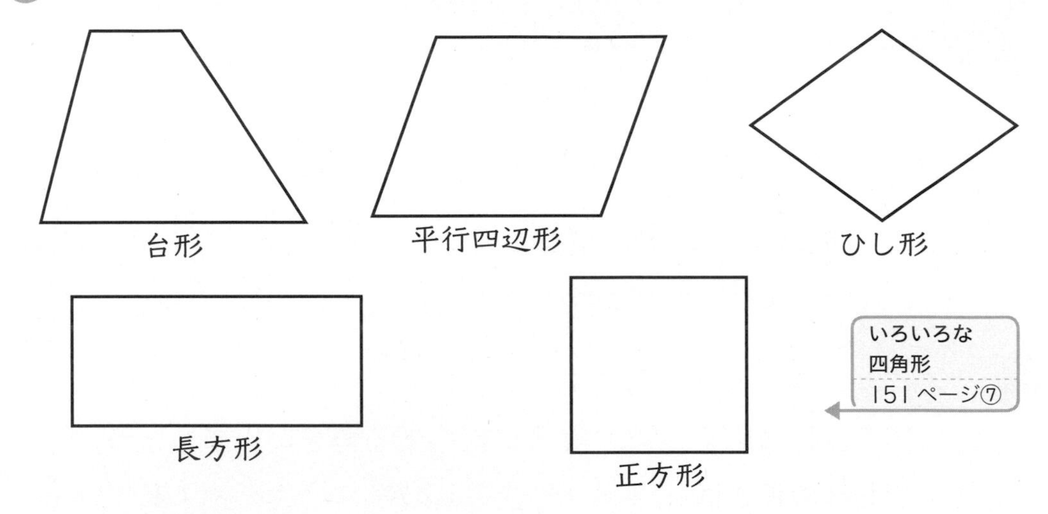


いろいろな四角形 151ページ⑦

② 上の四角形のうち，合同な2つの三角形を組み合わせても，つくることができないものはどれですか。

③ 2本の対角線をひいてできる，4つの三角形を調べましょう。

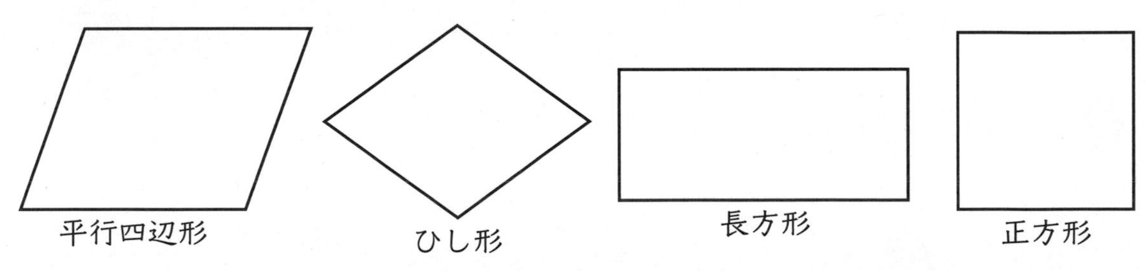


これまで学習してきた四角形の中には，**合同な三角形を組み合わせてできた形**とみることができるものがあるね。

あみ：4年のときは，対角線の長さや交わり方に注目したけど，今日は対角線で分けた三角形に注目したね。

# 4 下の三角形ABCと合同な三角形のかき方を考えましょう。

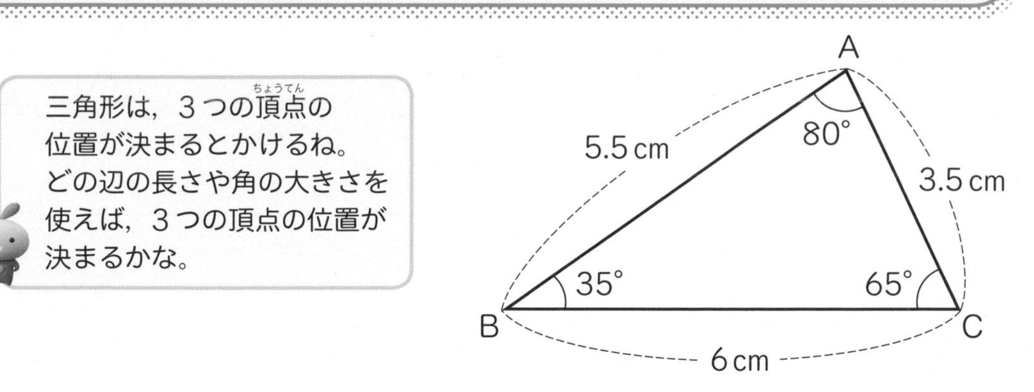


1 まず，辺BCをひきました。これで，頂点B，頂点Cの位置が決まりました。

残りの頂点Aの位置は，どの辺の長さや角の大きさを使えば決められるでしょうか。

まず，辺BCの長さを使って頂点B，Cの位置を決めたんだね。

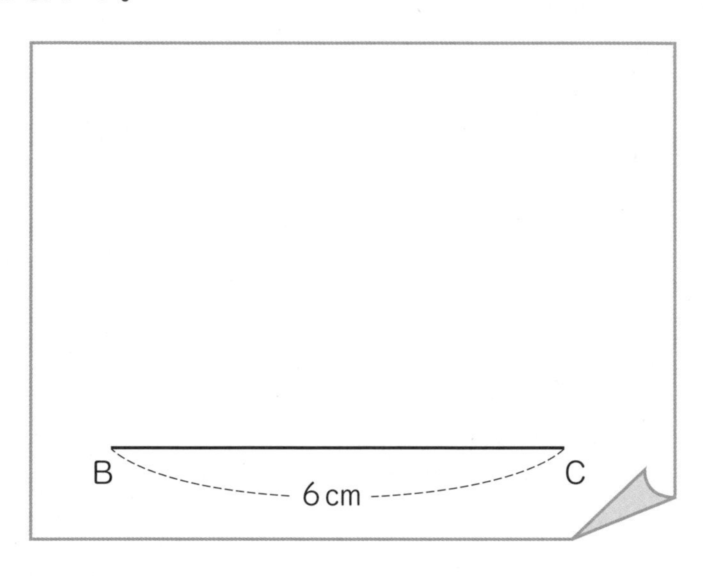


頂点Aの位置を決めるには，辺AB，辺ACの長さ，角A，角B，角Cの大きさのうち，どれを使えばよいか考えよう。

全部使わなくても…。

いくつかの方法が…。

はると　1つできたら，別の方法を考えてみるといいね。

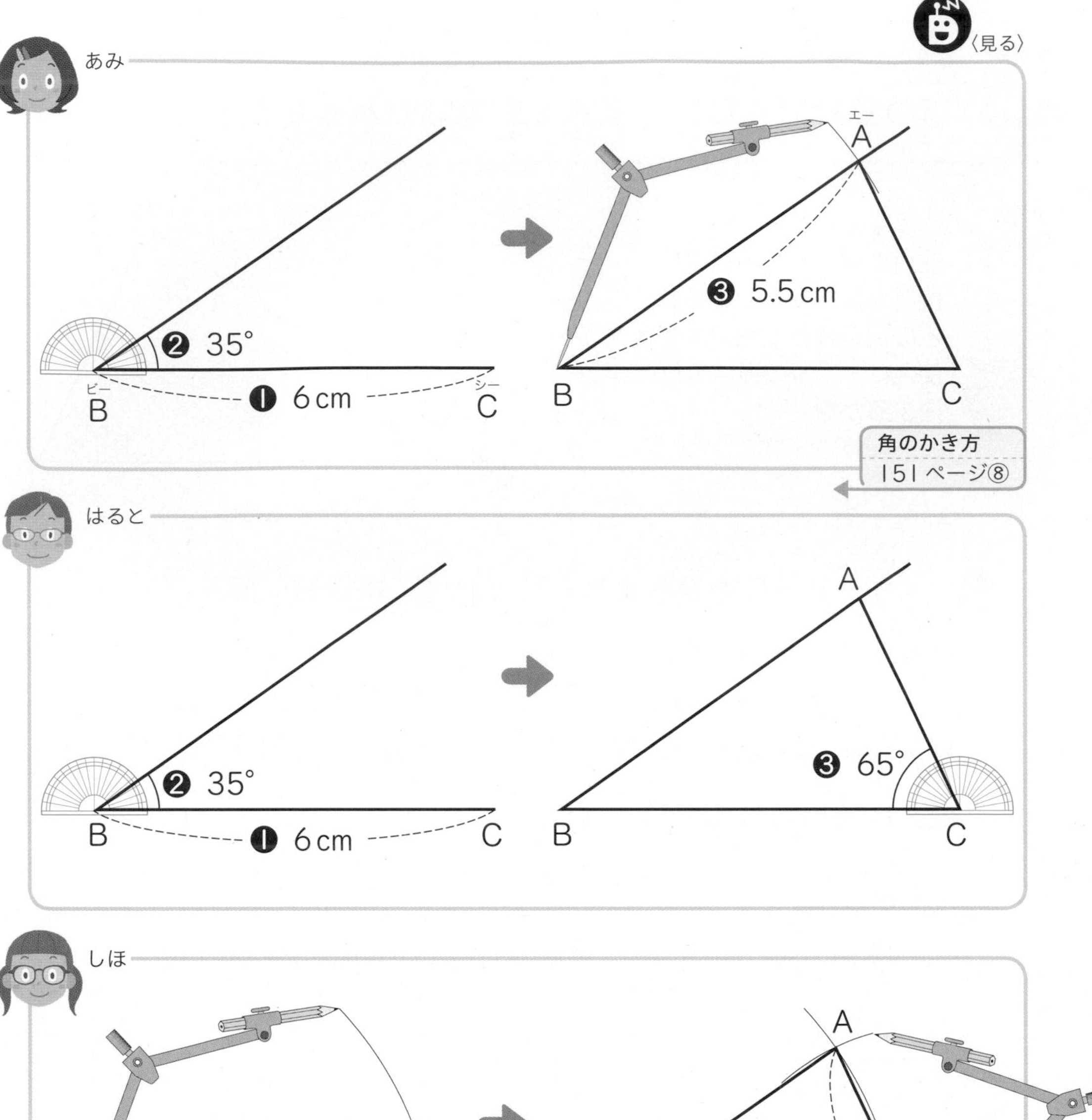


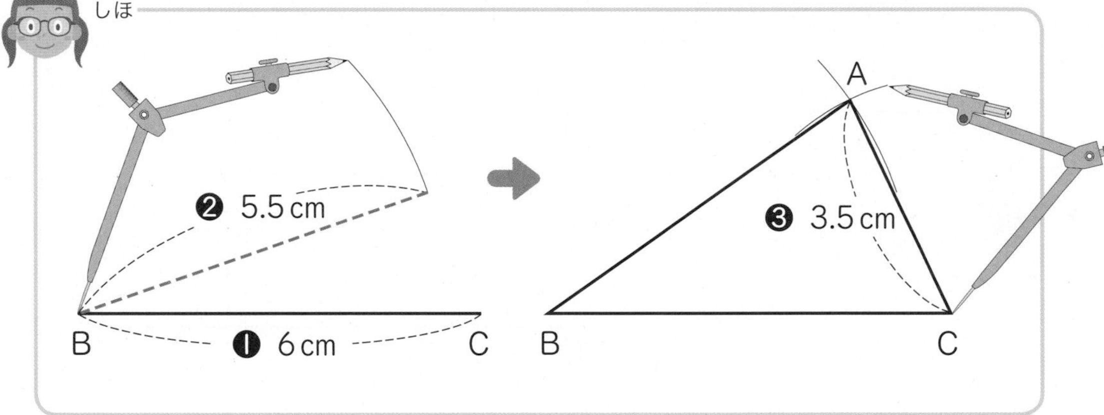


❷ 3人のかき方で，三角形ABCと合同な三角形をかきましょう。

かくときに使った線は，残しておこう。

❸ かいた三角形が，もとの三角形ABCと合同であることを確かめましょう。

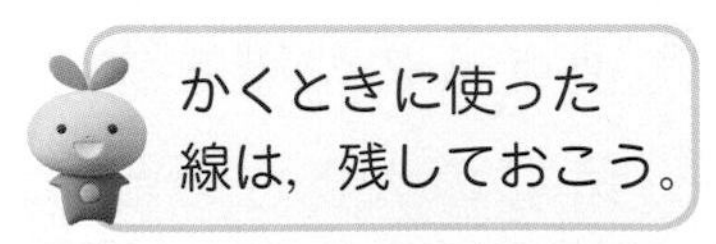

**4** 前のページの３人は，それぞれどの辺の長さやどの角の大きさを使っているか，整理しましょう。

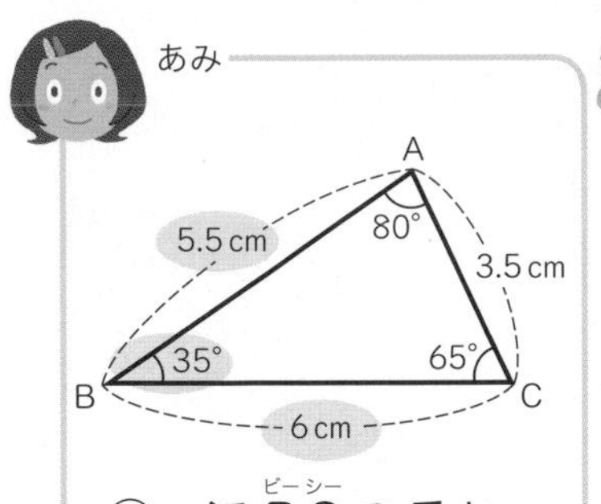


① 辺BC（ビーシー）の長さ
② 角Bの大きさ
③ 辺AB（エー）の長さ

2つの辺の長さとその間の角の大きさ

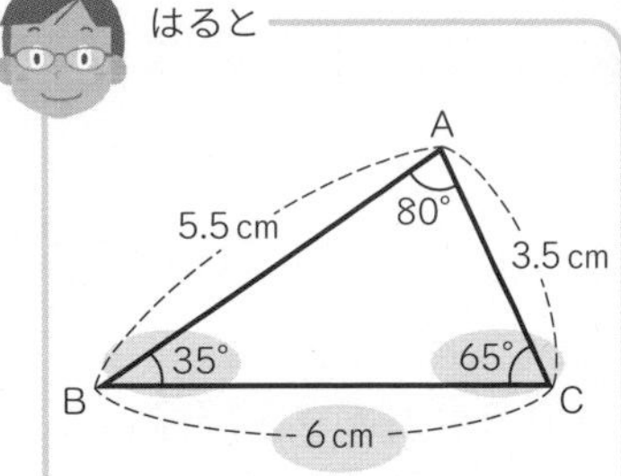


① 辺BCの長さ
② 角Bの大きさ
③ 角Cの大きさ

1つの辺の長さとその両はしの2つの角の大きさ

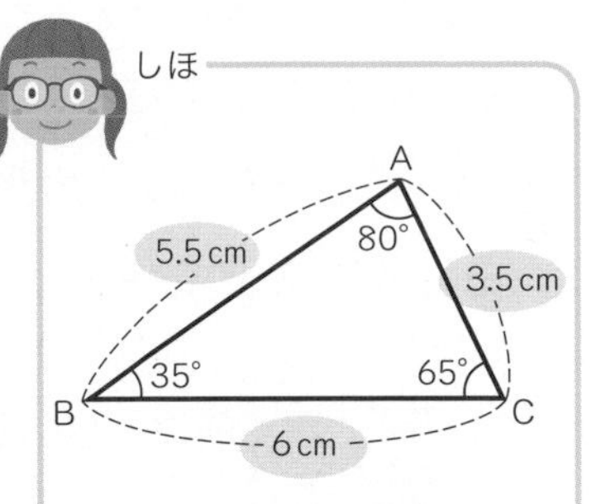


① 辺BCの長さ
② 辺ABの長さ
③ 辺ACの長さ

3つの辺の長さ

**5** 上の３人の考えを見て，気づいたことをいいましょう。

全部の辺の長さや角の大きさを使わなくても…。

3人とも，辺の長さや角の大きさのどれか□つを使って…。

**まとめ**

三角形ABCは，**上の３人の考えのように，辺の長さや角の大きさのうちの３つを使う**と３つの頂点（ちょうてん）の位置を決めることができ，合同な三角形をかくことができる。

上の３人の考えのように，辺の長さや角の大きさのうち３つを決めれば，三角形の形と大きさが決まるということだね。

はるとさんのかき方は４年で学習したよ。三角形の形と大きさが決まる条件（じょうけん）を使っていたんだね。

## 3 次の三角形をかきましょう。

① 2つの辺の長さが4cm，7cmで，その間の角の大きさが60°の三角形

② 1つの辺の長さが4cmで，その両はしの角の大きさが45°と30°の三角形

③ 3つの辺の長さが5cm，4cm，3cmの三角形

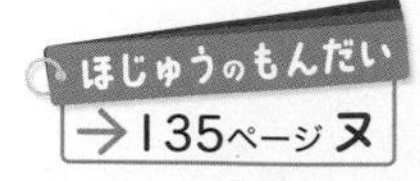

かく前に，だいたいの形や大きさを想像して，どこからかき始めればいいか考えよう。

## 4 右の三角形と合同な三角形をかきます。

図形の名前のほかに，あと何がわかればかけますか。必要な辺の長さや角の大きさをはかりましょう。

はかるところは，できるだけ少なくしましょう。

① 正三角形

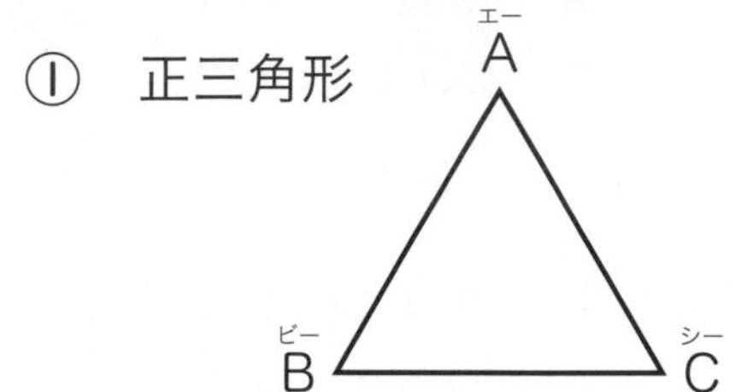


② 二等辺三角形

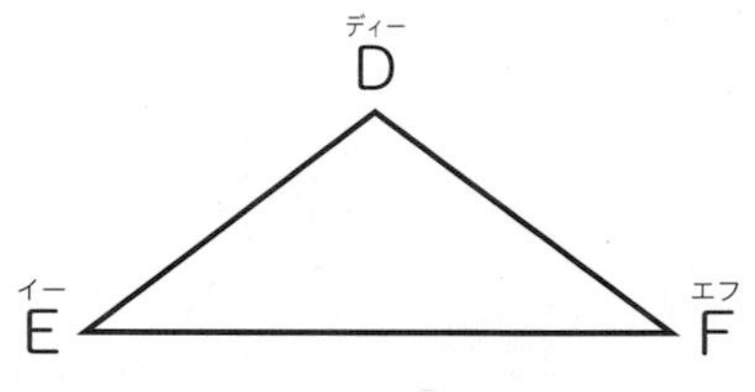

## 頂点Aが2つ？

2つの辺の長さと，その間にない角の大きさを使うと，合同ではない三角形がかけてしまうことがあります。

頂点Aが2つできてしまい，1つに決まらないからだね。

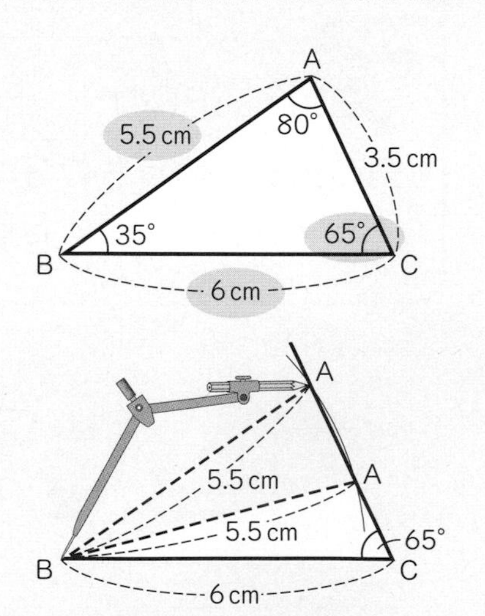

## 5 合同な三角形のかき方を使って，下の平行四辺形 ABCD と合同な平行四辺形をかきましょう。

合同な三角形のかき方を使った平行四辺形のかき方を考えよう。

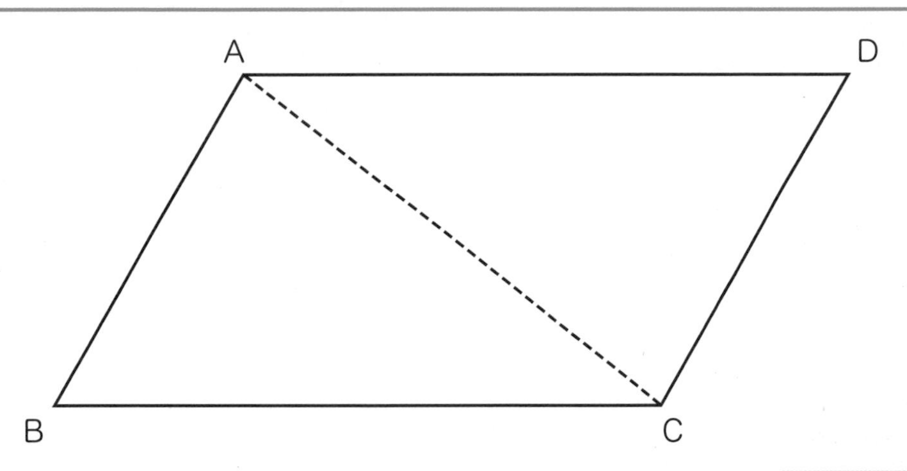


❶ 合同な四角形は，4つの辺の長さだけでかけますか。

❷ 上の図の，必要なところの長さや角の大きさをはかり，実際にかいてみましょう。

合同な三角形のかき方を使うには，対角線で…。（しほ）

❸ どこの長さや角の大きさを使ったかをはっきりさせて，自分のかき方を説明しましょう。

まず，辺ABと辺BC，対角線ACの長さをはかって，三角形ABCをかきました。
次に，辺ADと辺CDの長さを使って……。

**平行四辺形を1本の対角線で2つの三角形に分けて**考えれば，合同な三角形のかき方を使って平行四辺形をかくことができるね。（りく）

ほじゅうのもんだい →136ページ ネ

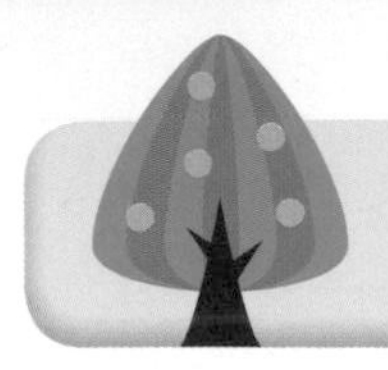

# たしかめよう

下の㋐，㋑の四角形は合同です。

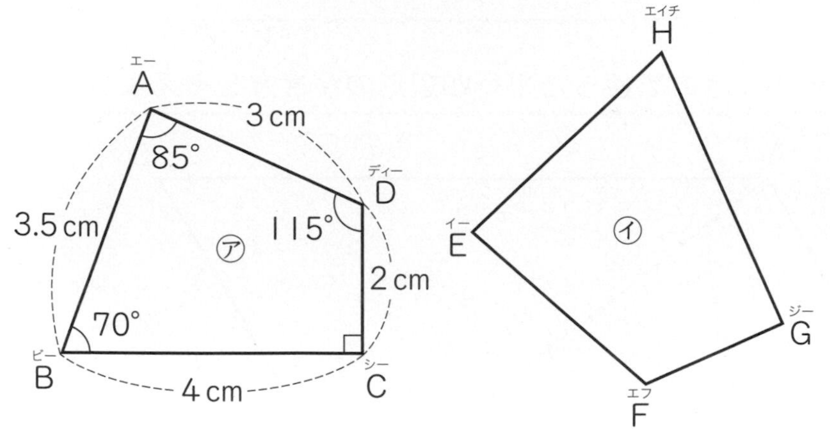


① 辺EF，辺FG，辺GH，辺HEの長さは何cmですか。

② 角E，角F，角G，角Hの大きさは何度ですか。

◀合同な図形の，対応する辺や角の性質がわかるかな？

74ページ 2

下の図のような三角形をかきましょう。

①

5 cm

70°

6 cm

②

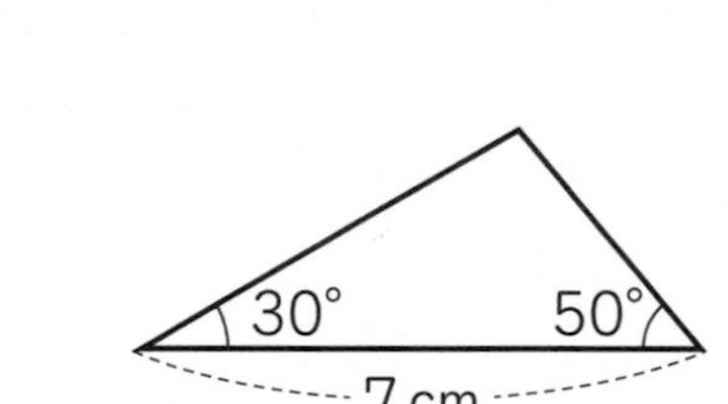


◀合同な三角形がかけるかな？

77ページ 4

3 必要なところの角の大きさをはかって，下の三角形ABCと合同な三角形をかきましょう。

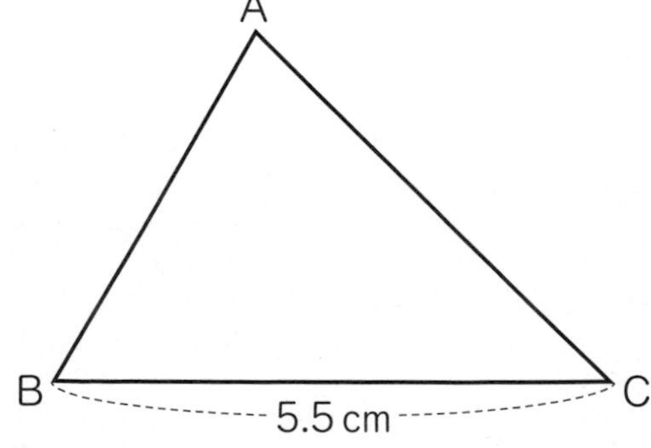


◀三角形の形と大きさが決まる条件がわかるかな？

77ページ 4

# つないでいこう算数の目～大切な見方・考え方

## 1 図形の辺や角に注目し，図形どうしの関係を調べる

あみさんは，「右の㋐，㋑の四角形は合同ではない」といっています。

あみさんは，図形のどこに注目して説明していますか。

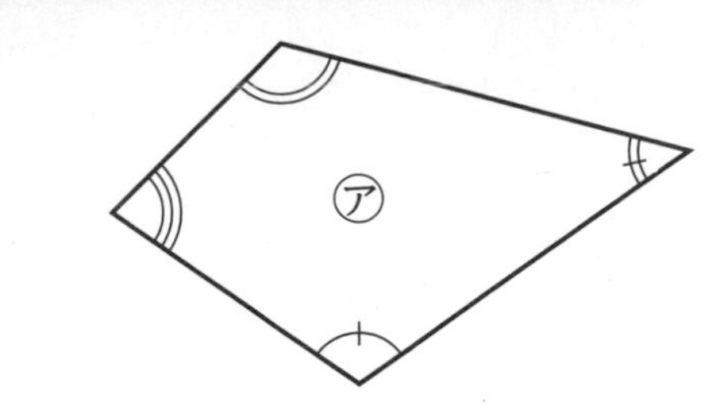


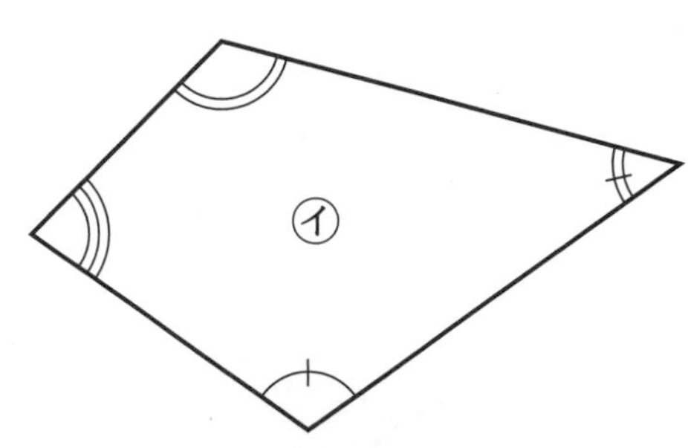

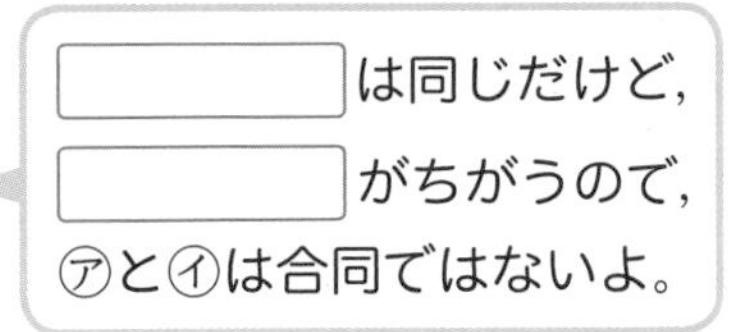


## 2 図形の辺や角に注目し，形と大きさが決まる条件を考える

右の三角形と合同な三角形をかくときに，どこもはからないでかくことはできますか。

理由も説明しましょう。

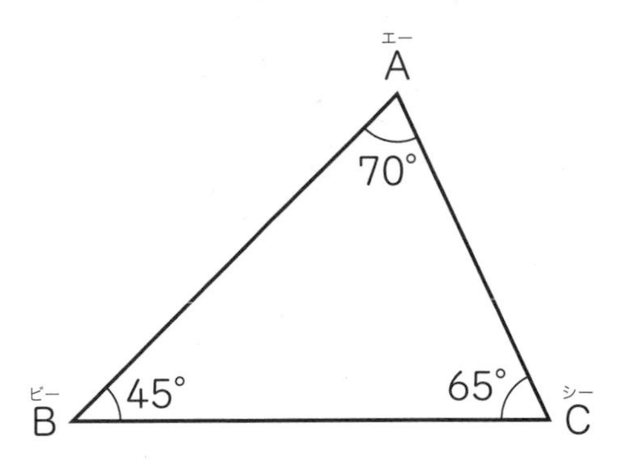

かくことが□。
理由は，角の大きさだけがわかっているけど，
大きさを決めるには…。

「形も大きさも同じ図形を調べよう」の学習をふり返って話し合ってみよう。

合同かどうかで，図形どうしの関係を調べることができるようになったよ。
関係を調べるときにも，辺の長さや角の大きさに注目したね。

いろいろな図形の形と大きさが決まる条件も考えてみたいな。

→144ページ

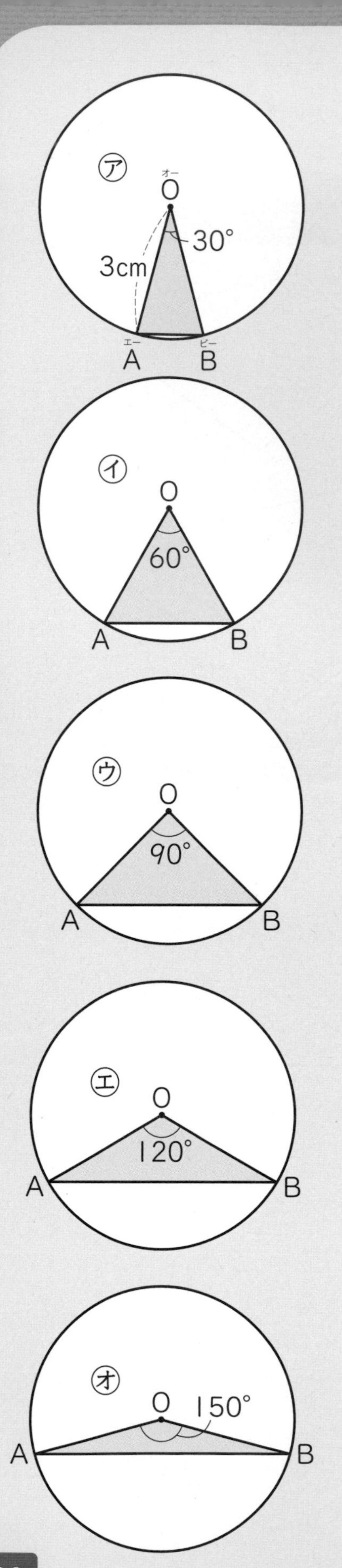


# 三角形の角の大きさのひみつをさぐろう

しほさんたちは，円の半径を使って
いろいろな二等辺三角形をかいています。

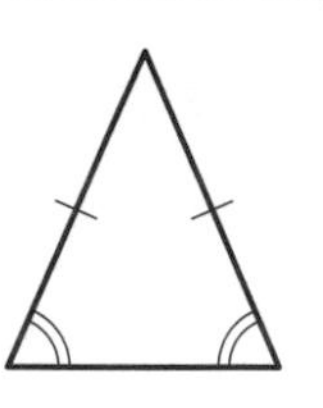

二等辺三角形では，
2つの角の大きさが
等しいね。

しほ

こうた

㋒の形は…。

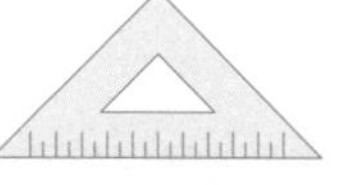

三角形の角の大きさについて，
気づいたことを話し合ってみよう。

りく

角Oの大きさが大きくなると，
角A，角Bの大きさは…。

逆に，角Oの大きさが小さくなると，
角A，角Bの大きさは…。

あみ

みさき

㋒は三角定規の形だから，角A，
角Bの大きさはどちらも45°だね。

三角形の3つの角の大きさには，
きまりがありそうだな。

はると

# 7 図形の角を調べよう

下の二等辺三角形の角の大きさを，分度器ではかって調べましょう。

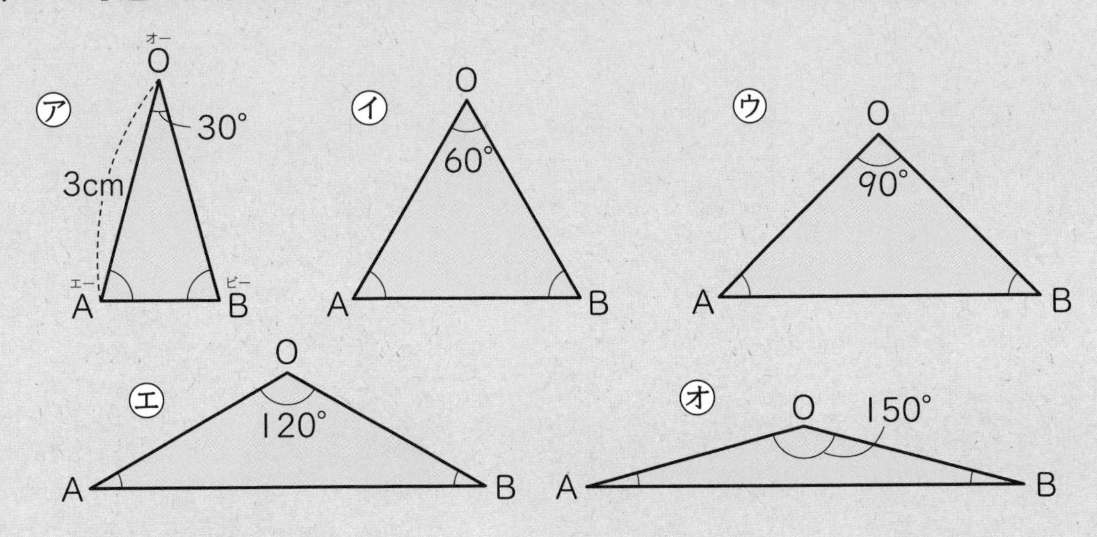


## 1 三角形と四角形の角

### 1

三角形の３つの角の大きさには，どのようなきまりがあるか，調べてみましょう。

❶ 調べた角の大きさを，下の表にまとめましょう。

| | ㋐ | ㋑ | ㋒ | ㋓ | ㋔ |
|---|---|---|---|---|---|
| 角O | 30° | 60° | 90° | 120° | 150° |
| 角A | | | 45° | | |
| 角B | | | 45° | | |
| | | | | | |

㋑は，□つの角の大きさが…。

しほ

三角形の３つの角の大きさの和について考えよう。

二等辺三角形の３つの角の大きさのきまりはわかったね。

前のページの，㋐～㋔の二等辺三角形では，
3つの角の大きさの和は［　　°］です。

ほかの三角形でも
いえるのかな。

2 いろいろな三角形をかいて，下の図のようにして3つの角の大きさの和を調べましょう。

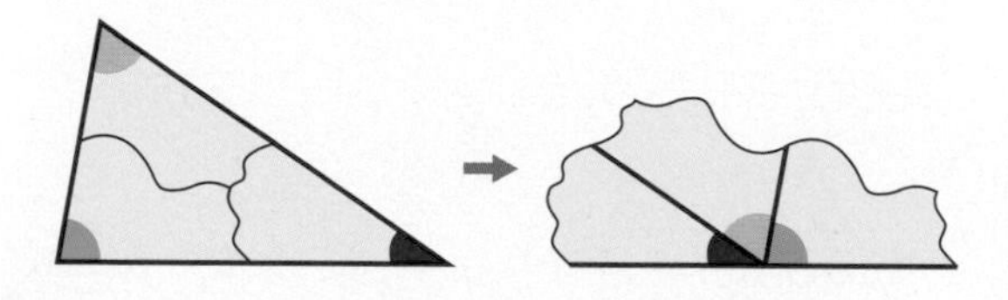

三角形の3つの角を
1つの点に集めると
どうなるのかな。

いろいろな三角形を調べると，
どんな形や大きさの三角形でも…。

3 ノートに三角形をかいて，3つの角の大きさを分度器ではかり，その和が180°になることを確(たし)かめましょう。

三角形の3つの角の大きさの和は，180°になる。

三角形の3つの角を1つの点に
集めると，一直線にならぶね。

三角形であれば，どんな形や
大きさのときでもいえるね。

あ，い，う，えの角度は何度ですか。計算で求めましょう。

①

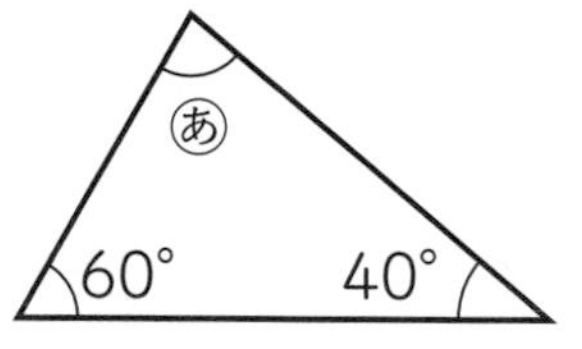


②

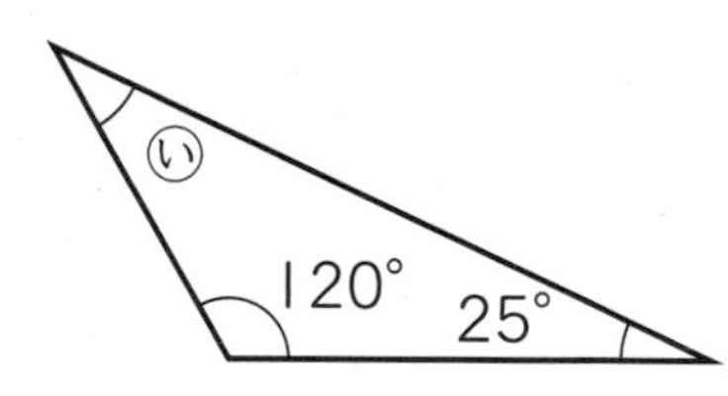


③

④

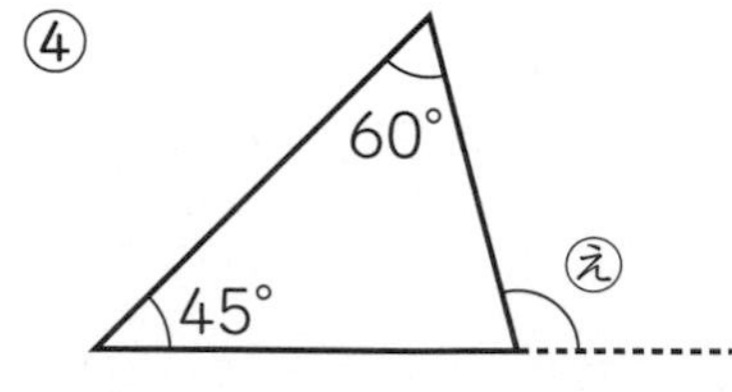


ほじゅうのもんだい
→136ページ

四角形の角の大きさにもきまりがあるのかな。

## 2 四角形の４つの角の大きさの和は，何度になりますか。

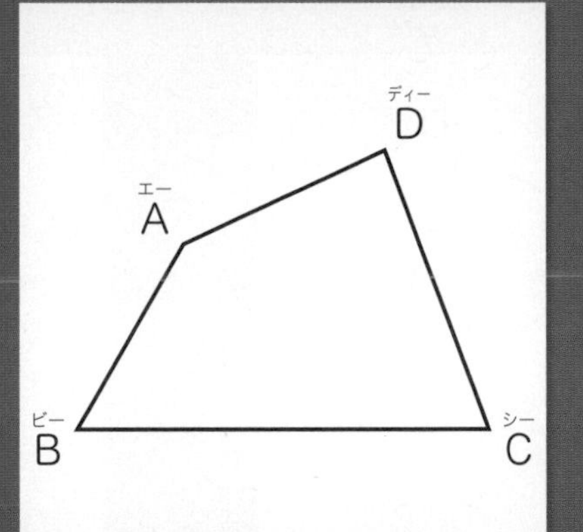


角度をはからないで求めましょう。

問題をつかもう。

- 今日はどんな問題かな。

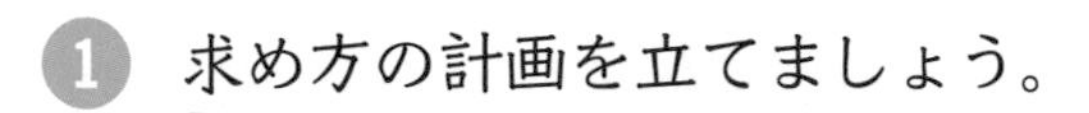

① 求め方の計画を立てましょう。

三角形の３つの角の大きさの和はわかるけど…。

四角形の４つの角の大きさの和の求め方を考えよう。

- どのように考えれば解決(かいけつ)できるかな。
- 今まで学習したことで，使えることはないかな。

② 自分の考えを，図や式を使ってかきましょう。

155ページにも図があるよ。

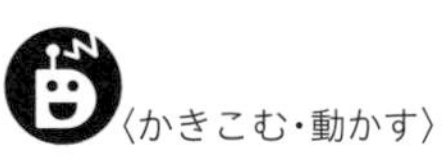


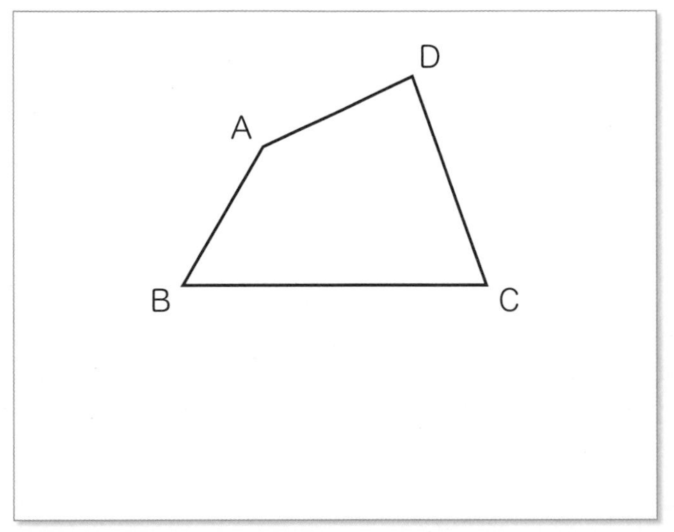


自分の考えをかき表そう。

- ほかの人が見てもわかるかな。

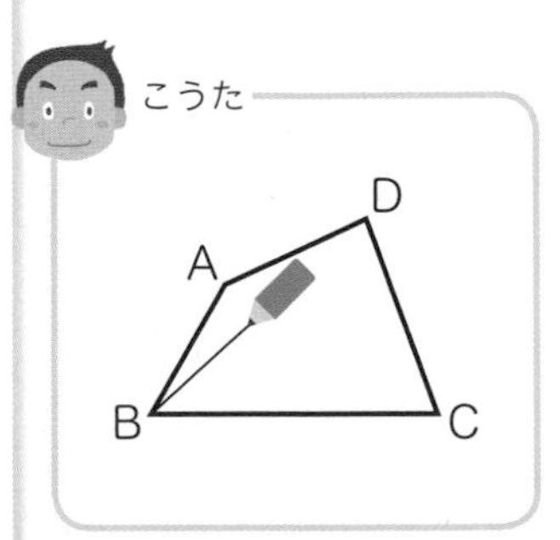


- １つできたら，別の求め方を考えてみよう。

はるとさんたちは，友だちの考えを説明しています。

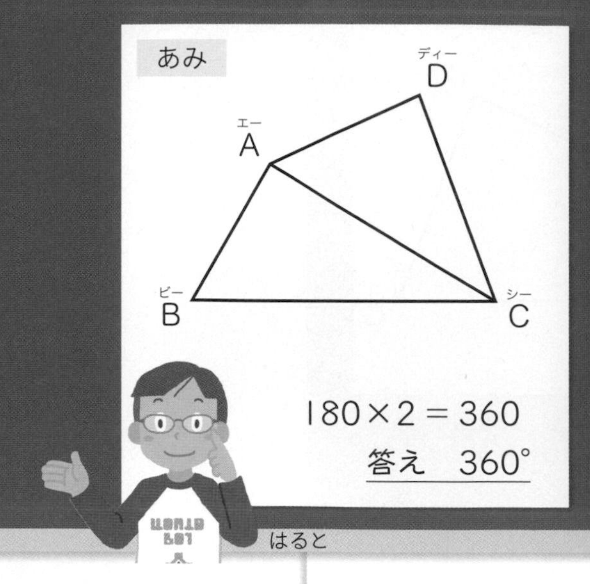


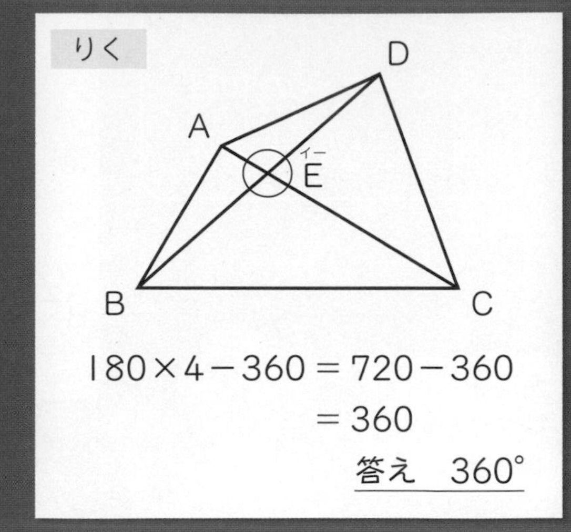


**友だちと学ぼう。**

- 図や式から，友だちの考えがわかるかな。
- 自分の考えと同じところやちがうところはないかな。
- 友だちの考えのいいところはどこかな。

③ あみさんの図と式を見て，あみさんの考えを説明しましょう。

四角形ABCDを，対角線ACで2つの三角形に分けます。三角形の3つの角の大きさの和は180°だから…。

④ りくさんの図と式を見て，りくさんの考えを説明しましょう。

⑤ 次のページのみさきさんの図を見て，みさきさんの考えを式に表し，説明しましょう。

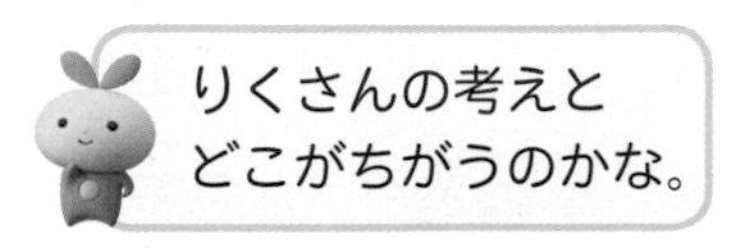


⑥ 3人の考えで，共通していることはどんなことでしょうか。

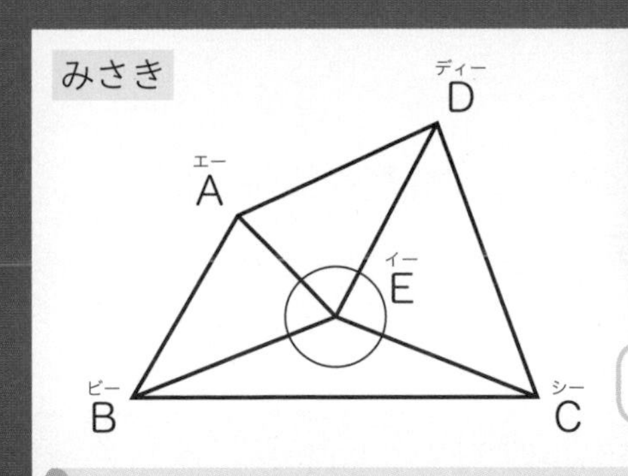


式に表すと…。

しほ

こうた

7 今日の学習をふり返ってまとめましょう。

まとめ

四角形の４つの角の大きさの和は，**四角形を三角形に分けて**考えれば求めることができる。

四角形の４つの角の大きさの和は，360°になる。

すでにわかっている「三角形の３つの角の大きさの和は 180°」をもとにして，説明することができたね。

2 あ，いの角度は何度ですか。計算で求めましょう。

①

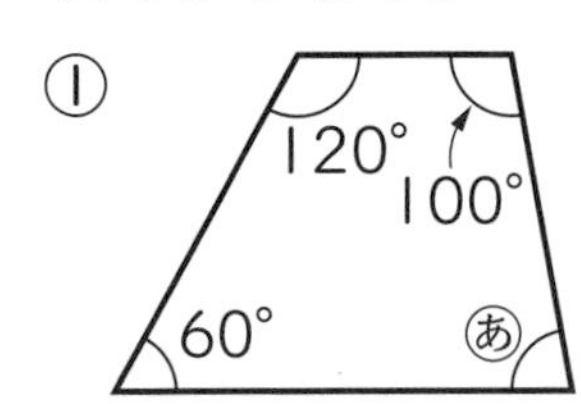


②

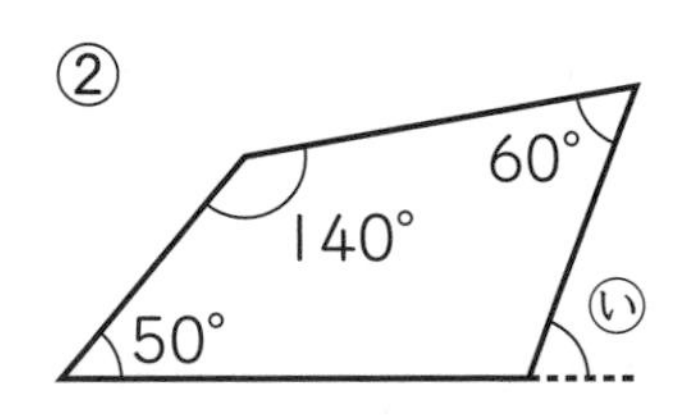


ほじゅうのもんだい
→137ページハ

**ふり返ってまとめよう。**

- 今日の学習でどんなことがわかったかな。
- どんな考えが役に立ったかな。
- 次に考えてみたいことはどんなことかな。

**使ってみよう。**

- 学習したことを使って考えられるかな。

# 今日の深い学び 算数 マイノートを学習に生かそう

どのように考えて，問題を解決したかをふり返りましょう。

あみ

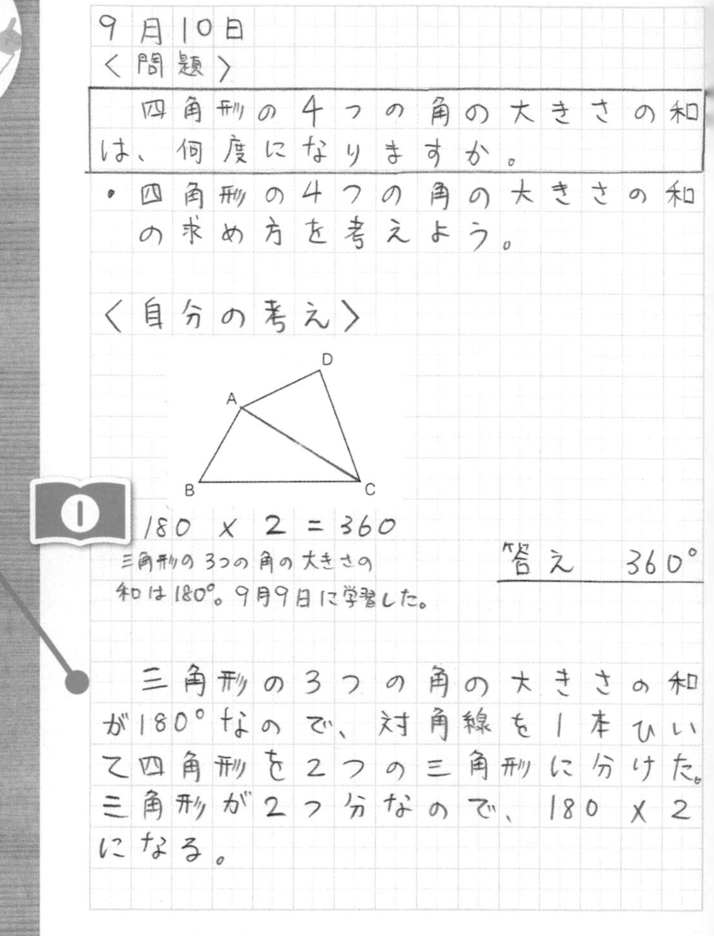

9月10日
〈問題〉
四角形の4つの角の大きさの和は、何度になりますか。
・四角形の4つの角の大きさの和の求め方を考えよう。

〈自分の考え〉



180 × 2 = 360
三角形の3つの角の大きさの和は180°。9月9日に学習した。
答え 360°

三角形の3つの角の大きさの和が180°なので、対角線を1本ひいて四角形を2つの三角形に分けた。三角形が2つ分なので、180 × 2 になる。

角の大きさの和がわかっている三角形をもとにして考えた。

考えるときには，式と答えだけでなく，
- 図
- 表
- グラフ

なども使うようにしましょう。

## 友だちの学習感想

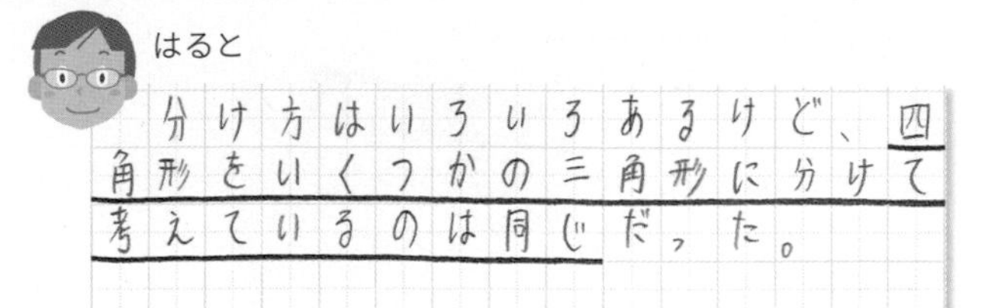

はると

分け方はいろいろあるけど、四角形をいくつかの三角形に分けて考えているのは同じだった。

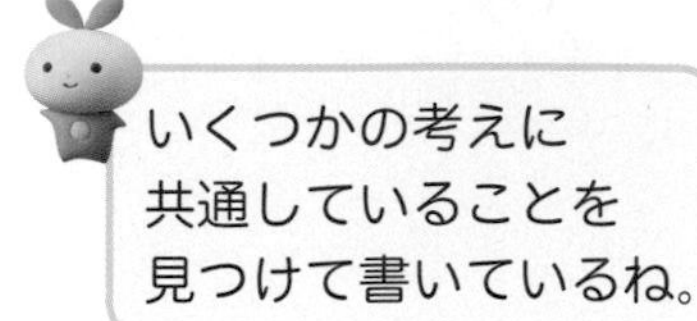

ノートのくふう ①

前の学習を使っているところは，そのことが書いてあるノートの日付を書くようにしています。

ノートのくふう ②

矢印などを使って，図とことばを関連させて考えを表しています。

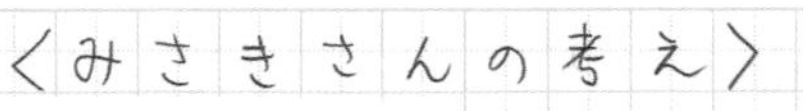

〈みさきさんの考え〉

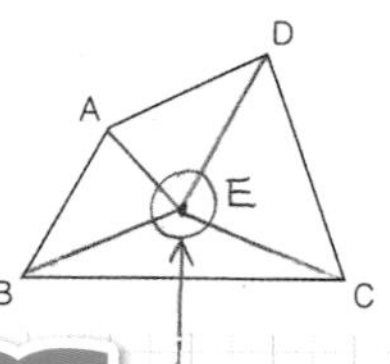


180×4－360＝720－360
＝360
答え　360°

② ここの360°をひいた。

図形に点や直線をかき加えて，求めやすい図形に分けた。

〈まとめ〉

四角形の4つの角の大きさの和は、四角形を三角形に分けて考えれば求めることができる。
四角形の4つの角の大きさの和は、360°になる。

すでにわかっていること（三角形の３つの角の大きさの和）をもとにして，すじ道立てて説明した。

〈学習感想〉

四角形の4つの角の大きさの和は、角度をはからなくても、計算で求められることがわかりました。

しほ

みさきさんの考えは、四角形の中なら点Eがどこにあってても使うことができそうだと思った。たしかめてみたい。

次に考えられそうなことを，見通しをもって書いているね。

## 3 角の大きさの和をくふうして調べましょう。

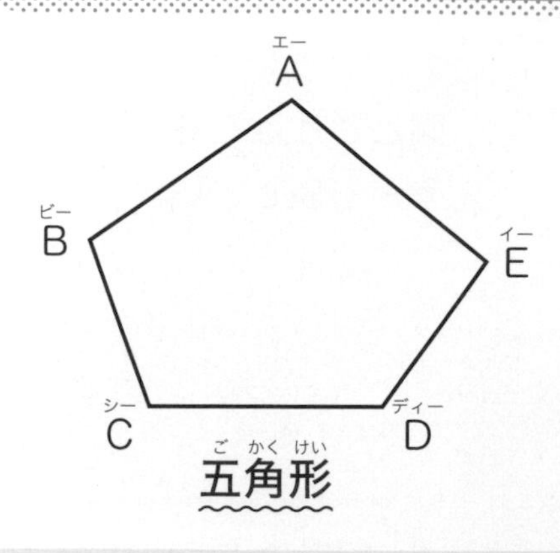

五角形

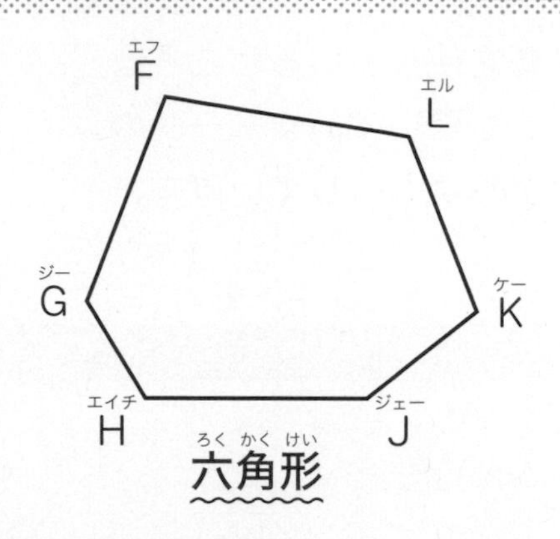

六角形

- 五角形…5本の直線で囲まれた図形
- 六角形…6本の直線で囲まれた図形

三角形，四角形，五角形，六角形などのように，直線で囲まれた図形を，**多角形**といいます。

多角形の，角の大きさの和の求め方を考えよう。

1 五角形，六角形の角の大きさの和を，それぞれ求めましょう。

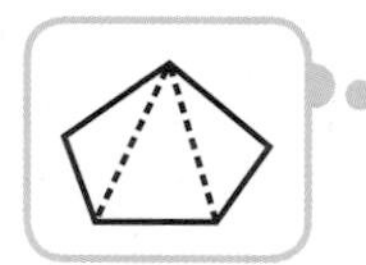

2 表にまとめましょう。

| | 三角形 | 四角形 | 五角形 | 六角形 | | |
|---|---|---|---|---|---|---|
| 三角形の数 | 1 | | | | | |
| 角の大きさの和 | 180° | | | | | |

**角の大きさの和がわかっている図形をもとにして**考えればいいんだね。

3 七角形，八角形の角の大きさの和を，それぞれ求めましょう。

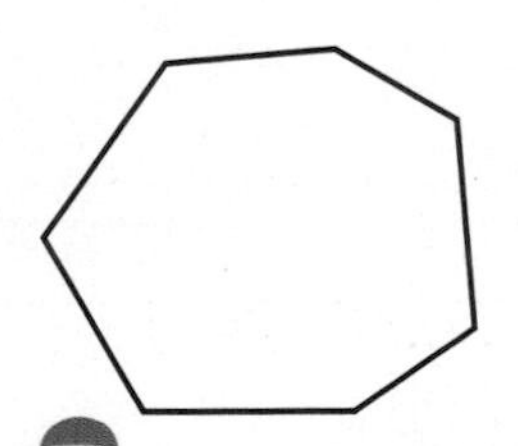

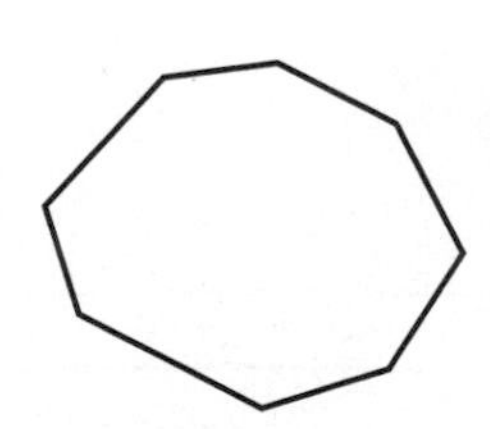

しほ 二十角形などの角の大きさの和も求められそうだね。

## 2 しきつめ

すきまなくしきつめられる四角形には，どんなものがあったかを話しています。

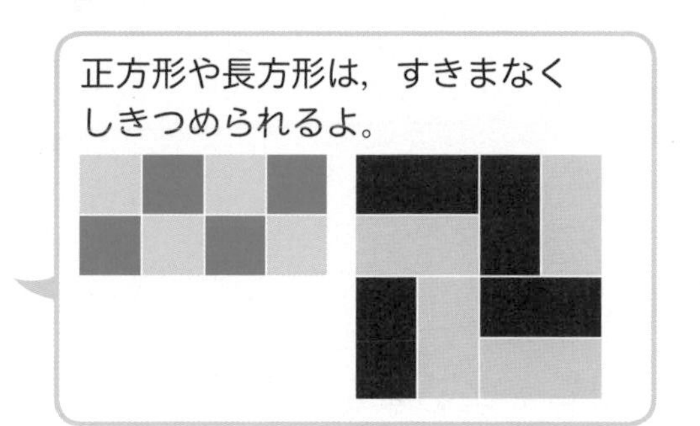

### 1

右の四角形は，すきまなくしきつめられるでしょうか。
155ページの四角形を切り取って，すきまなくしきつめられるかどうか調べてみましょう。

どんな四角形でもしきつめられるか考えよう。

① 上のこうたさんのしきつめ方を見て，気づいたことをいいましょう。

1つの点に，四角形の4つの角がすべて…。

四角形の4つの角の大きさの和は…。

**四角形の4つの角の大きさの和は360°だから，4つの角を1つの点に集めれば，**どんな四角形でもしきつめられるね。

合同な四角形をいろいろ作って，ほかの場合も調べてみたいな。

学習のしあげ ー 図形の角

# たしかめよう

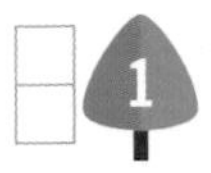

## 1 □にあてはまる数を書きましょう。

① 三角形の３つの角の大きさの和 … □°

② 四角形の４つの角の大きさの和 … □°

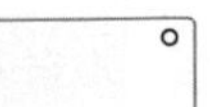


◀三角形や四角形の角の大きさの和がわかるかな？

①85ページ 1

②87ページ 2

## 2 あ，いの角度は何度ですか。計算で求めましょう。

① 二等辺三角形

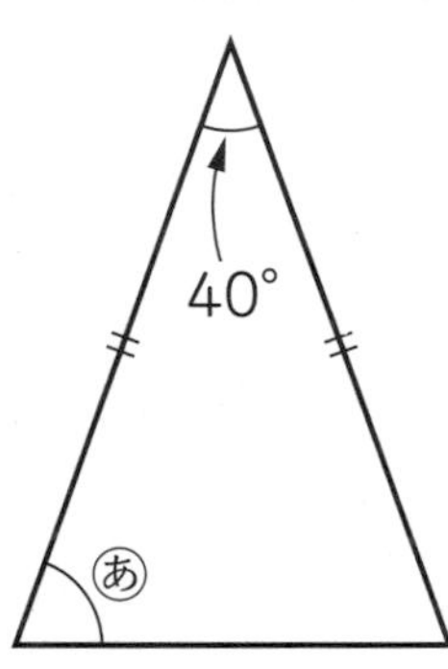

②

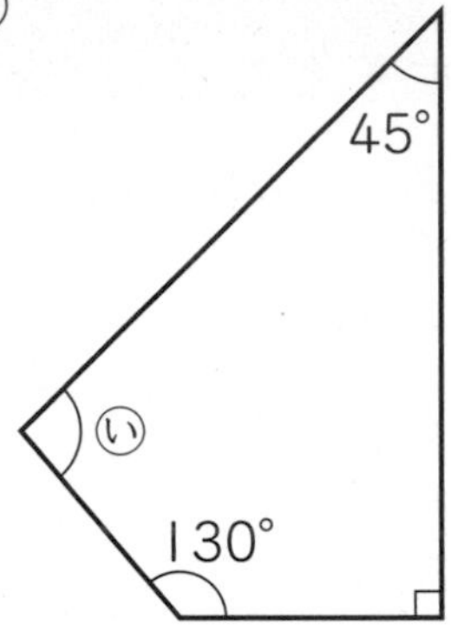



◀角度を計算で求められるかな？

①85ページ 1

②87ページ 2


## 3 右のように，三角定規（じょうぎ）を組み合わせてできたかときの角度の和を，はるとさんは次のような式で求めました。

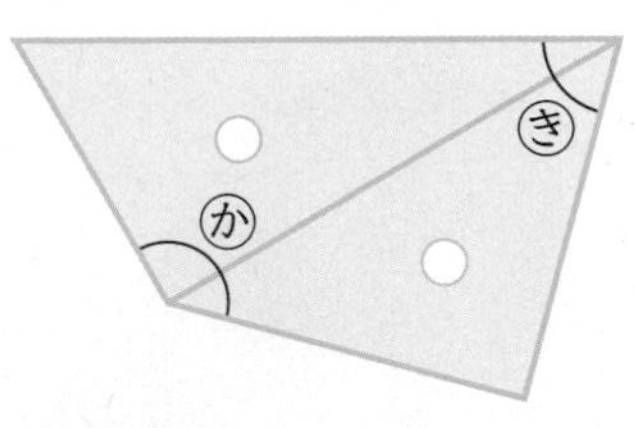


はるとさんの考えを説明しましょう。

はると

$360-(60+90)=210$


◀式を見て，角度の和の求め方を説明できるかな？

87ページ 2


## 4 三角形，四角形，五角形，六角形などのように，直線で囲（かこ）まれた図形を何といいますか。


◀直線で囲まれた図形の名前がわかるかな？

92ページ 3

# つないでいこう 算数の目 ～大切な見方・考え方

## 1 図形の角の大きさに注目し，性質(せいしつ)を考える

85～86 ページの学習では，三角形のどんなところに注目しましたか。いちばんあてはまるものを選びましょう。

㋐ 辺の数　㋑ 角の形　㋒ 辺の長さ　㋓ 3つの角の大きさの和

## 2 図形の性質を，すじ道立てて説明する

① 三角形の3つの角の大きさの和について，次の㋐，㋑のうち，どちらの調べ方で学習しましたか。

㋐ 1つの三角形だけで調べる。　㋑ いくつかの三角形で調べる。

② 三角形の3つの角の大きさの和について，正しいのは次のうちどれですか。

㋐ 三角形の形や大きさによってちがう。

㋑ どんな三角形でも 180°である。

㋒ どんな三角形でも 360°である。

③ 四角形の4つの角の大きさの和について，次の㋐，㋑のうち，どちらの方法で考えましたか。

㋐ 4つの角の大きさを1つずつ調べて，それらの和を求める。

㋑ どんな三角形でも3つの角の大きさの和が 180°であることをもとにして考える。

「図形の角を調べよう」の学習をふり返って話し合ってみよう。

チャレンジ
→145ページ

# 数あてクイズをしよう

九九の表を見て，九九の答えの中から数を１つ思いうかべます。
クイズの答えがその数だけになるように，下の３つのヒントの□に
あてはまる１から９までの整数を考えて，友だちとクイズを出し合おう。

| かけられる数＼かける数 | 1 | 2 | 3 | 4 | 5 | 6 | 7 | 8 | 9 |
|---|---|---|---|---|---|---|---|---|---|
| 1 | 1 | 2 | 3 | 4 | 5 | 6 | 7 | 8 | 9 |
| 2 | 2 | 4 | 6 | 8 | 10 | 12 | 14 | 16 | 18 |
| 3 | 3 | 6 | 9 | 12 | 15 | 18 | 21 | 24 | 27 |
| 4 | 4 | 8 | 12 | 16 | 20 | 24 | 28 | 32 | 36 |
| 5 | 5 | 10 | 15 | 20 | 25 | 30 | 35 | 40 | 45 |
| 6 | 6 | 12 | 18 | 24 | 30 | 36 | 42 | 48 | 54 |
| 7 | 7 | 14 | 21 | 28 | 35 | 42 | 49 | 56 | 63 |
| 8 | 8 | 16 | 24 | 32 | 40 | 48 | 56 | 64 | 72 |
| 9 | 9 | 18 | 27 | 36 | 45 | 54 | 63 | 72 | 81 |

**３つのヒント**

① 6 のだんの九九の答えです。

② 4 でわると，商が整数で，わりきれます。

③ 9 に整数をかけてできる数です。

**数あてクイズをしてみて，
整数について考えたことを自由に話し合ってみよう。**

わりきれる数が多い数と少ない数があるね。

25を思いうかべたけど，上の３つのヒントではクイズがつくれなかったよ。

それぞれの数には，いろいろな性質（せいしつ）がありそうだね。

偶数と奇数，倍数と約数

# 8 整数の性質を調べよう

1から40までの数を書いたカードを，(あたり)と(はずれ)の2つのなかまに分けています。

## 1 偶数と奇数

**1** 上の絵の，(あたり)，(はずれ)には，それぞれどんな数が集まっているかを調べましょう。

整数の特ちょうを調べて，整数を2つのなかまに分ける方法を考えよう。

① それぞれの数を見て，気づいたことをいいましょう。

(あたり) 2，4，6，20，40
(はずれ) 1，3，5，17，35
1，2，3，4，…と，
こうごに分けているのかな。

こうた

それぞれの数の一の位の数字は，(あたり)が0，2，4，6。(はずれ)は…。
全部の結果が知りたいな。

あみ

(あたり)の数は，
2に整数を…。

りく

みさき
ほかの数でも同じように考えることができるか，調べてみたい。

| あたり | 2, 4, 6, 8, 10, 12, 14, 16, 18, 20, 22, 24, … |
|---|---|
| はずれ | 1, 3, 5, 7, 9, 11, 13, 15, 17, 19, 21, 23, … |

② あたりの数を，2でわってみましょう。
また，はずれの数も2でわってみましょう。

- 2でわりきれる整数を，**偶数**(ぐうすう)といいます。
- 2でわりきれない整数を，**奇数**(きすう)といいます。
- 0は偶数とします。

③ 数直線で，偶数と奇数は，どのようにならんでいますか。

0 1 2 3 4 5 6 7 8 9 10 11 12 13 14 15 16 17

④ 偶数でも奇数でもない整数はありますか。

**まとめ**

整数は，**偶数か奇数かに注目すると**，2つのなかまに分けられる。

整数

| 偶数 | 奇数 |
|---|---|
| 0, 2, 4, 6, 8, … | 1, 3, 5, 7, 9, … |

1 0から40までの整数を，偶数と奇数に分けましょう。

2 算数の教科書の，左ページ，右ページのページ番号は，それぞれどんな数になっていますか。

3 42，55，63，78のうち，偶数はどれですか。

2でわりきれるかどうかは，何の位の数字を見ればわかるかな。

しほ　偶数や奇数には，ほかにどんな性質(せいしつ)があるのかな。

## 2 偶数と奇数について，くわしく調べましょう。

❶ 8は偶数ですか，奇数ですか。

❷ □にあてはまる整数はいくつですか。

8 = 2 × □

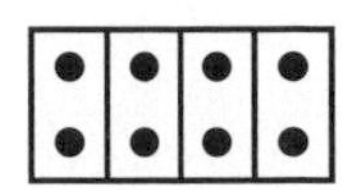

❸ 9は偶数ですか，奇数ですか。

❹ □にあてはまる整数はいくつですか。

9 = 2 × □ + 1

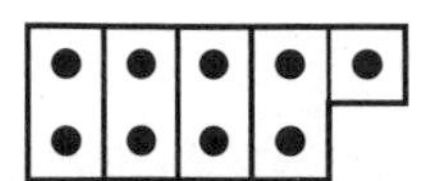

❺ 10，11は，それぞれ偶数ですか，奇数ですか。

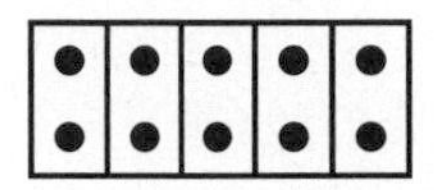

また，10を❷と，11を❹と同じように，式に表しましょう。

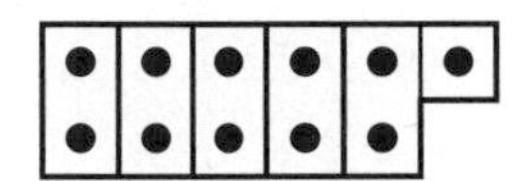

偶数，奇数を表した上の式から，どんなことがわかるか考えよう。

偶数は，2に整数をかけて…。

奇数は，2に整数をかけた数に…。

□に入る数を整数とすると，**偶数は2×□，奇数は2×□+1の式に表すことができます。**
偶数は，2に整数をかけてできる数ともいえるね。

### 4 50，51は，それぞれ偶数ですか，奇数ですか。

式の続きを書いて答えましょう。

① 50 = 2 × ______　　② 51 = 2 × ______

りく　3×□や4×□で表せる数もたくさんあるけど…。

## 2 倍数と公倍数

**1**

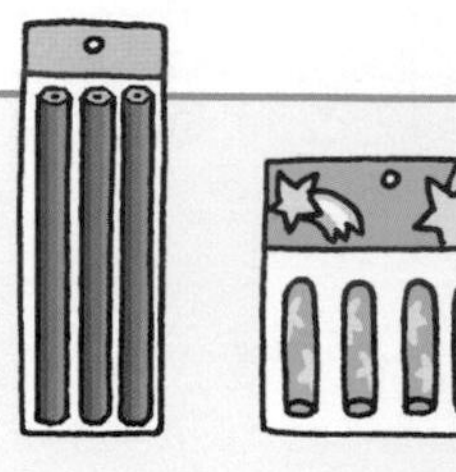

|ふくろ３本入りのえん筆と，
|ふくろ４本入りのキャップが
売られています。それぞれを
何ふくろか買って，数が等しくなるようにします。
えん筆とキャップの数が等しくなるのは，何本のときか
調べましょう。

① えん筆を|ふくろ，２ふくろ，…と買ったときの，えん筆の数を調べましょう。

| ふくろの数(ふくろ) | 1 | 2 | 3 | 4 | 5 | 6 | 7 | 8 | 9 | 10 | 11 |
|---|---|---|---|---|---|---|---|---|---|---|---|
| えん筆の数(本) | | | | | | | | | | | |

② キャップを|ふくろ，２ふくろ，…と買ったときの，キャップの数を調べましょう。

| ふくろの数(ふくろ) | 1 | 2 | 3 | 4 | 5 | 6 | 7 | 8 | 9 | 10 | 11 |
|---|---|---|---|---|---|---|---|---|---|---|---|
| キャップの数(本) | | | | | | | | | | | |

③ えん筆の数は，どんな数といえますか。
また，キャップの数はどうですか。

えん筆の数は，３に整数を…。

３に整数をかけてできる数を，３の**倍数**（ばいすう）といいます。
３の倍数は，３，６，９，１２，……と，いくらでもあります。

０は，倍数に入れないことにします。

④ えん筆の数，キャップの数は，それぞれどんな数の倍数になっていますか。

はると　表を見ると，えん筆とキャップの数が等しくなるのは…。

えん筆とキャップの数が等しくなるときの数は，どんな数といえるか考えよう。

5 えん筆とキャップの数が最初に等しくなるのは，何本のときですか。
また，次に数が等しくなるのは，何本のときですか。

6 5で答えた数は，どんな数といえますか。

3の倍数であり，
4の…。

3と4の共通な倍数を，3と4の**公倍数**（こうばいすう）といいます。
また，公倍数のうちで，いちばん小さい数を，**最小公倍数**（さいしょうこうばいすう）といいます。

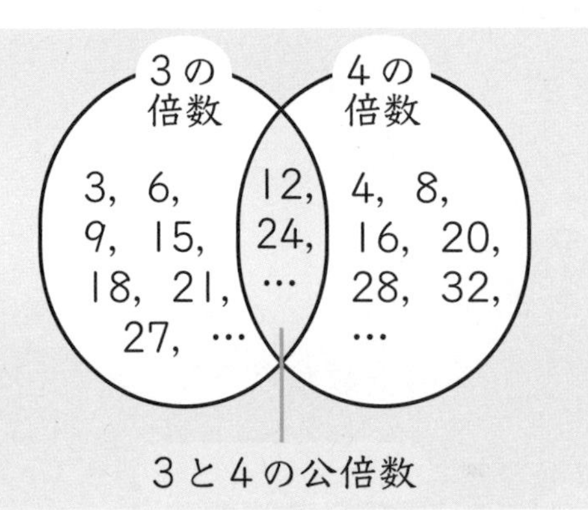


えん筆とキャップの数が等しくなるときの数は，3の倍数であり，4の倍数でもあるから，3と4の公倍数だ。

7 3と4の最小公倍数はいくつですか。

8 7の倍数を7でわったときのあまりはいくつですか。

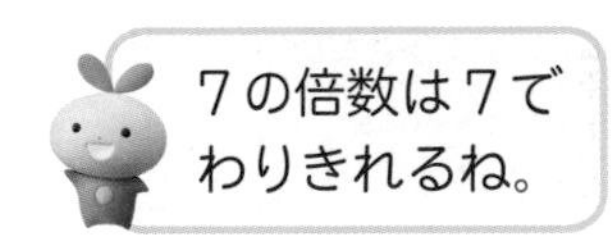


1 下の数直線で，2，3，4の倍数を○で囲（かこ）みましょう。
また，1から20までの整数のうち，2と3の公倍数を見つけましょう。

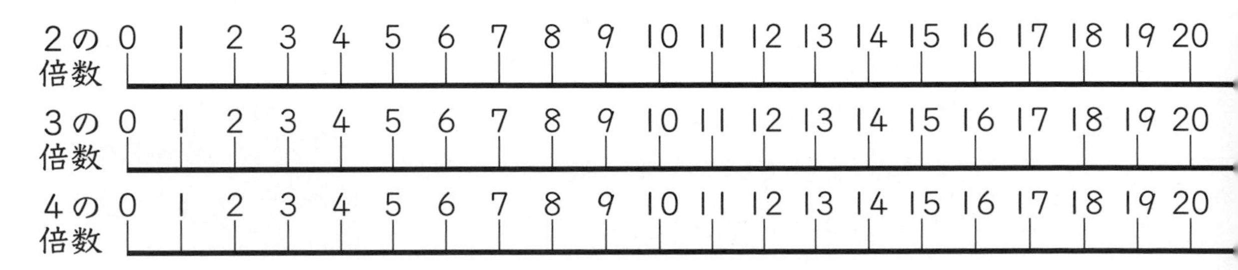


みさき　数直線を使わないで，公倍数を見つける方法はないのかな。

## 2　4と6の公倍数を，小さいほうから5つ求めましょう。

数直線を使わないで，公倍数を見つける方法を考えよう。

| | | | | | | | |
|---|---|---|---|---|---|---|---|
| 4の倍数 | 4, | 8, | (12), | 16, | 20, | (24), | … |
| 6の倍数 | 6, | (12), | 18, | (24), | 30, | 36, | … |

| | | | | | | | |
|---|---|---|---|---|---|---|---|
| 4の倍数 | 4, | 8, | 12, | 16, | 20, | 24, | … |
| 6の倍数かどうか | × | × | ○ | × | × | ○ | … |

| | | | | | | | |
|---|---|---|---|---|---|---|---|
| 6の倍数 | 6, | 12, | 18, | 24, | 30, | 36, | … |
| 4の倍数かどうか | × | ○ | × | ○ | × | ○ | … |

はるとさんは，まず4の倍数を調べているね。あみさんはどうかな。

❶ 4と6の最小公倍数はいくつですか。

❷ 4と6の最小公倍数と公倍数を比べて，気づいたことをいいましょう。

公倍数は，最小公倍数12の…。

**まとめ**

4と6の公倍数を求めるには，4と6の最小公倍数12の倍数を求めればよい。

❷で気づいたことを使えばいいね。

**2**　(　)の中の数の公倍数を，小さいほうから3つ求めましょう。

① (6，9)　② (5，10)　③ (3，7)　④ (8，12)

ほじゅうのもんだい →137ページヒ

**3**　高さが5cmの箱と，高さが7cmの箱をそれぞれ積み上げていきます。最初に高さが等しくなるのは，何cmのときですか。

ほじゅうのもんだい →138ページフ

こうた　3つの数の公倍数も求められるかな。

## 3　2と3と4の公倍数を，小さいほうから3つ求めましょう。

3つの数の公倍数の見つけ方を考えよう。

❶ 2，3，4の倍数を○で囲み(かこ)ましょう。

2の倍数　0　1　2　3　4　5　6　7　8　9　10　11　12　13　14　15　16

3の倍数　0　1　2　3　4　5　6　7　8　9　10　11　12　13　14　15　16

4の倍数　0　1　2　3　4　5　6　7　8　9　10　11　12　13　14　15　16

❷ 右の2と3と4の公倍数の求め方を説明しましょう。

| 4の倍数 | 4, | 8, | 12, | 16, | 20, | 24,… |
|---|---|---|---|---|---|---|
| 3の倍数かどうか | × | × | ○ | × | × | ○ |
| 2の倍数かどうか | ○ | ○ | ○ | ○ | ○ | ○ |

❸ 2と3と4の最小公倍数はいくつですか。

❹ 2と3と4の公倍数を，小さいほうから5つ書きましょう。

3つの数の公倍数も，**2つの数の公倍数の求め方と同じように考えれば**求めることができるね。

**4**　(　)の中の数の公倍数を，小さいほうから3つ求めましょう。

①　(2，3，5)　　②　(2，7，8)　　③　(3，10，15)

**5**　駅前から右のように㋐，㋑，㋒のバスが出ています。

午前9時10分に，㋐，㋑，㋒のバスが同時に発車しました。

㋐，㋑，㋒のバスが次に同時に発車するのは，何時何分ですか。

| | | |
|---|---|---|
| ㋐ | 病院行き | 5分おきに発車 |
| ㋑ | 市役所行き | 12分おきに発車 |
| ㋒ | 動物園行き | 18分おきに発車 |

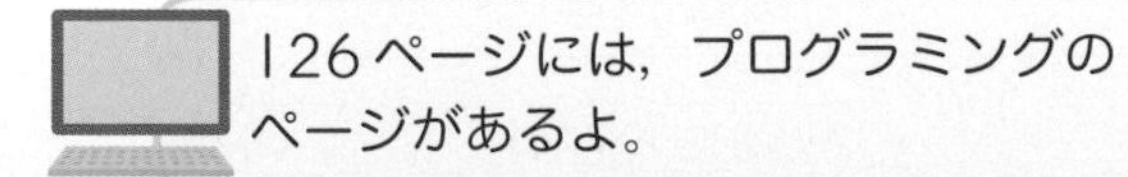

同じように考えれば，4つの数の公倍数も求められそうだね。

## 3 約数と公約数

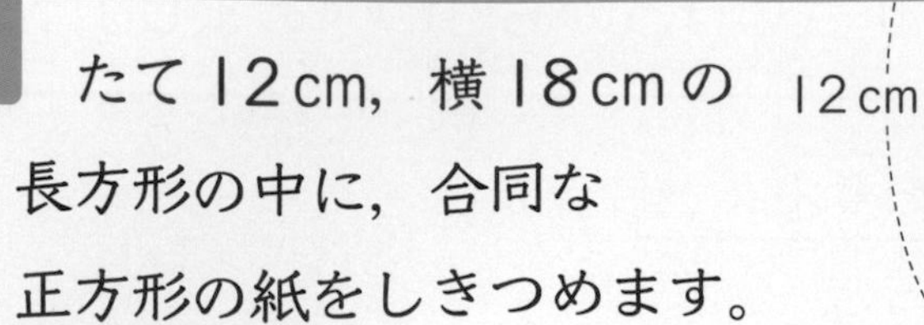

**1** たて12cm，横18cmの長方形の中に，合同な正方形の紙をしきつめます。

すきまなくしきつめられるのは，正方形の1辺の長さが何cmのときですか。

18cm
12cm

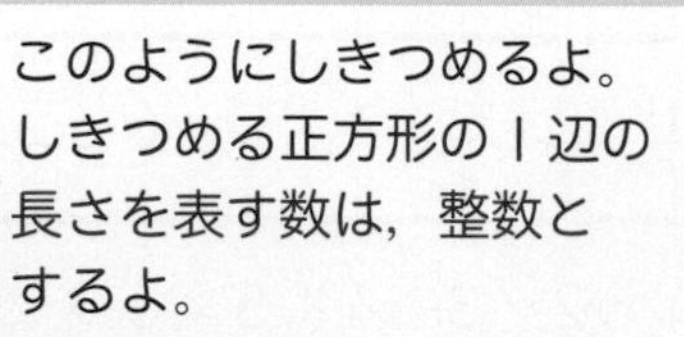


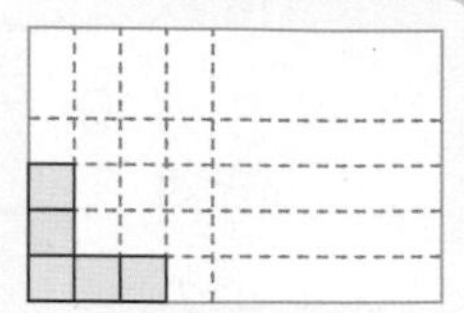

① たてにすきまなくしきつめられるのは，正方形の1辺の長さが何cmのときですか。

また，そのときの正方形の紙の数は何まいですか。

| 1辺の長さ(cm) | 1 | 2 | 3 | 4 | 5 | 6 | 7 | 8 | 9 | 10 | 11 | 12 |
|---|---|---|---|---|---|---|---|---|---|---|---|---|
| すきまなし…○<br>すきまあり…× | ○ | | | | × | | | | | | | |
| まい数　(まい) | 12 | | | | — | | | | | | | |

—：すきまができるので求めない。

② たてにすきまなくしきつめられるときの，正方形の1辺の長さを表す数は，どんな数といえますか。

12は，1，2，3，4，6，12でわりきれます。
この1，2，3，4，6，12を，12の**約数**（やくすう）といいます。

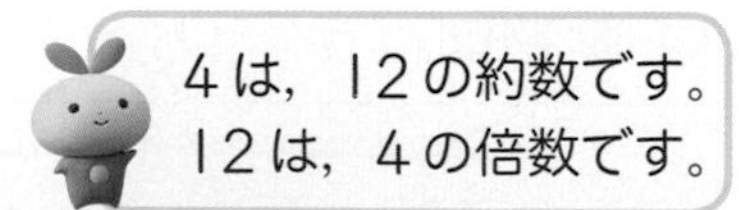


12 —約数→ 4
12 ←倍数— 4

③ 12の約数には，どんな関係がありますか。

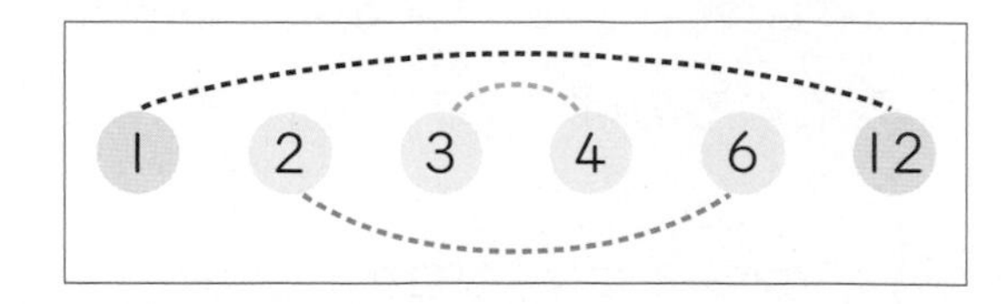

4 横にすきまなくしきつめられるのは，正方形の１辺の長さを表す数がどんな数のときですか。

5 12の約数，18の約数を○で囲(かこ)みましょう。

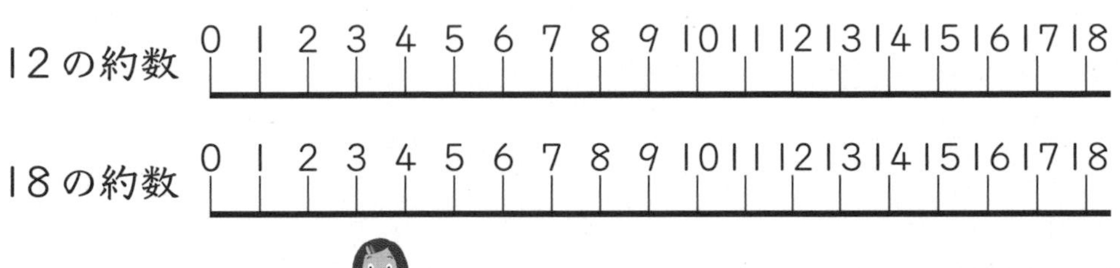


あみ　数直線を見ると，12の約数と18の約数に共通な数がある…。

すきまなくしきつめられる正方形の１辺の長さを表す数は，どんな数といえるか考えよう。

12の約数であり，18の…。　こうた

１，２，３，６のように，12と18の共通な約数を，12と18の**公約数**(こうやくすう)といいます。

また，公約数のうちで，いちばん大きい数を，**最大公約数**(さいだいこうやくすう)といいます。

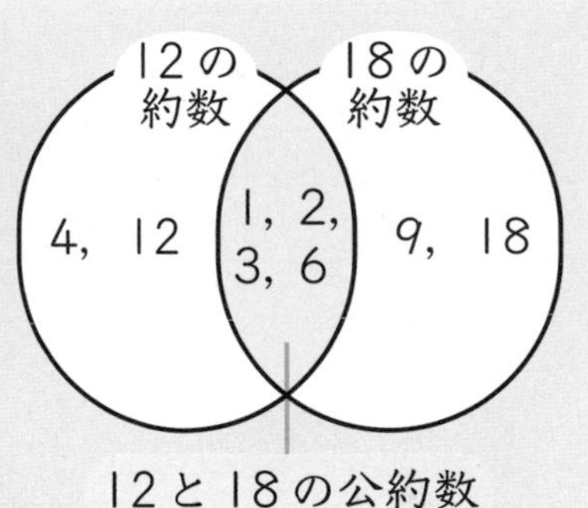


すきまなくしきつめられる正方形の１辺の長さを表す数は，**12の約数であり，18の約数でもある**から，12と18の公約数だね。　みさき

6 12と18の最大公約数はいくつですか。

1 ６と９の公約数を，全部書きましょう。

2 右の計算で商が整数で，わりきれるのは，□に入る整数がどんな整数のときですか。

40÷□

りく　数直線を使わないで，公約数を見つける方法はないのかな。

## 2 24と36の公約数を全部求めましょう。

数直線を使わないで，公約数を見つける方法を考えよう。

しほ

| | | | | | | | | | |
|---|---|---|---|---|---|---|---|---|---|
| 24の約数 | ①, | ②, | ③, | ④, | ⑥, | 8, | ⑫, | 24 | |
| 36の約数 | ①, | ②, | ③, | ④, | ⑥, | 9, | ⑫, | 18, | 36 |

はると

| | | | | | | | | |
|---|---|---|---|---|---|---|---|---|
| 24の約数 | 1, | 2, | 3, | 4, | 6, | 8, | 12, | 24 |
| 36の約数かどうか | ○ | ○ | ○ | ○ | ○ | × | ○ | × |

1 24と36の最大公約数はいくつですか。

2 24と36の最大公約数と公約数を比べて，気づいたことをいいましょう。

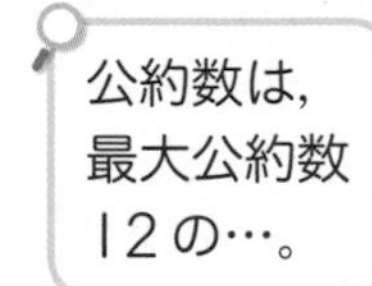

あみ

24と36の公約数を求めるには，24と36の最大公約数12の約数を求めればよい。

2で気づいたことを使えばいいね。

3 (　)の中の数の公約数を，全部求めましょう。
また，最大公約数を求めましょう。

① (12，20)　② (28，42)　③ (18，36)

4 6と9と12の最大公約数はいくつですか。

まず，いちばん小さい6の約数を求めて…。

りく

5 (　)の中の数の最大公約数を求めましょう。

① (8，16，20)　② (15，18，30)　③ (12，36，60)

ほじゅうのもんだい
→138ページ マ

みさき　同じように考えれば，3つの数の公約数も求められたね。

学習のしあげ－偶数と奇数，倍数と約数

# いかしてみよう

東海道新幹線のざ席は，右の写真のように，通路の両側に２人がけの列と３人がけの列がならんでいます。

なぜ，このようなざ席になっているのでしょうか。

①　13人で新幹線に乗ります。

どのようにすわれば，だれのとなりの席も空かないようにすわることができますか。

右の図に，どのようにすわるかを●をかいて表しましょう。

通路

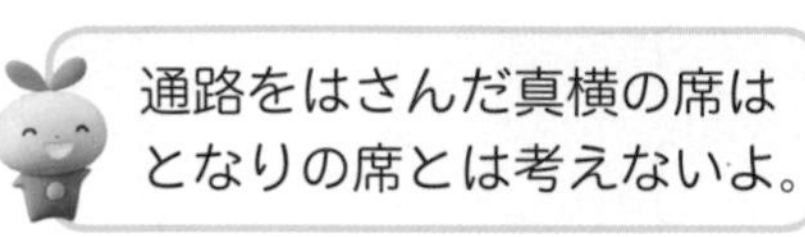


②　あきらさんは，13人が右のようにすわることを考えました。

あきらさんの考えを，式に表しましょう。

13＝2×□＋3×□

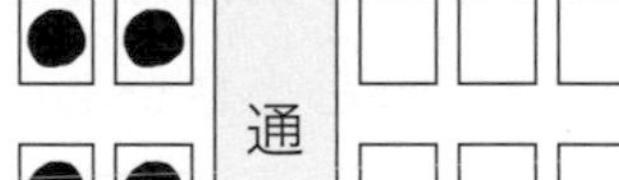

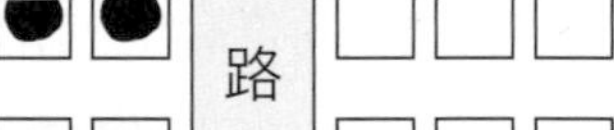

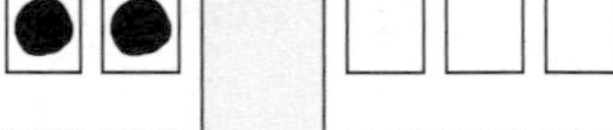


③　①で自分が考えたすわり方を，②と同じように式に表しましょう。

13＝2×□＋3×□

（2の倍数）（3の倍数）

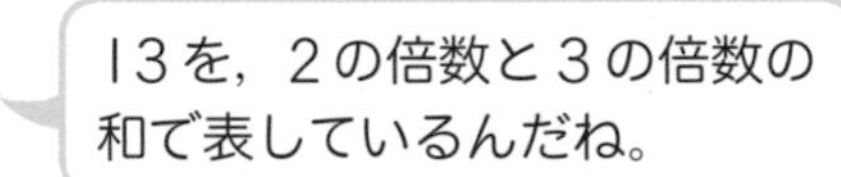


④　2人以上25人以下の人数のうち，どのようにすわってもだれかのとなりの席が空いてしまうような人数はありますか。

式を使って考えましょう。

2の倍数か3の倍数，または2の倍数と3の倍数の和になっていない数はあるかな。

# たしかめよう

**1** 次の問題に答えましょう。

① 14は，偶数(ぐうすう)ですか，奇数(きすう)ですか。

② 4の倍数と10の倍数を，それぞれ小さいほうから3つ求めましょう。

③ 4と10の公倍数を，小さいほうから3つ求めましょう。

◀偶数，奇数，倍数についてわかるかな？
①　97ページ 1
②100ページ 1
③102ページ 2

**2** 1，2，3の数字を1回ずつ使ってできる3けたの整数のうちで，いちばん大きい偶数はいくつですか。

◀偶数の特ちょうがわかるかな？
99ページ 2

**3** たて6cm，横8cmの長方形の紙を，同じ向きにすきまなくしきつめて正方形を作ります。

できる正方形のうち，いちばん小さいものの1辺の長さは何cmですか。また，そのとき長方形の紙は何まいしきつめられていますか。

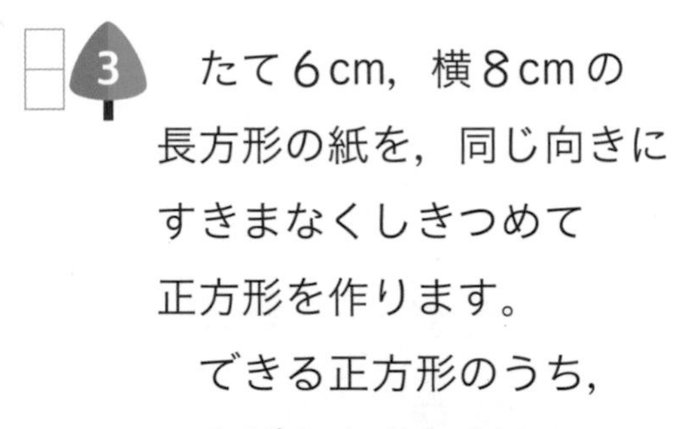


◀公倍数を使って問題が解(と)けるかな？
102ページ 2

**4** ① 32の約数と48の約数を，それぞれ全部求めましょう。

② 32と48の公約数を全部求めましょう。

◀約数についてわかるかな？
①104ページ 1
②106ページ 2

**5** 1辺の長さが1cmの正方形の紙が，12まいあります。この紙をあまりなくしきつめて，長方形を作ります。

たてと横の長さは，それぞれ何cmになりますか。

◀約数を使って問題が解けるかな？
104ページ 1

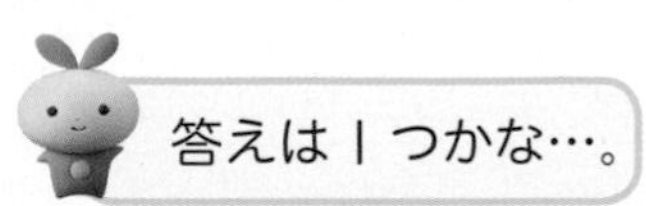

# つないでいこう算数の目 ～大切な見方・考え方

## かけ算やわり算をもとにして，整数の性質を考える

① 右の計算で商が整数で，
わりきれるのは，□に入る整数が
どんな整数のときですか。

36÷□

② 60は，偶数(ぐうすう)です。
下の□にあてはまる数を考え，2人の考えを使って
理由を説明しましょう。

60は，□でわりきれます。
だから，60は偶数です。

60＝□×30
2×整数の式に表せるから，
60は偶数です。

③ 87は偶数ですか，奇数ですか。
②の2人の考えを使って，偶数か奇数かを説明しましょう。

87は，□でわると…。

87＝□×43＋…。

「整数の性質を調べよう」の学習をふり返って話し合ってみよう。

整数は，必ず偶数か奇数だから，
整数を偶数と奇数の2つの
なかまに分けられることが
わかったよ。

整数にはいろいろな
性質(せいしつ)があった。ほかに，
どんな性質があるのか
調べてみたいな。

# 分数と小数，整数の関係は？

しほさんとこうたさんは，これまでに学んできた，分数と小数，整数の関係をふり返っています。

| 0 | 0.1 | 0.2 | 0.3 | 0.4 | 0.5 | 0.6 | 0.7 | 0.8 | 0.9 | 1 |
|---|---|---|---|---|---|---|---|---|---|---|
| 0 | $\frac{1}{10}$ | $\frac{2}{10}$ | | | □ | | | | | □ |

小数と分数の関係をふり返ってみると，0.1は$\frac{1}{10}$，0.2は$\frac{2}{10}$，…。

1Lのジュースを2人，4人，5人で等分すると，1人分はそれぞれ…。

分数の表し方 150ページ⑥

| | | | |
|---|---|---|---|
| 分数で考えると | $\frac{1}{2}$L | $\frac{1}{4}$L | $\frac{1}{5}$L |
| わり算で考えると | 1÷2＝0.5<br>だから0.5L | 1÷4＝0.25<br>だから0.25L | 1÷5＝0.2<br>だから0.2L |

分数でも小数でも表せるね。

## 2人のふり返りを見て，気づいたことを話し合ってみよう。

同じ大きさの数を，小数でも分数でも表せる場合がある。

$\frac{1}{2}$と0.5は等しいから，1÷2＝$\frac{1}{2}$としてもいいのかな。

分数を小数で表したり，小数を分数で表したりできそうだね。

分数と小数，整数の関係

# 9 分数と小数，整数の関係を調べよう

□Lのジュースを３人で等分します。
１人分は何Lですか。

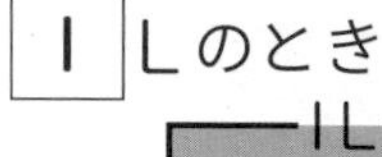

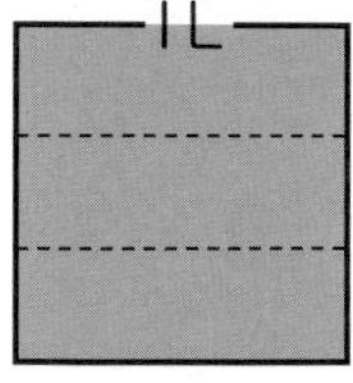


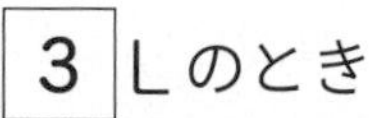

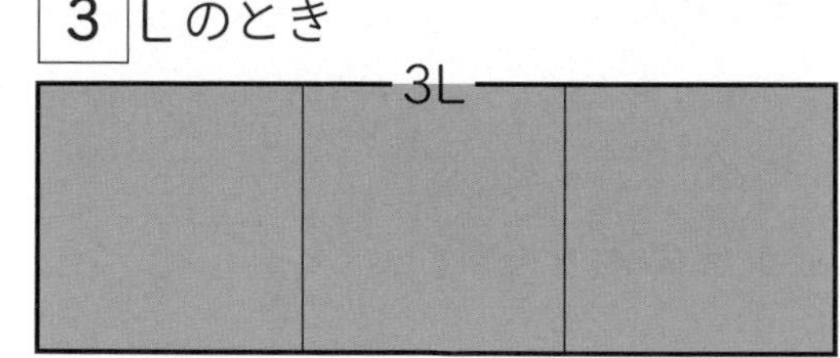


１ Lの３等分だから，
１人分は □ L

３ ÷3＝１ だから，
１人分は □ L

２ Lのときは…。

## 1 わり算と分数

**1** ２Lのジュースを３人で等分すると，１人分は何Lになりますか。

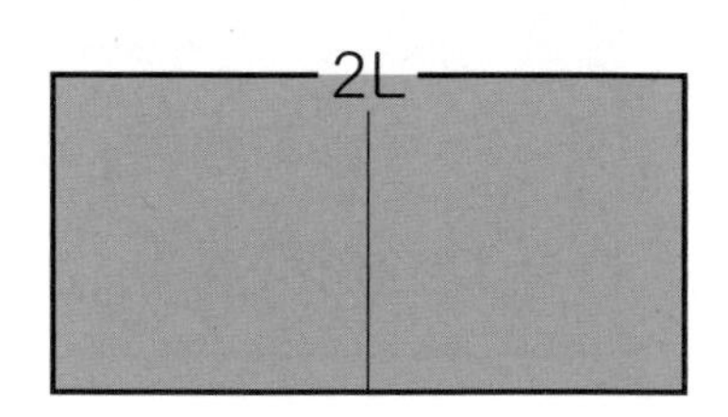


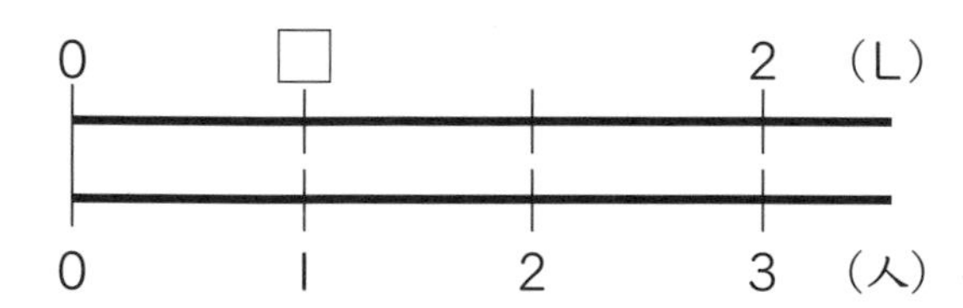

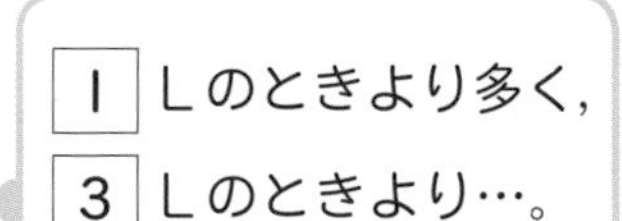

２÷３＝0.666…
わりきれないな。

式

わり算の商の表し方を考えよう。

1 図を見て，2÷3の商を分数で表す方法を考えましょう。

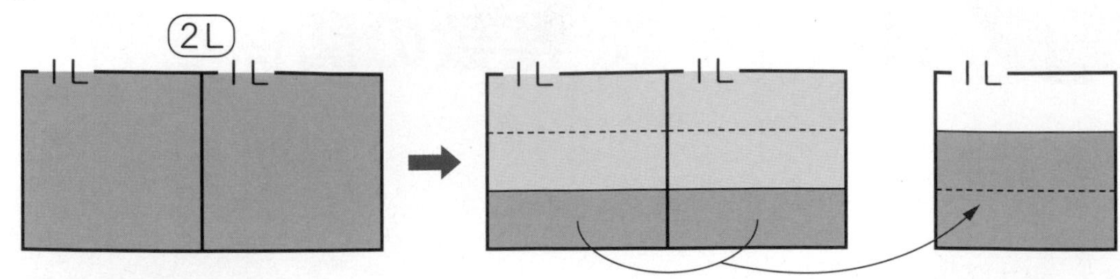


2Lを，□Lずつ2つに分けて考えます。
2Lを3等分した1こ分は，$\frac{1}{3}$Lの□こ分になります。だから，□Lになります。

みさき

$2 \div 3 = \frac{\square}{\square}$(L)

2 4÷3の商を分数で表しましょう。

$4 \div 3 = \frac{\square}{\square}$

4Lを3等分した1こ分は，$\frac{1}{3}$Lの□こ分だから…。

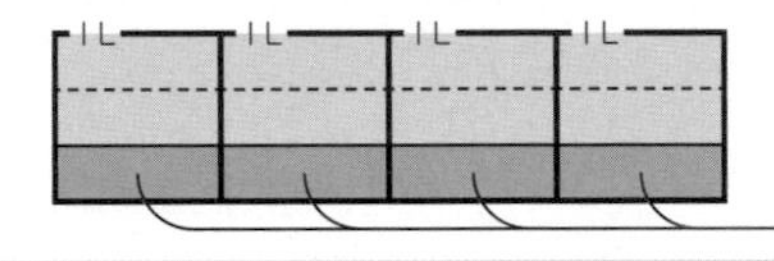
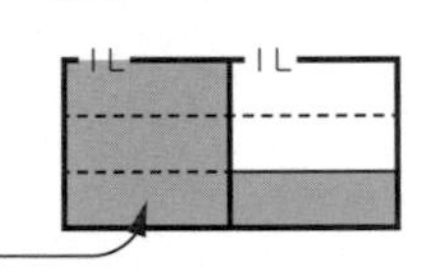

はると

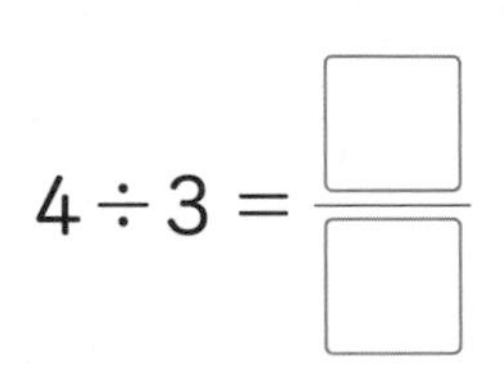

3 1，2の式と答えを見て，気づいたことをいいましょう。

わる数とわられる数が，それぞれ…。

りく

**まとめ**

わり算の商は，分数で表すことができる。
**わる数が分母，わられる数が分子になる。**

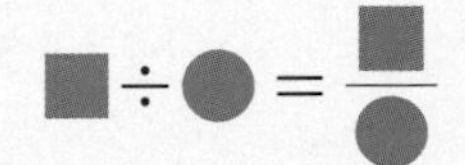

分数を使うと，わりきれないわり算の商も表せるね。

4 1÷3の商を分数で表しましょう。

$\frac{2}{3}$は，次の㋐，㋑のように考えることができます。

㋐ $\frac{2}{3}$は，$\frac{1}{3}$の2こ分　㋑ $\frac{2}{3}$は，2÷3の商

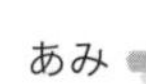
こうた
分数で，わり算の商も表せるんだね。

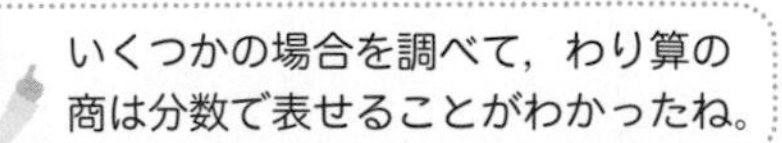
あみ
いくつかの場合を調べて，わり算の商は分数で表せることがわかったね。

**1** $5 \div 4$，$4 \div 5$ のそれぞれの商を，分数で表しましょう。

**2** わり算の商を分数で表しましょう。

① $6 \div 7$　② $5 \div 12$　③ $11 \div 17$　④ $9 \div 2$

**3** □にあてはまる数を書きましょう。

① $\frac{5}{9} = 5 \div \square$　② $\frac{1}{4} = \square \div 4$

③ $\frac{7}{2} = \square \div 2$　④ $\frac{2}{5} = 2 \div \square$

⑤ $\frac{13}{6} = \square \div 6$　⑥ $\frac{8}{19} = \square \div 19$

**4** しほさんは，下の問題を見て，次のように答えました。

2mのテープを3等分しました。1こ分の長さは，何mですか。

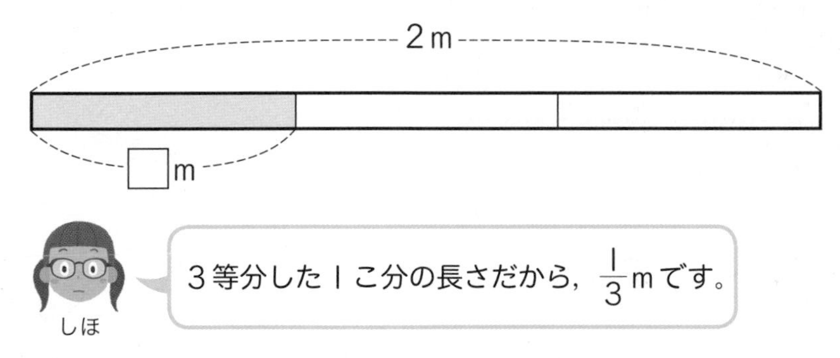


しほ：3等分した1こ分の長さだから，$\frac{1}{3}$mです。

しほさんの考えは正しいですか，正しくないですか。
その理由を，図や式を使って説明しましょう。

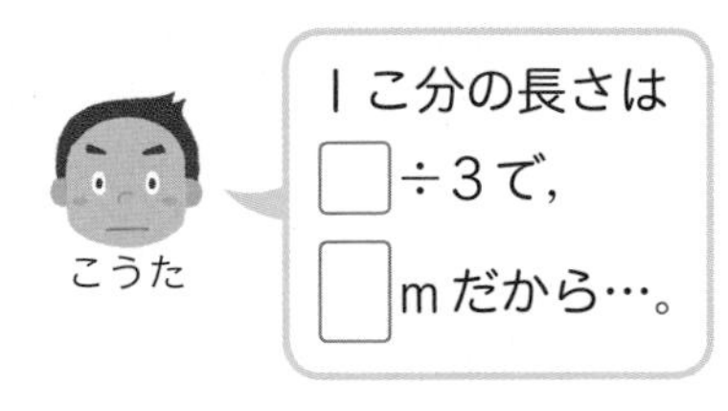


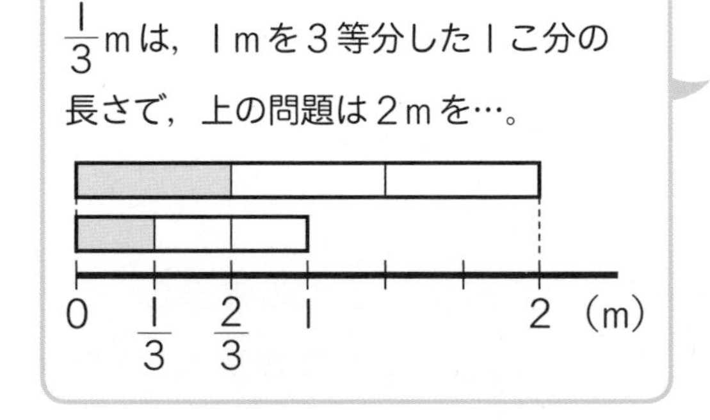

りく：整数を整数でわるどんなわり算も，商を分数で表すことができるようになったね。

## 分数の倍

**2** 右の表のような長さのリボンがあります。

赤のリボンの長さをもとにすると，白のリボンの長さは何倍ですか。

リボンの長さ

| | 長さ(m) |
|---|---|
| 赤 | 5 |
| 白 | 4 |
| 青 | 3 |

何倍かを小数では表せるけど，分数でも表せるのかな。

倍 151ページ⑩

分数を使った倍の表し方を考えよう。

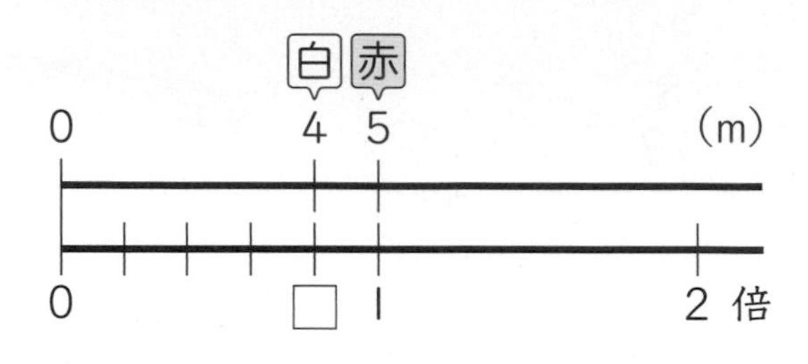


$4 \div 5 = \square$ (倍)

小数で表すと0.8倍だね。

**1** 青のリボンをもとにすると，白のリボンの長さは何倍ですか。

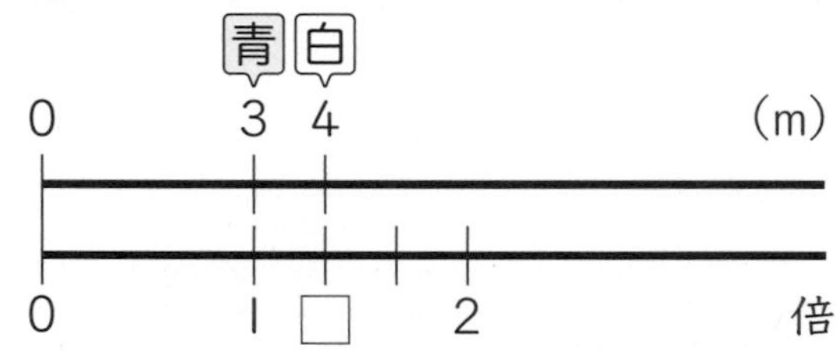


$4 \div 3 = \square$ (倍)

何倍かを表すときにも，$\frac{4}{5}$倍や$\frac{4}{3}$倍のように，分数を使うことがあります。

$\frac{4}{5}$倍は，5mを1とみたとき，4mが$\frac{4}{5}$にあたることを表しています。

**整数や小数の倍と同じように**，分数でも倍を表せるね。

**5** 右の親犬の体重は，子犬の体重の何倍ですか。また，子犬の体重は，親犬の体重の何倍ですか。

整数の倍，小数の倍，分数の倍と広がったね。

## 2 分数と小数，整数の関係

3 m のテープを 5 等分した 1 こ分の長さを考えています。

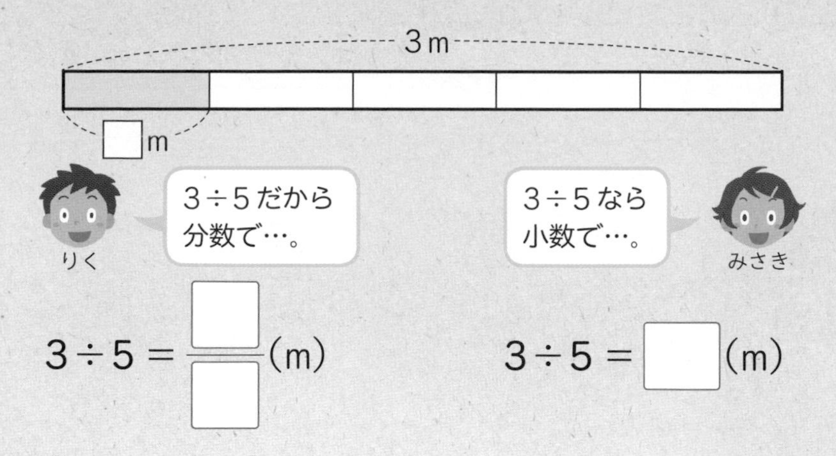


$3 \div 5 = \dfrac{\square}{\square}$ (m)　　$3 \div 5 = \square$ (m)

分数で表しても，小数で表しても，大きさは等しいはずだね。

数直線を使って確(たし)かめてみよう。

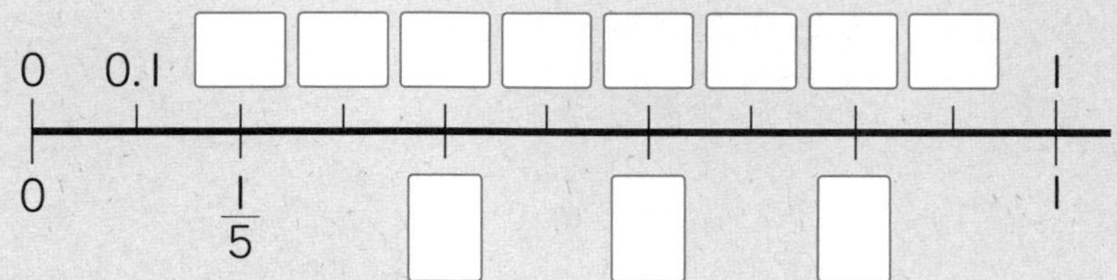

分数を小数で表したり，小数を分数で表したりできそうだな。

### 1

$\dfrac{3}{4}$，$\dfrac{2}{9}$ を，それぞれ小数で表しましょう。

分数を，小数で表す方法を考えよう。

$\dfrac{3}{5} = 3 \div 5$ で，$3 \div 5 = 0.6$ と同じように…。（しほ）

$\dfrac{3}{4} = \square \div \square$

$= \square$

$\dfrac{2}{9} = \square \div \square$

$= 0.222\cdots$

**まとめ**

分数を小数で表すには，分子を分母でわる。

分数は，わり算の商と考えればいいね。

**1** $2\frac{3}{4}$ を小数で表す方法を考えましょう。

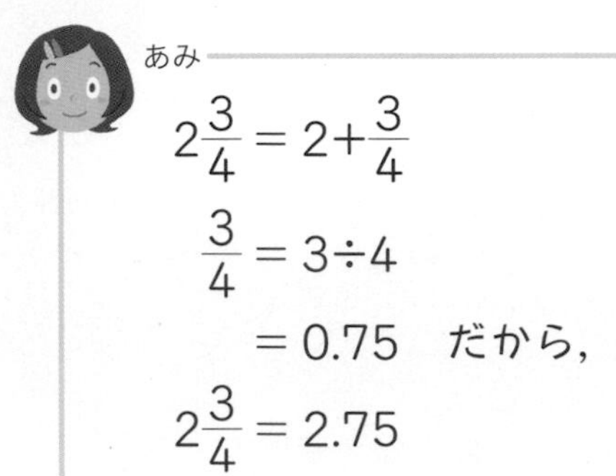

**1** $\frac{4}{5}$ と 0.7 は，どちらが大きいですか。
□にあてはまる不等号を書きましょう。

$\frac{4}{5}$ □ 0.7

不等号
150ページ⑤

**2** 次の①～⑥の分数を，小数や整数で表しましょう。

① $\frac{1}{4}$　② $\frac{12}{5}$　③ $\frac{18}{6}$　④ $\frac{56}{8}$　⑤ $3\frac{2}{5}$　⑥ $1\frac{1}{8}$

ほじゅうのもんだい
→139ページ ム

逆(ぎゃく)に，小数を分数で表せるのかな。

## $\frac{1}{7}$ を小数で表してみたら…

$\frac{1}{7}$ を小数で表そうとして，
1÷7のわり算をしました。

この計算を続けていくと，
商は，どんな数字が
くり返されますか。

```
     0.14285714
7)1.0
    7
    30
    28
     20
     14
      60
      56
       40
       35
        50
        49
         10
          7
          30
          28
```

## 2 0.3, 0.29, 1.57, 4, 12を，それぞれ分数で表しましょう。

小数や整数を，分数で表す方法を考えよう。

**1** 0.3，0.29，1.57を，それぞれ分数で表しましょう。

0.3は，0.1が3こ分だったね。

0.29は，0.01が…。

$0.1 = \frac{1}{\square}$ だから，　$0.01 = \frac{1}{\square}$ だから，　$0.01 = \frac{1}{\square}$ だから，

$0.3 = \frac{3}{\square}$　　$0.29 = \frac{29}{\square}$　　$1.57 = \frac{157}{\square}$

**まとめ**

小数は，10，100などを分母とする分数で表すことができる。

$\frac{1}{10}$，$\frac{1}{100}$ の何こ分かを考えればいいね。

**2** 4，12を，それぞれ分数で表しましょう。

$4 = 4 \div 1$　　　$12 = 12 \div 1$

$= \frac{\square}{\square}$　　　$= \frac{\square}{\square}$

**まとめ**

整数は，1などを分母とする分数で表すことができる。

**3** 次の①～⑥の小数や整数を，分数で表しましょう。

① 0.2　② 0.49　③ 3　④ 3.14　⑤ 5　⑥ 7.06

ほじゅうのもんだい
→139ページ メ

しほ　いろいろな小数や整数が，どれも分数で表せたね。

# たしかめよう

1 □にあてはまる数を書きましょう。

① $\frac{5}{6}=\square\div 6$　② $\frac{9}{4}=9\div\square$

③ $7\div 5=\frac{\square}{\square}$　④ $11\div 14=\frac{\square}{\square}$

◀わり算と分数の関係がわかるかな？

111ページ 1

2 分数で答えましょう。

① 20mは，15mの何倍ですか。

② 9kgは，20kgの何倍ですか。

③ 3cmを1とみると，2cmはいくつにあたりますか。

④ 2cmを1とみると，3cmはいくつにあたりますか。

◀分数の倍の意味がわかるかな？

114ページ 2

3 次の①～⑥の分数を，小数や整数で表しましょう。

① $\frac{3}{8}$　② $\frac{16}{5}$　③ $\frac{7}{4}$

④ $\frac{5}{2}$　⑤ $\frac{8}{2}$　⑥ $\frac{21}{7}$

◀分数を，小数や整数で表す方法がわかるかな？

115ページ 1

4 次の①～⑥の小数や整数を，分数で表しましょう。

① 0.5　② 0.03　③ 1.6

④ 0.78　⑤ 7　⑥ 4.08

◀小数や整数を，分数で表す方法がわかるかな？

117ページ 2

# つないでいこう 算数の目 ～大切な見方・考え方

## 分数の表し方に注目し，分数の意味をまとめる

$\frac{3}{4}$ を例にして，分数の意味をふり返りましょう。

みさき

ある大きさを，何等分かしたものの何こ分の大きさを表します。

色をぬった部分の長さは，㋐の長さの $\frac{1}{4}$ の３こ分だから，㋐の長さの $\frac{\square}{\square}$ です。

㋐

はると

長さなどの量を表します。

１ｍの $\frac{3}{4}$ の長さは，$\frac{\square}{\square}$ ｍです。

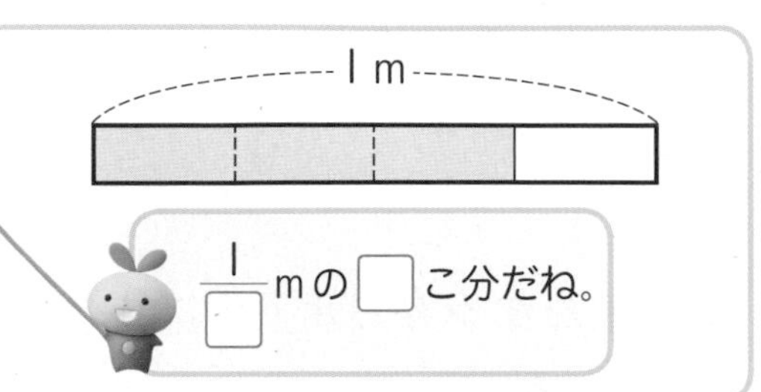

あみ

倍を表します。

青のリボンの長さは，白のリボンの長さの $\frac{\square}{\square}$ 倍です。

白のリボンの長さを１とみたとき，

青のリボンの長さは $\frac{\square}{\square}$ にあたります。

リボンの長さ

| | 長さ（ｍ） |
|---|---|
| 白 | 4 |
| 青 | 3 |

りく

わり算の商を表します。　$3 \div 4 = \frac{\square}{\square}$

「分数と小数，整数の関係を調べよう」の学習をふり返って話し合ってみよう。

しほ

分数をわり算の商と考えることで，同じ数を小数，分数の両方で表せるようになったよ。

こうた

何倍かを表すときに，整数や小数と同じように，分数を使えることがわかった。

→146ページ

# 差や和に注目して

●表を使って考える●

## 1

つよしさんは，去年1200円貯金して，今年の1月からは毎月200円ずつ貯金しています。

まいさんは，去年は貯金がなく，今年の1月から毎月350円ずつ貯金を始めました。

何月になると，2人の貯金の金額が等しくなりますか。

まずは，何か月か先までの2人の貯金の様子を調べてみよう。

あみ

❶ 1月から4月までの，2人の貯金の様子を調べて，気づいたことをいいましょう。

| | 去年 | 1月 | 2月 | 3月 | 4月 |
|---|---|---|---|---|---|
| つよし（円） | 1200 | 1400 | | | |
| まい　（円） | 0 | 350 | | | |

2人の金額が等しくなるまで表をつくればわかるけど…。

こうた

しほ

去年は差が1200円もあるけど，4月には差が□円にちぢまっているよ。

❷ 2人の金額が等しくなるのは何月かを，くふうして求めましょう。

りく

しほさんのように，差に注目すると…。

わかりやすく調べるには，表の増やしたところに何を書いていくといいかな。

| | 去年 | 1月 | 2月 | 3月 | 4月 |
|---|---|---|---|---|---|
| つよし（円） | 1200 | 1400 | | | |
| まい　（円） | 0 | 350 | | | |
| | | | | | |

こうた

| | 去年 | 1月 | 2月 | 3月 | 4月 | | | | □月 |
|---|---|---|---|---|---|---|---|---|---|
| つよし(円) | 1200 | 1400 | 1600 | 1800 | 2000 | | | | ↑ |
| まい　(円) | 0 | 350 | 700 | 1050 | 1400 | | | | |
| 差　(円) | 1200 | 1050 | 900 | 750 | 600 | 450 | 300 | 150 | 0 |

150円ずつちぢまる

差を，1200円から150円ずつ減らしていき，
0円になる月を調べる。

答え □月

しほ

| | 去年 | 1月 | 2月 | 3月 |
|---|---|---|---|---|
| つよし(円) | 1200 | 1400 | 1600 | 1800 |
| まい　(円) | 0 | 350 | 700 | 1050 |
| 差　(円) | 1200 | 1050 | 900 | 750 |

150円ずつちぢまる

最初の差は1200円だから，
1200÷150＝□
1月から貯金(ちょきん)を始めたから…。

答え □月

③ 2人の考えを説明しましょう。

## 2

西側と東側をつなぐ，長さが285mの橋を建設(けんせつ)する工事をしています。西側は，昨日までに30m造(つく)り，今日から毎日6mずつ造ります。東側は，今日から造り始め，毎日9mずつ造ります。

西側と東側がつながるのに，あと何日かかりますか。

| | 昨日まで | 1日(今日) | 2日 | 3日 | 4日 |
|---|---|---|---|---|---|
| 西側(m) | | | | | |
| 東側(m) | | | | | |
| | | | | | |

みさき：その日に造った橋の長さの和に注目してみると…。

算数で
読みとこう

# 日本をおとずれる外国の人たち

日本は，観光大国をめざして，
日本をおとずれる外国人旅行者数の
目標を，2030年に6000万人と
定めています。

## 1

みさきさんたちは，日本をおとずれる外国人の数や，どこから日本をおとずれているかを調べ，下のデータ1，データ2を見つけました。

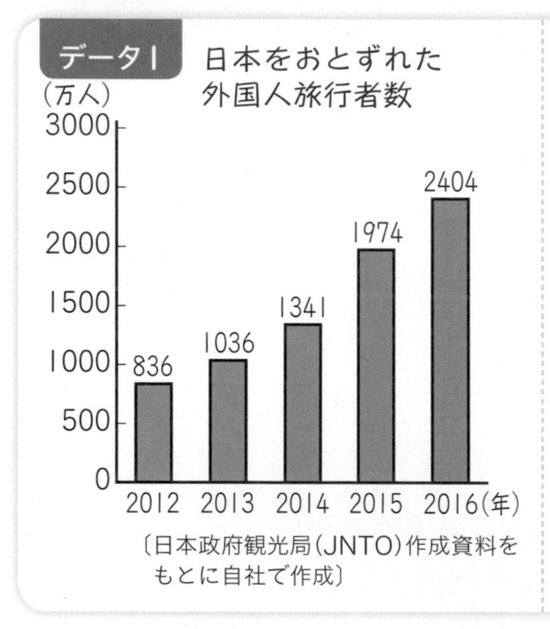


〔日本政府観光局(JNTO)作成資料をもとに自社で作成〕

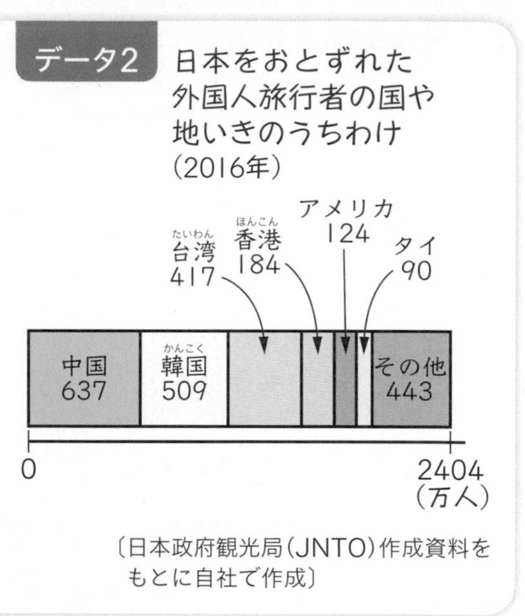


〔日本政府観光局(JNTO)作成資料をもとに自社で作成〕

❶ データ2で，2016年に日本をおとずれた人数が最も多かった中国からの旅行者数は，全体の約何分の一だといえますか。

❷ データ2を見て，2016年に日本をおとずれた外国人旅行者の国や地いきのうちわけについて，気づいたことを話し合いましょう。

日本をおとずれる外国人の多くは…。
アメリカからの旅行者がもっと多いかと思ったけど…。

日本をおとずれる外国人を増やすには，もっといろいろなところから…。

# 2

こうたさんは，外国人旅行者が日本に来てこまったことに関する調査結果を見つけました。

❶ データ３をもとに考えると，外国人旅行者が日本で心地よく過ごすためには，どのようなことが必要になるでしょうか。

　自分の考えを発表し合いましょう。

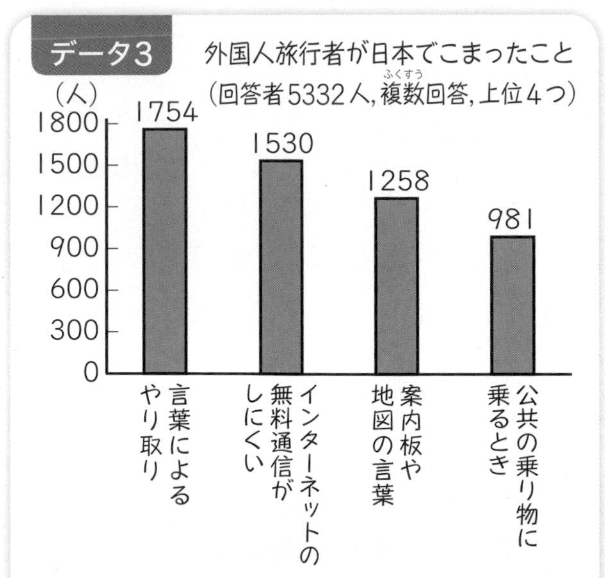

〔「訪日外国人旅行者の国内における受入環境整備に関するアンケート」結果（観光庁，2017年）をもとに自社で作成〕

# 3

しほさんたちは，前のページのデータ１を見て，日本をおとずれる外国人旅行者数について，2030年に目標の6000万人を達成できるかどうかを考えました。

❶ しほさんの考えによると，目標は達成できるでしょうか。

> 2015年から2016年は，約430万人増えている。
> 2016年からも毎年430万人増えると考えると，2030年には…。

しほ

❷ はるとさんの考えによると，目標は達成できるでしょうか。

> 2012年から2016年まで増え続けている。これからも増え続けるとしても，大きく増え続けるとは限らない。
> 2012年から2016年までのうち，１年間で増えたのがいちばん少ないのは2012年から2013年で，約200万人。
> だから，2016年から毎年200万人増えるとすると，2030年には…。

はると

# おぼえているかな？

答え→ 147ページ

**1** 計算をしましょう。わり算は，わりきれるまでしましょう。

① $27\times1.9$　② $0.8\times1.6$　③ $0.7\times0.9$　④ $2.4\times0.5$

⑤ $78.4\div3.5$　⑥ $4.32\div7.2$　⑦ $0.4\div0.5$　⑧ $5.39\div2.2$

**2** 大小2つの箱があります。大きい箱の重さは40kgで，小さい箱の重さの1.6倍です。小さい箱の重さは何kgですか。

**3** （　）の中の数の最小公倍数を求めましょう。

①（6，8）　②（10，15）　③（3，4，9）

**4** （　）の中の数の最大公約数を求めましょう。

①（24，32）　②（27，45）　③（18，42，54）

**5** 次の体積を求めましょう。

① 1辺が9cmの立方体

② たて3.5m，横2.8m，高さ4mの直方体

③

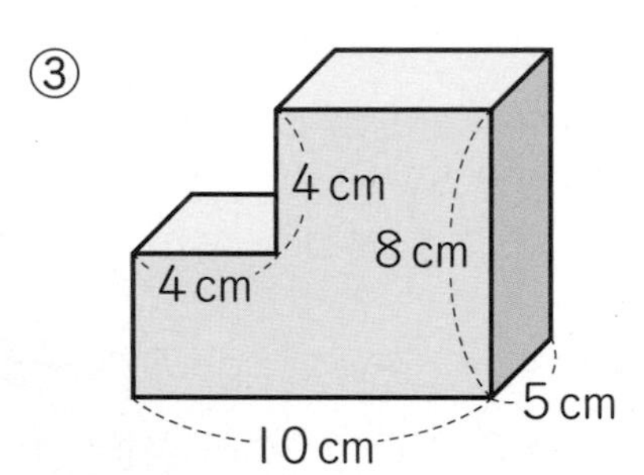

**6** ① $\frac{5}{9}+\frac{7}{9}$　② $2\frac{3}{6}+\frac{2}{6}$　③ $3\frac{2}{4}+\frac{3}{4}$　④ $1\frac{3}{5}+2\frac{1}{5}$

⑤ $\frac{9}{7}-\frac{6}{7}$　⑥ $5\frac{3}{4}-2\frac{1}{4}$　⑦ $2\frac{4}{5}-\frac{3}{5}$　⑧ $3\frac{3}{8}-\frac{5}{8}$

## 24をいろいろな式に表そう

24を，いろいろな式に表します。□，○，△，♡，◇に，2以上の整数を入れよう。同じ形には同じ整数が入ります。

① 24＝□＋□　② 24＝○×△

③ 24＝♡×♡×♡×◇　④ 24＝♡×◇×△

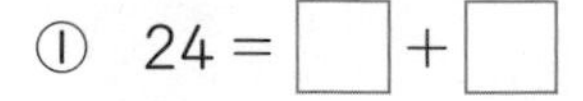

ほかの数も，いろいろな式に表してみよう。

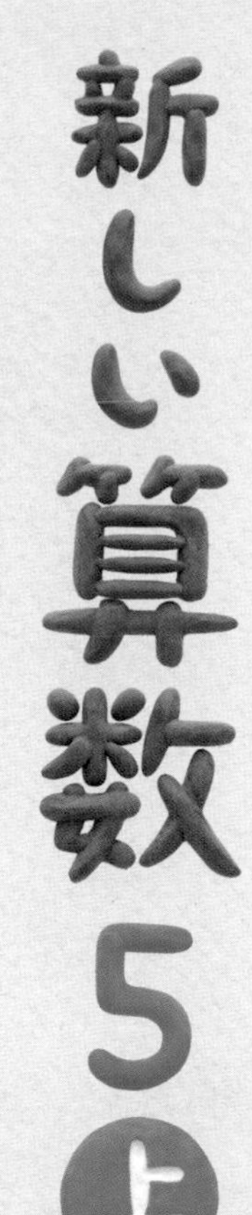


## ほじゅうのもんだい

練習がたりないと思ったときにやってみよう！

## おもしろもんだいにチャレンジ

学習をさらに広げたり深めたりする問題です。じっくり考え，楽しみながらチャレンジしてみよう！

**指導者・保護者のみなさまへ**

「新しい算数 5上 プラス」は，自ら必要に応じて取り組むためのオプション教材です。
すべての児童の学習対象としなくても差し支えありません。

# プログラミングを体験しよう!

## 倍数を求める手順を考えよう

下の(ア)，(イ)，(ウ)のことができる
コンピューターを使って3の倍数を求めるには，
どのような指示をすればよいでしょうか。

(ア) 1から小さい順に整数について調べる。
(イ) ある整数をある整数でわって，整数の商とあまりを求める。
(ウ) 調べた結果によって，整数を書き出す。

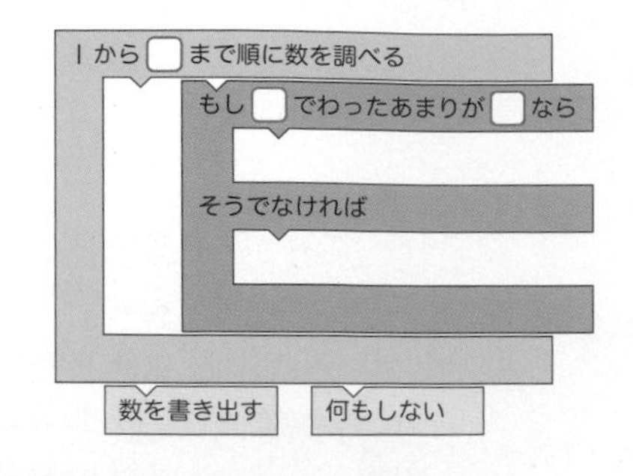

3の倍数を求めるという機能はないね。

コンピューターへの指示をプログラム，プログラムをつくることをプログラミングということがあるよ。

**1** 3の倍数は，3でわったときのあまりに注目すると，どんな数だといえるかな。

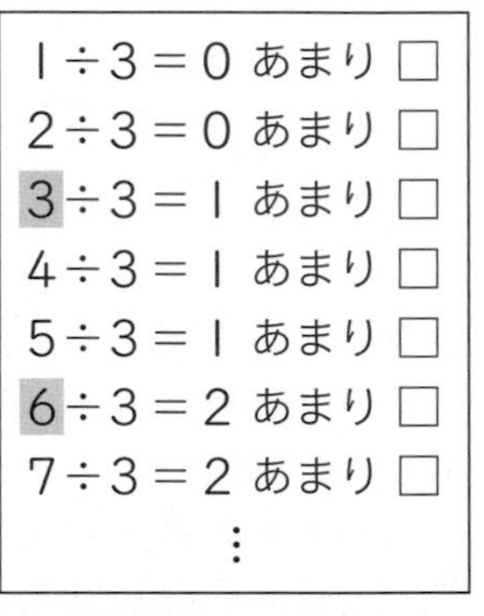


**2** 上のコンピューターになったつもりで，1から10までの整数を順に3でわり，もし「あまりが0」ならその数を書き出し，そうでないなら次の数にうつろう。

1÷3＝0あまり1 → 何もしない
2÷3＝0あまり2 → 何もしない
3÷3＝1あまり0 → 3を書き出す
⋮

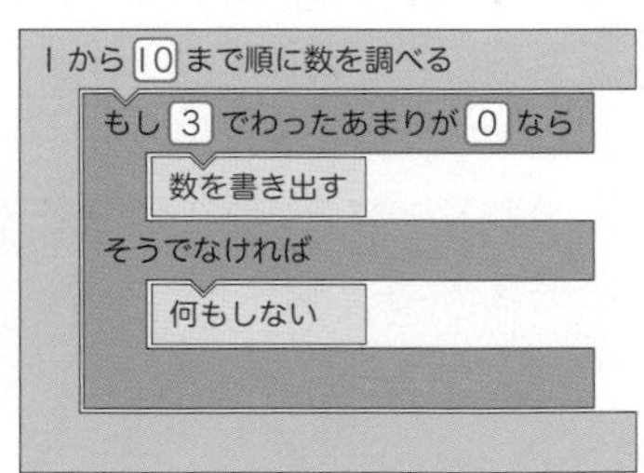


**3** 上のコンピューターを使って，20までの整数のうち，4の倍数を求めるには，どのような指示を出せばいいかな。
「順に調べる」，「もし○○なら□□，そうでなければ△△」というコンピューターの基本的な考え方を使って考えよう。

4の倍数は，4でわったときのあまりに注目すると，どんな数だといえるかな。

・1から□までの数を順に調べる。
⬇
・もし，□でわったあまりが…。そうでなければ…。



〈プログラミングを体験する〉

# かたちであそぼう

## ブロック遊び

右のような６種類のブロックが
あります。
ここでは，下の４種類の
ブロックを使います。

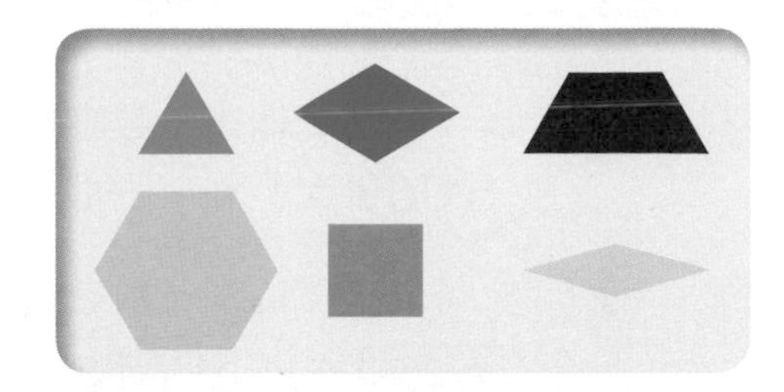

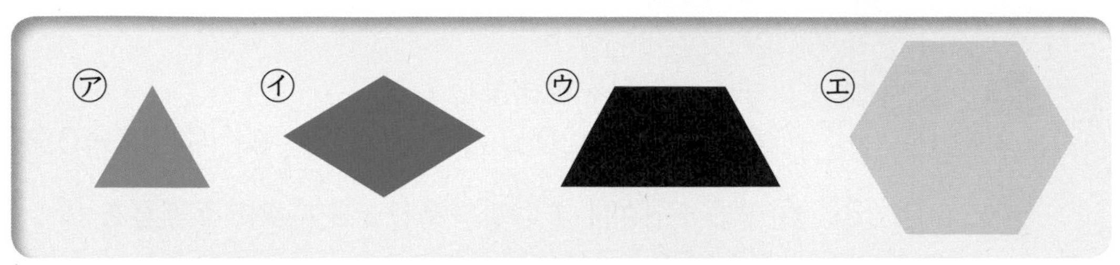


**1**　エのブロックの大きさは，ア，イ，ウそれぞれの
ブロックの何個分の大きさですか。

**2**　右の形を，イのブロックだけで
作ることができますか。また，ウの
ブロックだけではどうですか。

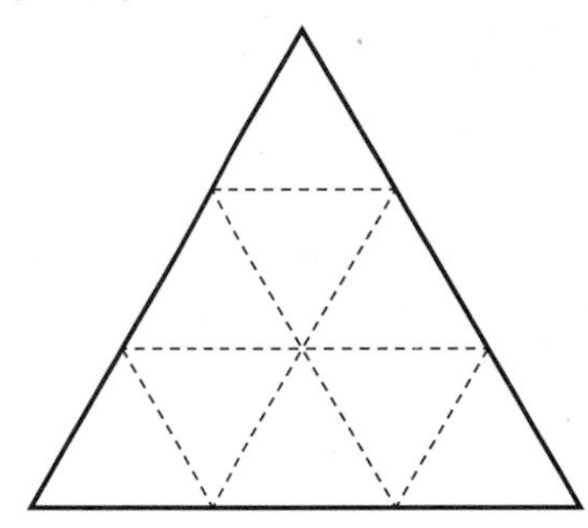

**3**　ア，イ，ウのブロックをいろいろに
組み合わせて，**2** の形を作りましょう。

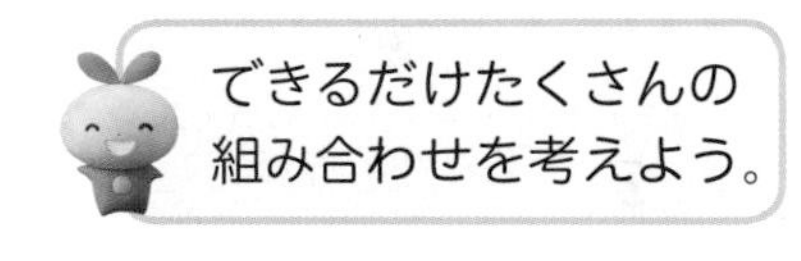


**4**　右の図のような，ウのブロックの
辺の長さを２倍した形を，ウの
ブロックだけを使って作りましょう。

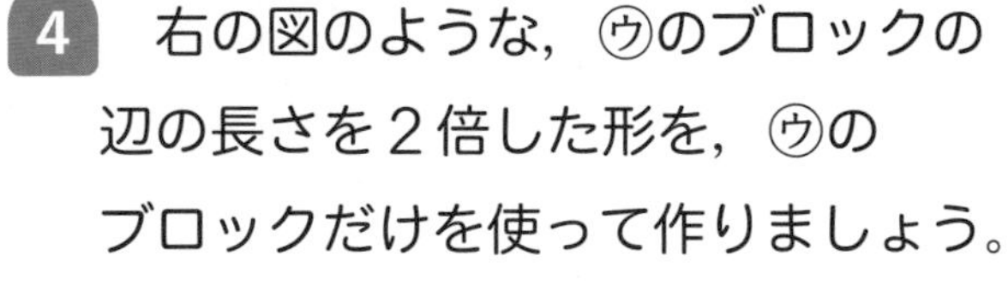
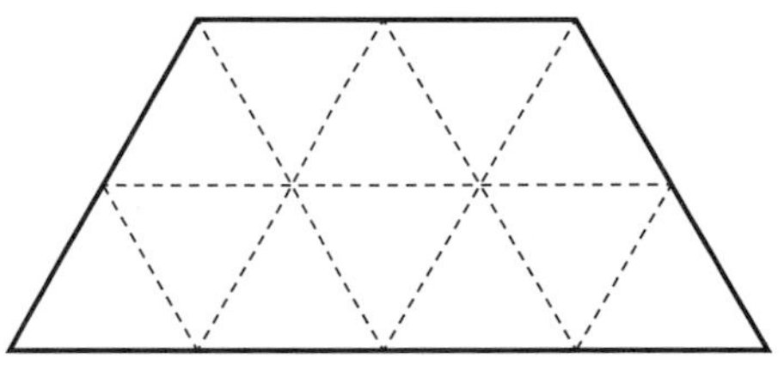
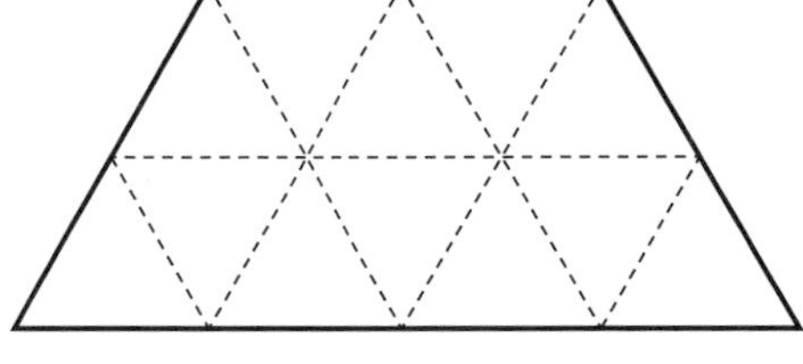
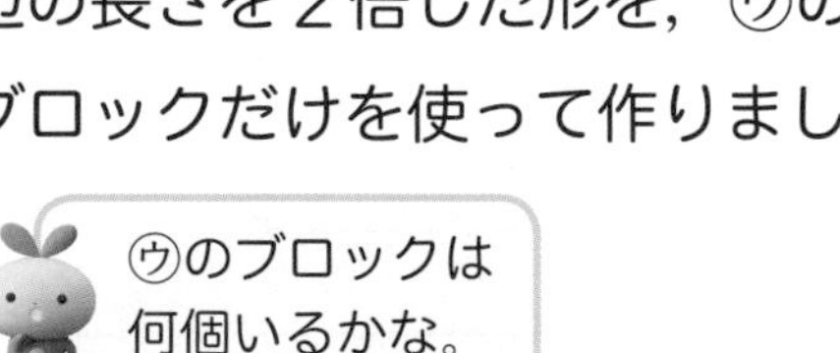

# ほじゅうのもんだい

似(に)ている問題　少しむずかしい問題

## 1 整数と小数のしくみをまとめよう

答え→ 140ページ

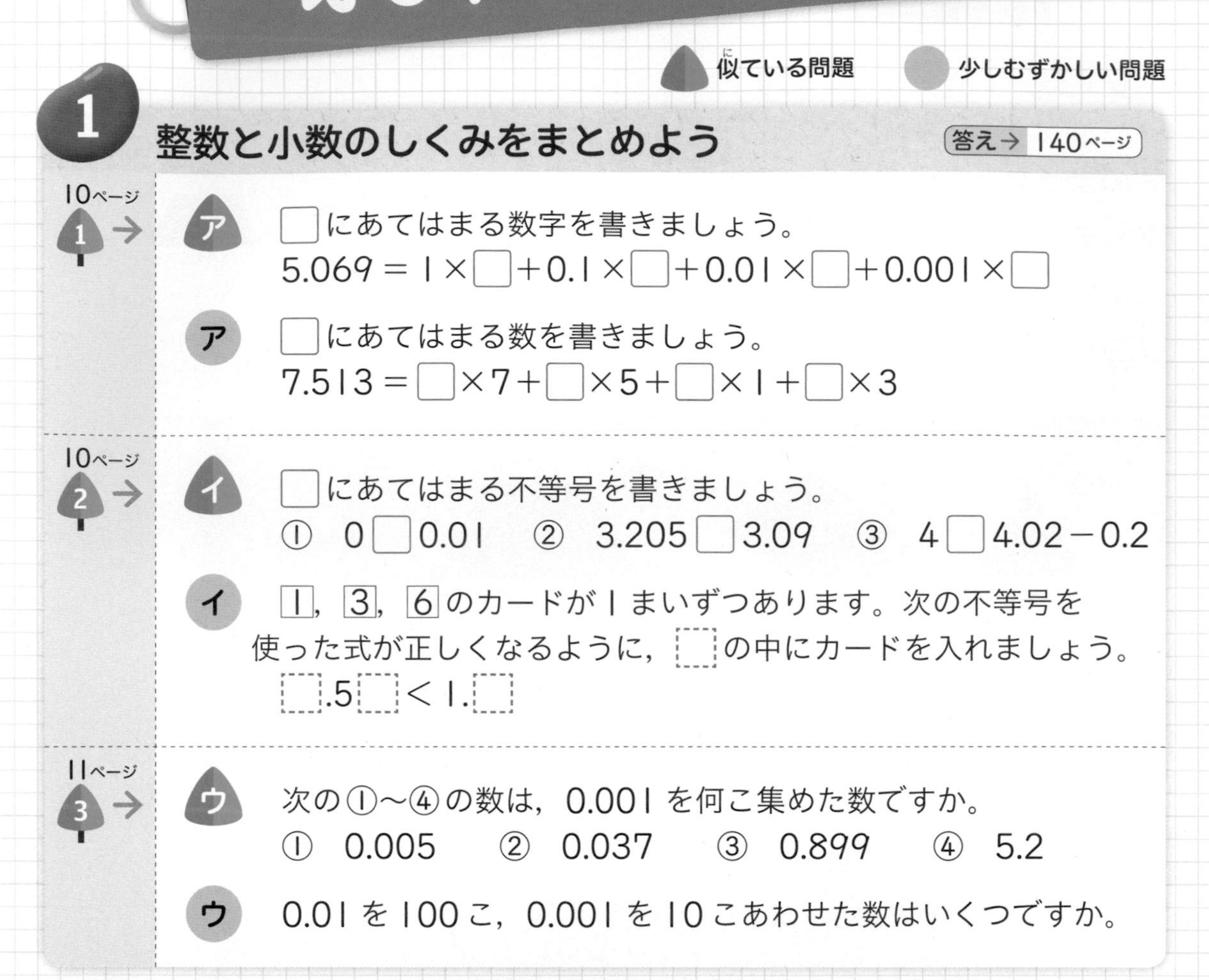

10ページ 1 →

**ア** □にあてはまる数字を書きましょう。

5.069 = 1 ×□＋0.1 ×□＋0.01 ×□＋0.001 ×□

**ア** □にあてはまる数を書きましょう。

7.513 =□× 7＋□× 5＋□× 1＋□× 3

10ページ 2 →

**イ** □にあてはまる不等号を書きましょう。

① 0□0.01　② 3.205□3.09　③ 4□4.02 − 0.2

**イ** 1, 3, 6 のカードが 1 まいずつあります。次の不等号を使った式が正しくなるように，□の中にカードを入れましょう。

□.5□ ＜ 1.□

11ページ 3 →

**ウ** 次の①～④の数は，0.001 を何こ集めた数ですか。

① 0.005　② 0.037　③ 0.899　④ 5.2

**ウ** 0.01 を 100 こ，0.001 を 10 こあわせた数はいくつですか。

## 2 直方体や立方体のかさの表し方を考えよう

答え→ 140ページ

20ページ 3 →

**エ** 下の直方体や立方体の体積は何 $cm^3$ ですか。

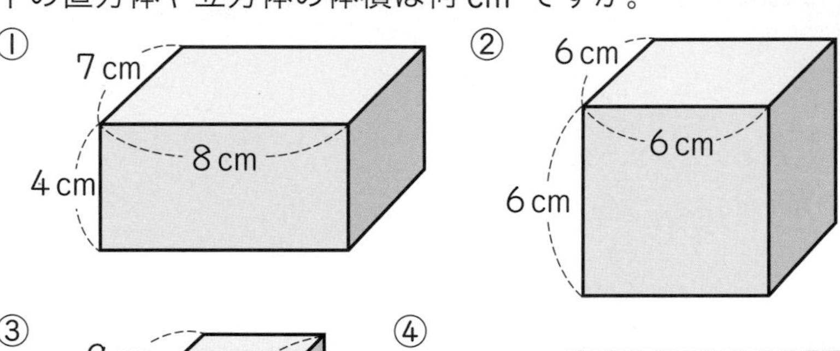


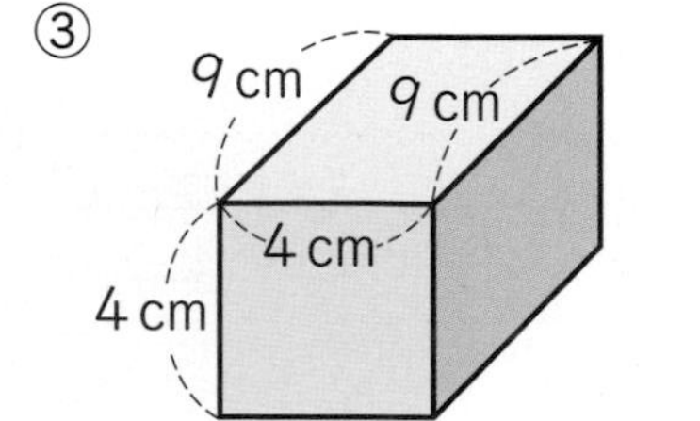


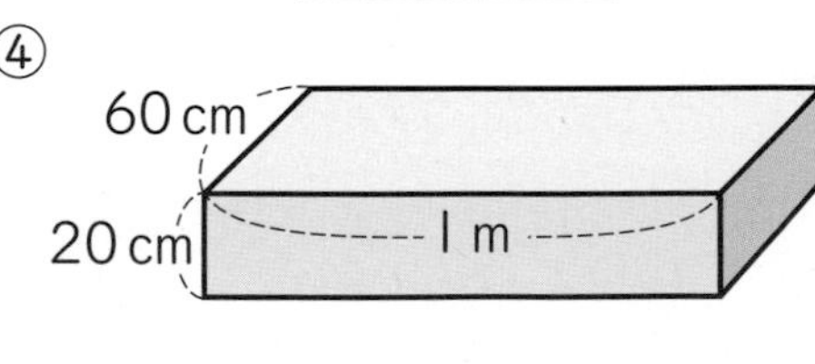

**エ**　体積がわかっている直方体で，□にあてはまる数を求めましょう。

① 体積 72 cm³

② 体積 140 cm³

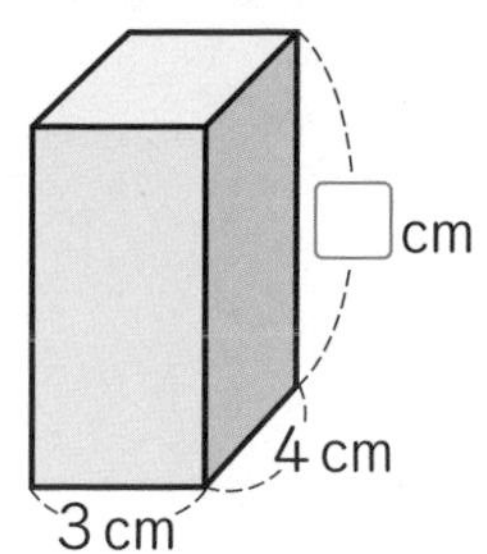


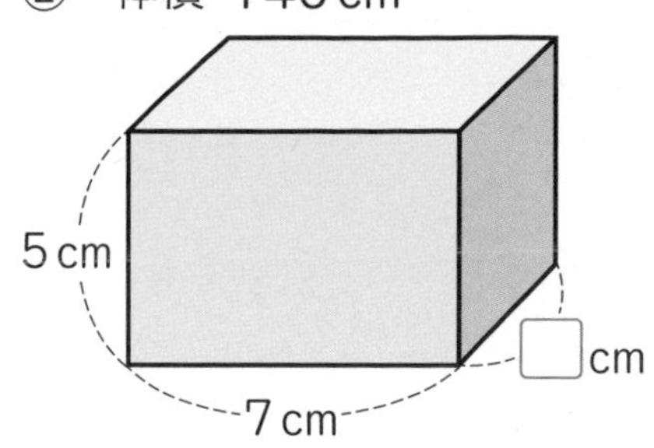

**オ**　下のような形の体積を求めましょう。

①

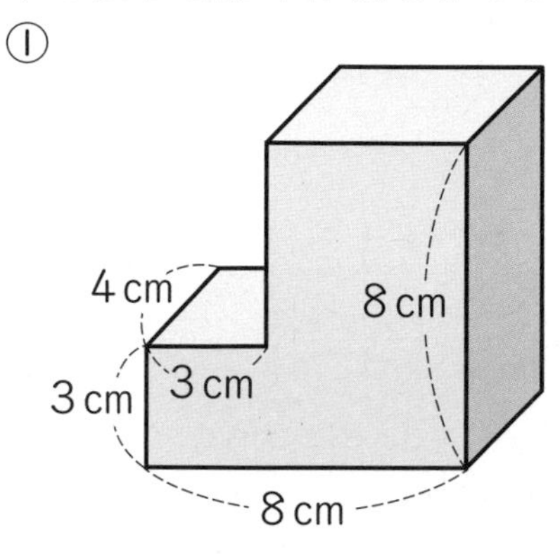


②

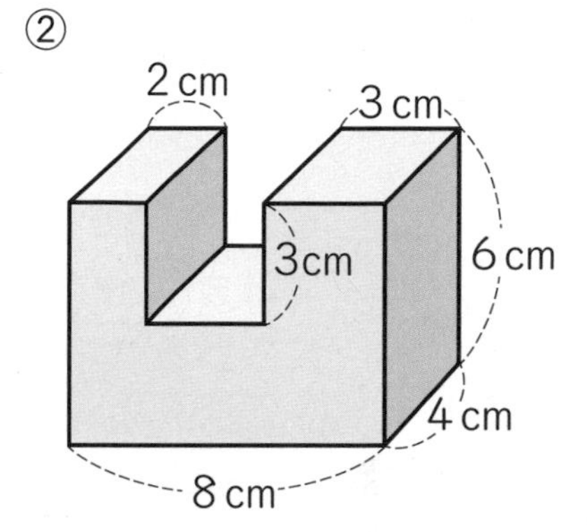


**オ**　右のような形の体積を求めるために，式①～③を考えました。①～③の式の考えに合う図を，下の㋐～㋒からそれぞれ選びましょう。

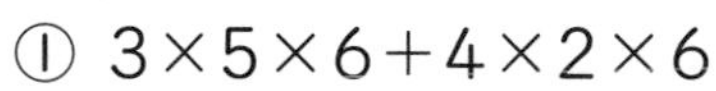

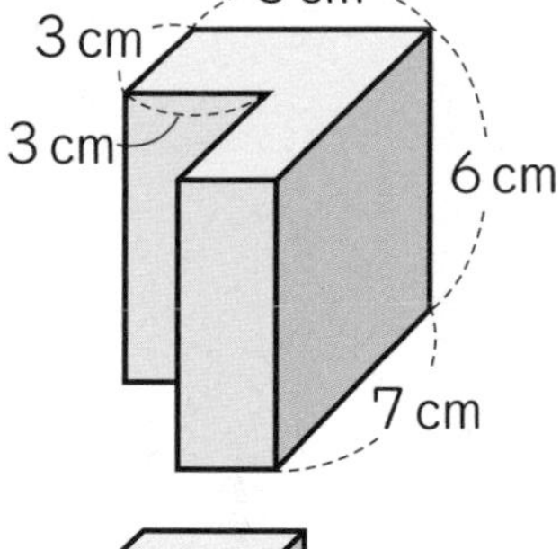


① $3 \times 5 \times 6 + 4 \times 2 \times 6$

② $7 \times 5 \times 6 - 4 \times 3 \times 6$

③ $3 \times 3 \times 6 + 7 \times 2 \times 6$

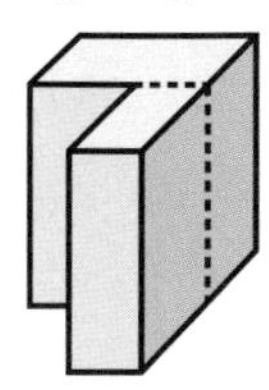

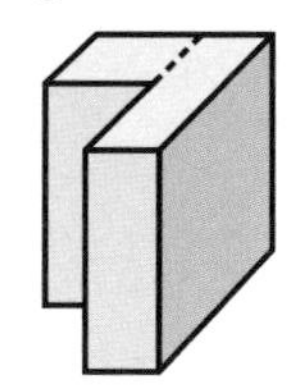

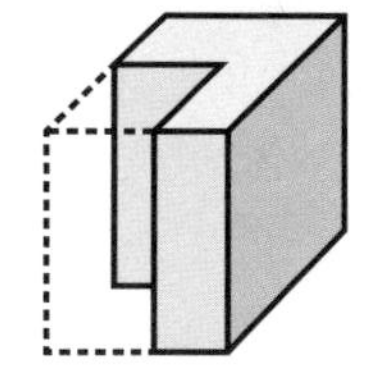

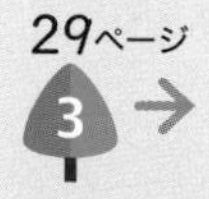


**カ**　右の水そうの容積(ようせき)は何 cm³ ですか。また，何Lですか。

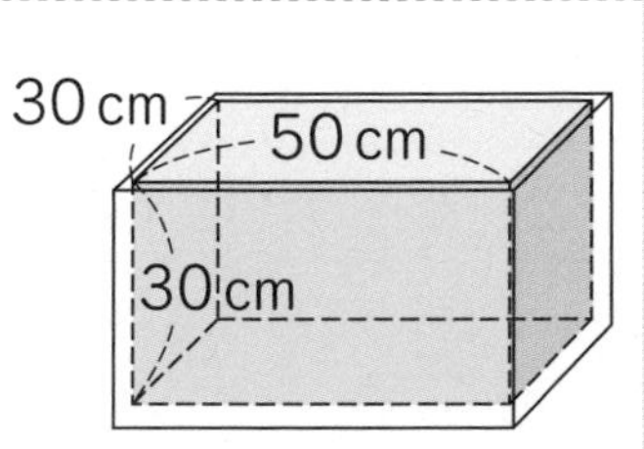

29ページ 3 →

カ　右の水そうに，水が36L入っています。いっぱいにするには，水をあと何L入れればよいですか。

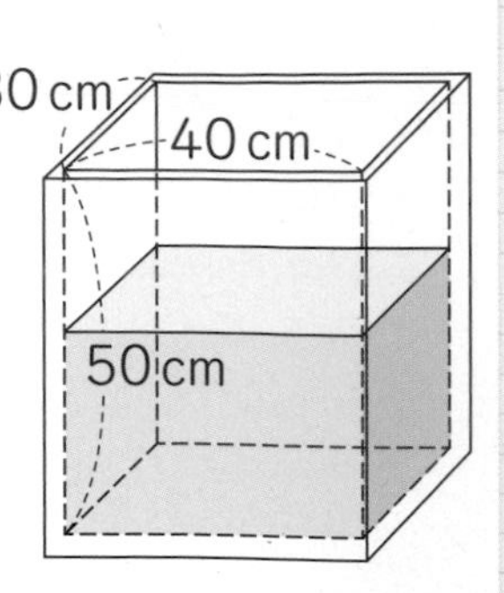


## 3 変わり方を調べよう (1)

答え→ 140ページ

35ページ 1 →

キ　次のともなって変わる2つの量で，○は□に比例していますか。

① 高さが5cmの箱を□個積み上げるときの，全体の高さ○cm

| 箱の数　□(個) | 1 | 2 | 3 | 4 | 5 | 6 | 7 | 8 |
|---|---|---|---|---|---|---|---|---|
| 全体の高さ○(cm) | 5 | 10 | 15 | 20 | 25 | 30 | 35 | 40 |

② 1個100円のクッキーを□個買って，80円の箱に入れるときの，代金○円

| クッキーの数□(個) | 1 | 2 | 3 | 4 | 5 | 6 | 7 | 8 |
|---|---|---|---|---|---|---|---|---|
| 代金　○(円) | 180 | 280 | 380 | 480 | 580 | 680 | 780 | 880 |

③ 横の長さが3cmの長方形のたての長さ□cmと面積○$cm^2$

| たての長さ□(cm) | 1 | 2 | 3 | 4 | 5 | 6 | 7 | 8 |
|---|---|---|---|---|---|---|---|---|
| 面積　○($cm^2$) | 3 | 6 | 9 | 12 | 15 | 18 | 21 | 24 |

キ　次のともなって変わる2つの量で，○は□に比例していますか。また，□と○の関係を式に表しましょう。

① 1辺の長さが□cmの正方形のまわりの長さ○cm

| 1辺の長さ　□(cm) | 1 | 2 | 3 | 4 | 5 | 6 | 7 | 8 |
|---|---|---|---|---|---|---|---|---|
| まわりの長さ○(cm) | 4 | 8 | 12 | 16 | 20 | 24 | 28 | 32 |

② 5Lの水が入った水そうに，水を1分間に2Lずつ□分加えるときの，全部の水の量○L

| 水を加える時間□(分) | 1 | 2 | 3 | 4 | 5 | 6 | 7 | 8 |
|---|---|---|---|---|---|---|---|---|
| 全部の水の量　○(L) | 7 | 9 | 11 | 13 | 15 | 17 | 19 | 21 |

③ 1mの重さが25gのはり金の，□mの重さ○g

| はり金の長さ□(m) | 1 | 2 | 3 | 4 | 5 | 6 | 7 | 8 |
|---|---|---|---|---|---|---|---|---|
| はり金の重さ○(g) | 25 | 50 | 75 | 100 | 125 | 150 | 175 | 200 |

④ まわりの長さが20cmの長方形のたての長さ□cmと，横の長さ○cm

| たての長さ□(cm) | 1 | 2 | 3 | 4 | 5 | 6 | 7 | 8 |
|---|---|---|---|---|---|---|---|---|
| 横の長さ　○(cm) | 9 | 8 | 7 | 6 | 5 | 4 | 3 | 2 |

## 4 かけ算の世界を広げよう

答え→ 140ページ

44ページ 1 →

ク 1mのねだんが130円のリボンがあります。
このリボン2.4mの代金はいくらですか。

ク 2mの重さが40gのはり金があります。
このはり金3.9mの重さは何gですか。

46ページ 2 →

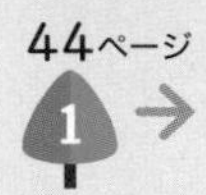

ケ 543×26＝14118をもとにして，次の積を求めましょう。
① 54.3×2.6　② 5.43×26　③ 5.43×2.6

ケ 積が，27.8×4.1の答えと同じになる式を，下の㋐～㋒から選びましょう。
㋐ 278×41　㋑ 2.78×4.1　㋒ 2.78×41

46ページ 3 →

コ 正しい積になるように，積に小数点をうちましょう。

① 
```
   4.3
 ×2.7
  301
  86
 1161
```

② 
```
   2.64
 ×  5.1
    264
  1320
  13464
```

46ページ 3 →

**コ**　りくさんは，2.1×3.4 を次のように考えて筆算で計算しました。しかし，りくさんの考えにはまちがいがあります。

```
  2.1
×3.4
  8 4
6 3
7 1.4
```

2.1×3.4 を
①小数点がないものとして
　21×34 を計算する。
②その積は 714 になる。
③小数点をそのまま下に
　おろしてきて 71.4 になる。

　りくさんの説明の中でまちがっているのは，①～③のどの部分ですか。また，正しい答えを求めましょう。

46ページ 4 →

答えの見当をつけてから，筆算で計算しましょう。

① 5.85×6.3　② 2.46×6.8　③ 3.1×4.7
④ 60.2×9.54　⑤ 84×5.1　⑥ 764×1.4

**サ**　1，2，6，7 の 4 つの数字を右の□に入れて，①，②のような式をつくりましょう。

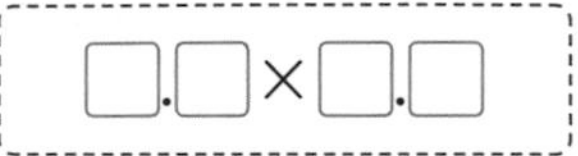

①　積がいちばん小さくなる式
②　積が 10 にいちばん近くなる式

46ページ 5 →

① 6.16×7.5　② 4.2×2.5　③ 335×5.8
④ 0.59×1.3　⑤ 0.32×2.9　⑥ 0.4×1.5

**シ**　□にあてはまる数字を入れ，積には必要な場所に小数点をうって，正しい筆算をつくりましょう。また，□に 0 が入り，0 を消すところには，＼をかきましょう。

①

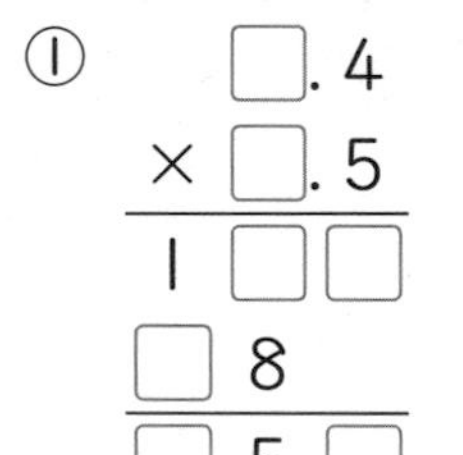

②

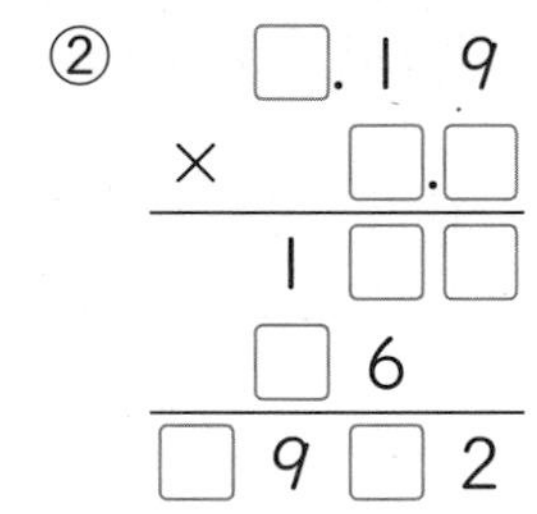

47ページ 7 →

ス ① 2.7×0.6　② 18.5×0.3　③ 0.5×0.7
④ 0.8×0.04　⑤ 0.5×0.6　⑥ 1.34×0.5

ス 次の式で，△には0ではない同じ数が入ります。
□にあてはまる不等号を書きましょう。
① △×1.2 □ △×2.5
② △×1.6 □ △×0.9
③ △×0.04 □ △×0.4

49ページ 9 →

セ くふうして計算しましょう。
① 7.2×2.5×4　② 3.9×2.6＋6.1×2.6
③ 25.7×4　④ 9.9×6

セ 0.25，2.5，25，0.4，4，40 の中から数を選んで
□にあてはめ，①，②の式を完成させましょう。
① □×□＝100
② □×□＋□×□＋□×□＝1010.1

## 5 わり算の世界を広げよう

答え→ 140ページ

56ページ 1 →

ソ リボンを2.4m買ったら，代金は360円でした。
このリボン1mのねだんは何円ですか。

ソ 135÷7.5の式になる問題をつくります。□にあてはまる数を書き，問題を完成させましょう。また，答えを求めましょう。

①□Lのガソリンで②□km走る自動車があります。1Lでは，何km走りますか。

58ページ 2 →

タ 171÷38＝4.5をもとにして，次の商を求めましょう。
① 17.1÷3.8　② 1.71÷0.38　③ 0.171÷0.038

タ 4.32÷1.8＝2.4をもとにして，商が2.4になるものを，下の㋐～㋓から全部選びましょう。
㋐ 4.32÷18　㋑ 43.2÷18
㋒ 43.2÷1.8　㋓ 432÷180

58ページ 3

チ　答えの見当をつけてから，筆算で計算しましょう。

① 5.32÷3.8　② 7.56÷2.4　③ 25.2÷5.6
④ 6.6÷1.2　⑤ 69.7÷8.5　⑥ 95.4÷3.18
⑦ 34.2÷5.7　⑧ 5.88÷1.96　⑨ 45.9÷1.7

チ　28.5kgの塩を，1.5kgずつふくろに分けて，1ふくろ168円で売ります。ふくろは何ふくろできますか。

58ページ 4

ツ　① 5.32÷7.6　② 2.46÷4.1　③ 3.9÷5.2
④ 3.33÷7.4　⑤ 9÷7.5　⑥ 17÷6.8

ツ　□にあてはまる数字を入れ，商には必要な場所に小数点をうって，正しい筆算をつくりましょう。

①

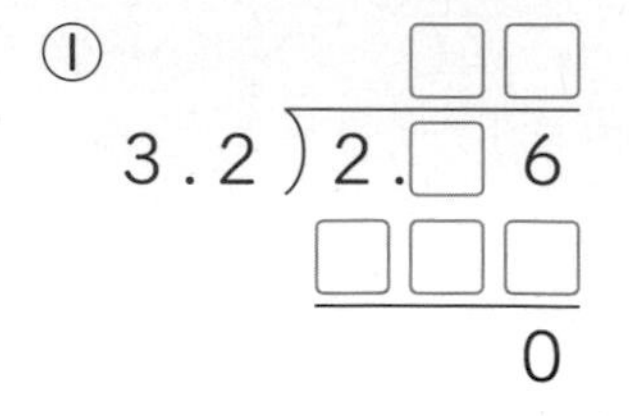

②

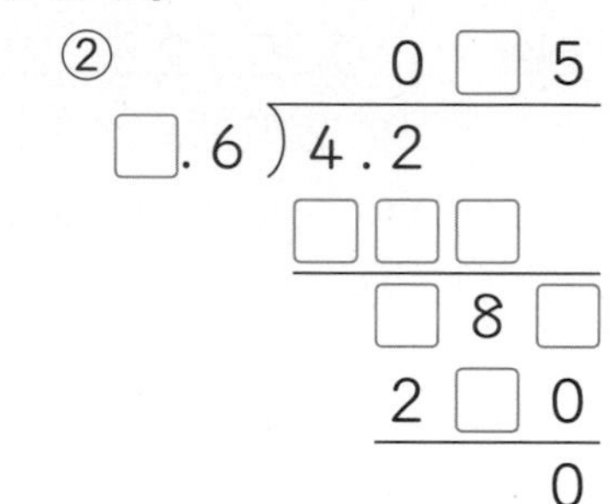

59ページ 6

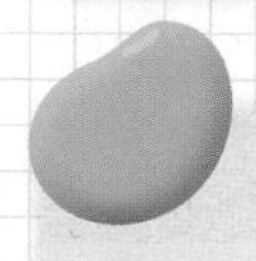

テ　① 37.6÷0.4　② 4.3÷0.5　③ 8.7÷0.6
④ 2.52÷0.8　⑤ 0.78÷0.8　⑥ 3÷0.4

テ　次の式で，△には0ではない同じ数が入ります。
□にあてはまる不等号を書きましょう。

① △÷1.5□△÷2.5　② △÷0.8□△÷1.2
③ △÷0.12□△÷0.012

## 小数の倍

答え→ 141ページ

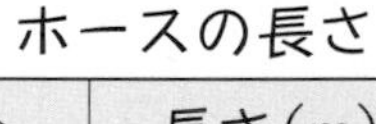

65ページ 1

ト　右の表のような長さのホースがあります。
　㋐のホースの長さをもとにすると，㋑のホースの長さは何倍ですか。
　また，㋑のホースの長さをもとにすると，㋐のホースの長さは何倍ですか。

ホースの長さ

| | 長さ(m) |
|---|---|
| ㋐ | 5 |
| ㋑ | 2 |

65ページ

ト　㋐と㋑のテープがあります。㋐の長さをもとにすると，㋑の長さは 0.4 倍です。
　㋐，㋑は，右の図の A，B，C，D のうち，それぞれどれですか。

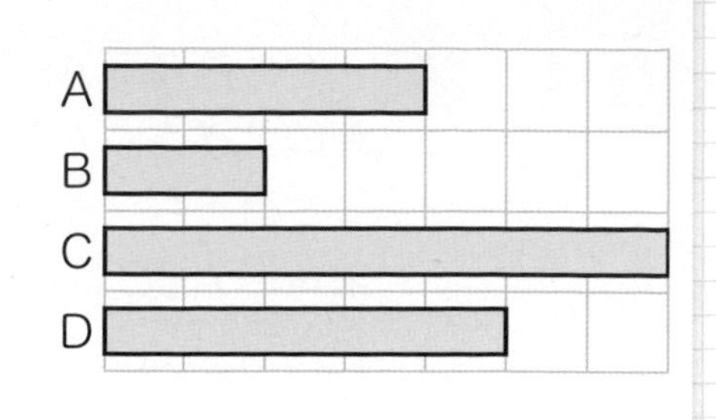


68ページ

ナ　㋐のたまごの重さは 54.9 g です。これは㋑のたまごの重さの 0.9 倍です。㋑のたまごの重さは何 g ですか。

ナ　A 小学校の児童数は 360 人です。これは，B 小学校の児童数の 0.8 倍です。また，B 小学校の児童数は，C 小学校の児童数の 2.5 倍です。B 小学校，C 小学校の児童数は，それぞれ何人ですか。

## 6 形も大きさも同じ図形を調べよう

答え→ 141 ページ

75ページ
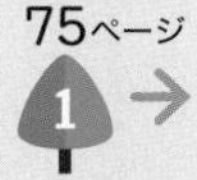

ニ　㋐と㋑の三角形は合同です。
① 辺 AB に対応する辺，角 C に対応する角をいいましょう。
② 辺 DF の長さは何 cm ですか。また，角 F の大きさは何度ですか。

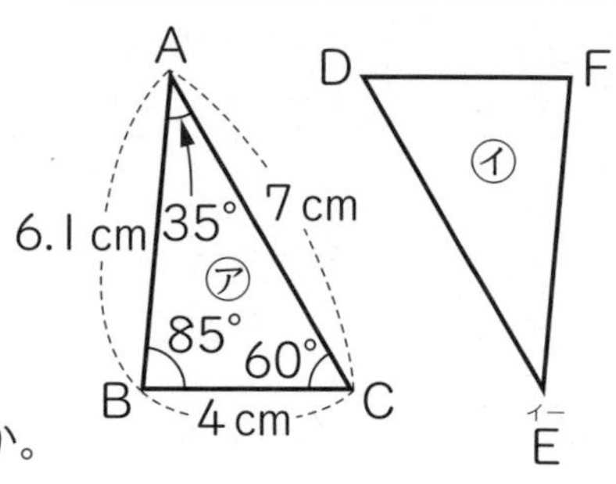


ニ　㋐と㋑の四角形は合同です。
　角 E の大きさは何度ですか。

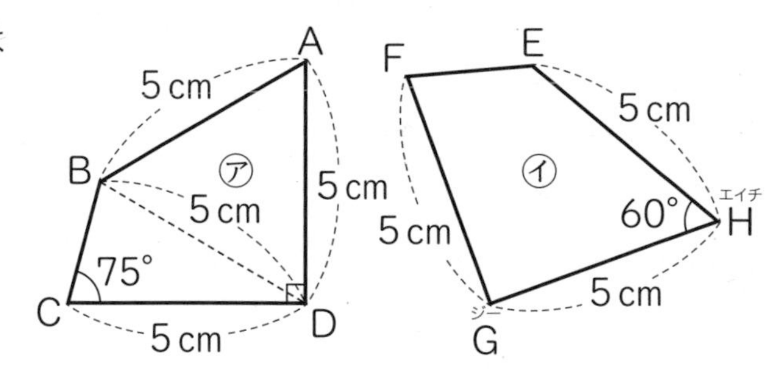


80ページ

ヌ　次の三角形をかきましょう。
① 2 つの辺の長さが 6 cm，4 cm で，その間の角の大きさが 55° の三角形
② 1 つの辺の長さが 5 cm で，その両はしの角の大きさが 70° と 40° の三角形
③ 3 つの辺の長さが 7 cm，6 cm，4 cm の三角形

80ページ

ヌ　右の三角形ABC（エービーシー）は，辺の長さや角の大きさが4か所わかっています。
　このうち3か所だけを使って，三角形ABCと合同な三角形をかきましょう。

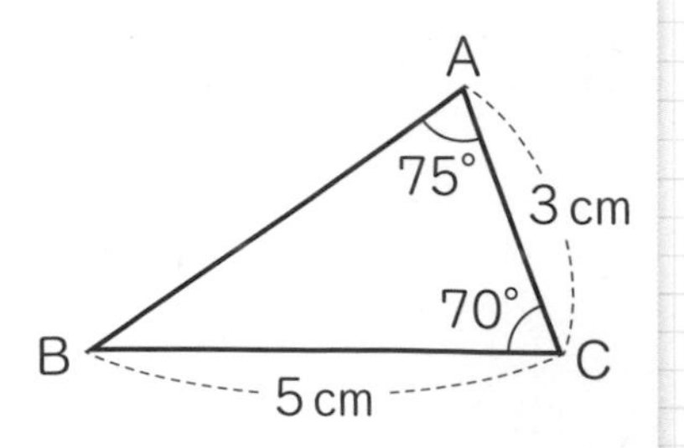


81ページ
5

ネ　合同な三角形のかき方を使って，右のひし形ABCD（エービーシーディー）と合同なひし形をかきましょう。
　また，かき方を説明しましょう。

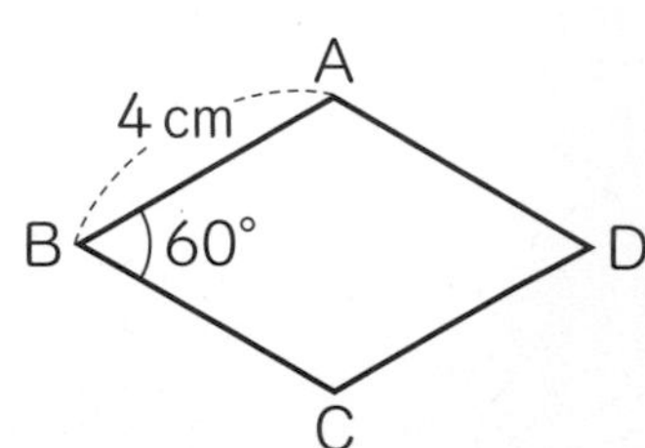


ネ　合同な三角形のかき方を使って，右の四角形ABCDと合同な四角形をかきます。
　必要なところの長さや角の大きさをはかってかきましょう。
　また，かき方を説明しましょう。

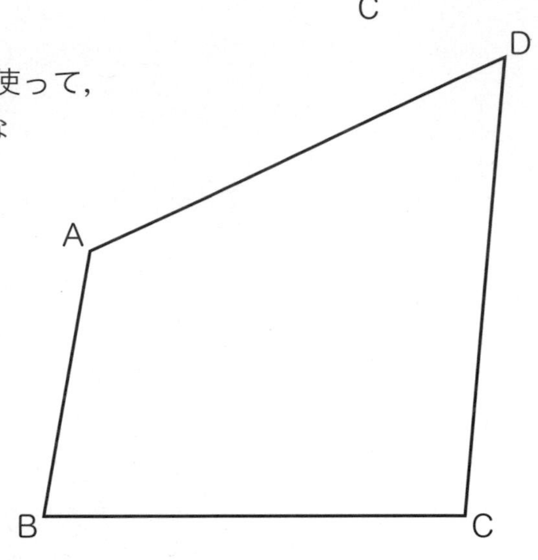


## 7 図形の角を調べよう

答え→ 141ページ

86ページ
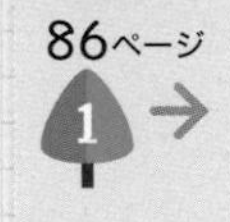


ノ　あ，い，う，えの角度は何度ですか。計算で求めましょう。

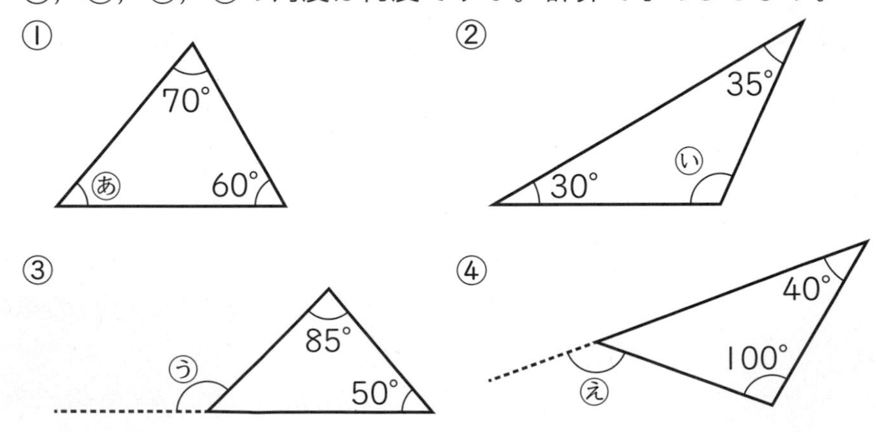

86ページ 1 →

ノ　あ，い，う，えの角度は何度ですか。計算で求めましょう。

①
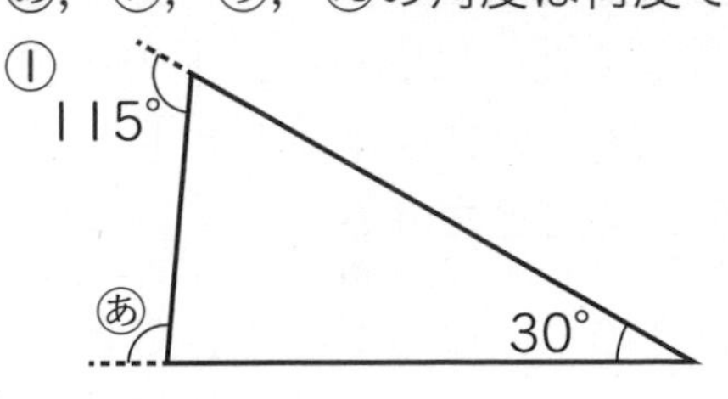


②
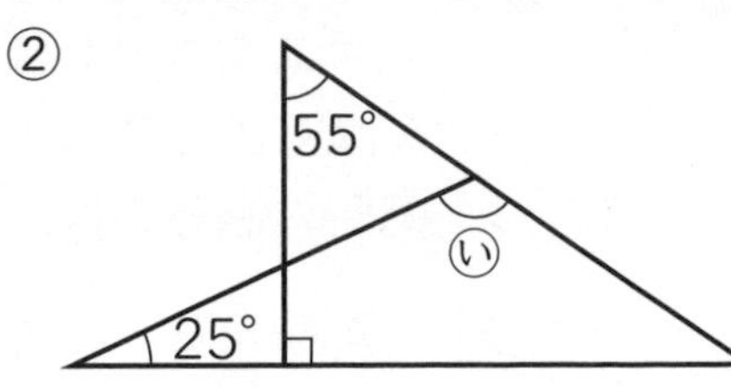


③
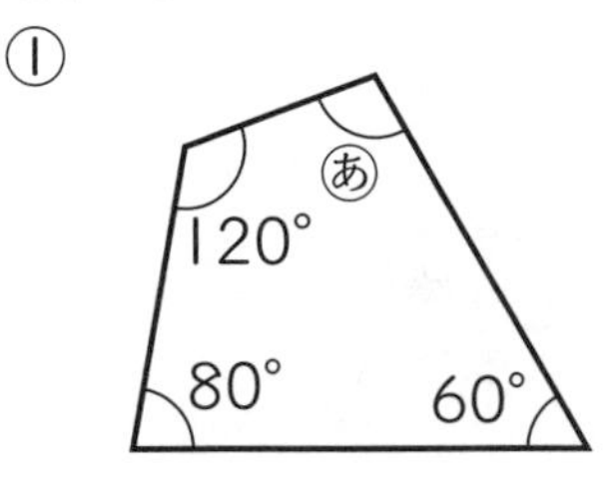


④
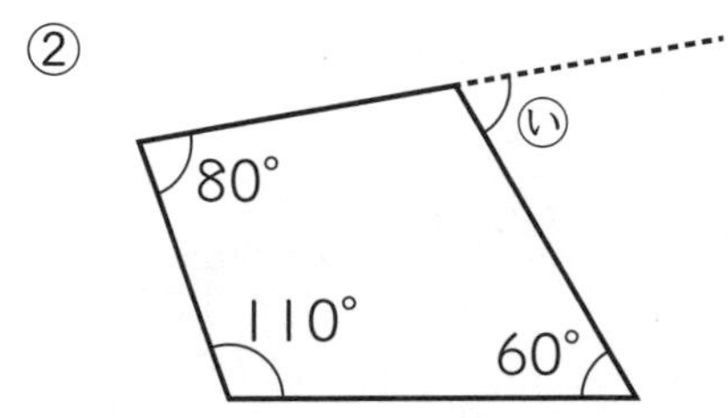


89ページ 2 →

ハ　あ，いの角度は何度ですか。計算で求めましょう。

①
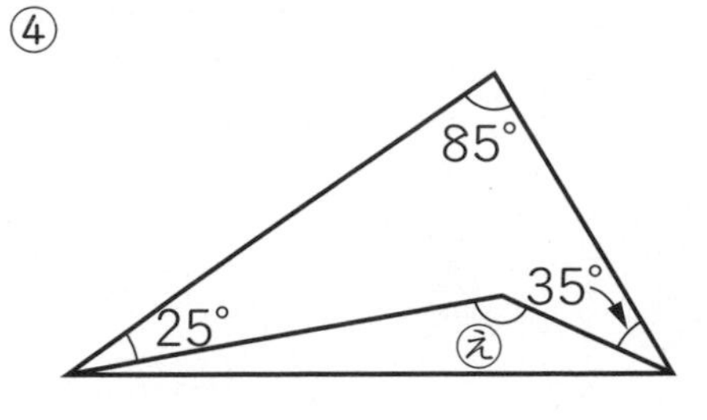


②


ハ　①は平行四辺形，②はひし形です。あ，いの角度は何度ですか。計算で求めましょう。

①
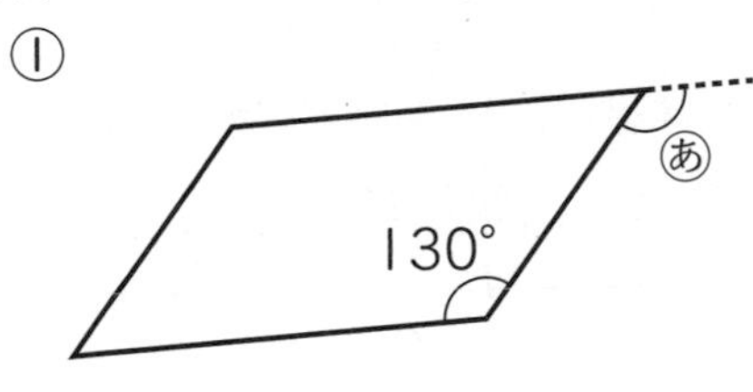


②
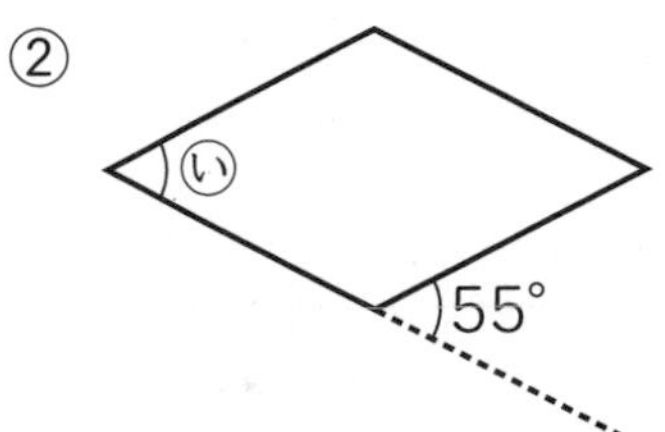


# 8 整数の性質を調べよう

答え→ 141ページ

102ページ 2 →

ヒ　(　)の中の数の公倍数を，小さいほうから3つ求めましょう。

①　(6，8)　②　(7，14)　③　(5，7)　④　(9，12)

ヒ　(　)の中の数の公倍数で，いちばん大きい2けたの数を求めましょう。

①　(6，8)　②　(4，7)　③　(4，9)　④　(8，20)

**フ**　合図に合わせてカスタネットとトライアングルを鳴らします。
　カスタネットは3ぱくごとに鳴らし，トライアングルは4はくごとに鳴らします。カスタネットとトライアングルが同時に鳴るのは，何はくごとですか。

**フ**　A（エー）駅から，B（ビー）町行きのバスは6分おき，C（シー）町行きのバスは9分おきに発車します。午前7時ちょうどにB町行きとC町行きのバスが同時に発車しました。この後，午前8時までに，バスが同時に発車する時こくを全部求めましょう。

**ヘ**　(　)の中の数の公倍数を，小さいほうから3つ求めましょう。
①　(4，5，8)　　②　(3，8，9)　　③　(2，7，9)

**ヘ**　(　)の中の数の公倍数で，80にいちばん近い数を求めましょう。
①　(3，5，6)　　②　(4，6，7)

**ホ**　(　)の中の数の公約数を，全部求めましょう。
また，最大公約数を求めましょう。
①　(18，27)　　②　(20，32)　　③　(24，48)

**ホ**　右の直方体で，面A（エー）の面積は6 cm²，面B（ビー）の面積は8 cm²，面C（シー）の面積は12 cm²です。

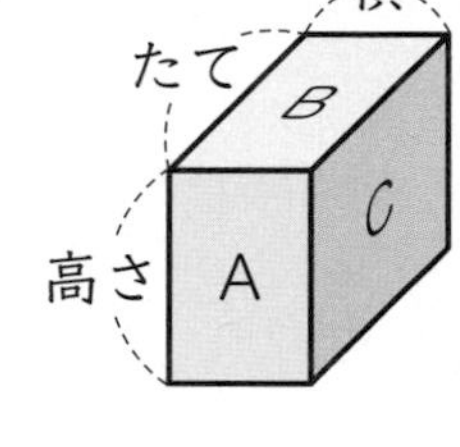


①　たての長さ，横の長さ，高さは，それぞれ何cmですか。
　ただし，たての長さ，横の長さ，高さを表す数は，整数です。
②　直方体の体積を求めましょう。

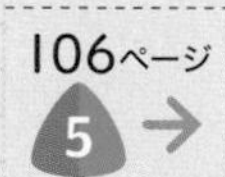


**マ**　(　)の中の数の最大公約数を求めましょう。
①　(9，18，21)　　②　(15，20，30)
③　(14，42，70)

**マ**　(　)の中の数の公約数で，2番めに大きい数を求めましょう。
①　(12，18，42)　　②　(16，64，80)

# 分数と小数，整数の関係を調べよう

答え→ 141ページ

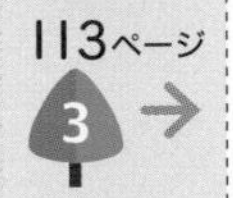

□にあてはまる数を書きましょう。

① $\frac{5}{8}=\square\div 8$　② $\frac{1}{9}=1\div\square$　③ $\frac{11}{3}=\square\div 3$

④ $\frac{7}{4}=7\div\square$　⑤ $\frac{19}{8}=19\div\square$　⑥ $\frac{7}{17}=7\div\square$

ミ　□にあてはまる数を書きましょう。

① $1\frac{1}{2}=3\div\square$　② $1\frac{3}{4}=\square\div 4$　③ $2\frac{\square}{3}=8\div 3$

次の①～⑥の分数を，小数や整数で表しましょう。

① $\frac{1}{5}$　② $\frac{15}{6}$　③ $\frac{28}{7}$　④ $\frac{63}{9}$　⑤ $2\frac{4}{5}$　⑥ $4\frac{3}{8}$

ム　次の分数を，小数や整数で表して大小を比(くら)べ，□にあてはまる等号や不等号を書きましょう。

① $\frac{3}{4}\square\frac{4}{5}$　② $\frac{12}{6}\square\frac{16}{10}$

③ $\frac{12}{8}\square\frac{30}{20}$　④ $1\frac{2}{5}\square\frac{5}{2}$

次の①～⑤の小数や整数を，分数で表しましょう。

① 0.8　② 0.93　③ 2　④ 6.01　⑤ 9

メ　次の①～③の小数や整数と大きさの等しい分数を，□の中の㋐～㋕からそれぞれ選びましょう。

① 0.4　② 1.45　③ 4

㋐ $\frac{40}{1}$　㋑ $\frac{4}{10}$　㋒ $\frac{40}{10}$

㋓ $\frac{4}{100}$　㋔ $\frac{145}{100}$　㋕ $\frac{145}{1000}$

# ほじゅうのもんだいの答え　128～139ページ

## 1 整数と小数のしくみをまとめよう

ア　(左から順に)5，0，6，9

ア　(左から順に)1，0.1，0.01，0.001

イ　①＜　②＞　③＞

イ　1.53＜1.6

ウ　①5こ　②37こ　③899こ　④5200こ

ウ　1.01

## 2 直方体や立方体のかさの表し方を考えよう

エ　①224cm³　②216cm³　③144cm³　④120000cm³

エ　①6　②4

オ　①196cm³　②156cm³

オ　①㋐　②㋒　③㋑

カ　45000cm³，45L

カ　24L

**考え方**　水そうの容積(ようせき)は，
30×40×50＝60000(cm³)
60000cm³＝60Lだから，
60－36＝24(L)

## 3 変わり方を調べよう (1)

キ　①比例(ひれい)している。　②比例していない。
③比例している。

キ　①比例している。　(例)□×4＝○
②比例していない。(例)5＋2×□＝○
③比例している。　(例)25×□＝○
④比例していない。(例)10＝□＋○

## 4 かけ算の世界を広げよう

ク　312円

**考え方**　130×2.4＝312(円)

ク　78g

**考え方**　1mの重さは，40÷2＝20(g)
3.9mの重さは，20×3.9＝78(g)

ケ　①141.18　②141.18　③14.118

ケ　㋒

コ　①11.61　②13.464

コ　③，正しい答え…7.14

サ　①36.855　②16.728　③14.57
④574.308　⑤428.4　⑥1069.6

サ　①1.6×2.7(2.7×1.6)
②1.7×6.2(6.2×1.7)

シ　①46.2　②10.5　③1943
④0.767　⑤0.928　⑥0.6

シ　①

```
    3.4
  × 2.5
  -----
   170
   68
  -----
   8.50
```

②

```
    0.19
  ×  4.8
  ------
    152
    76
  ------
   0.912
```

ス　①1.62　②5.55　③0.35
④0.032　⑤0.3　⑥0.67

ス　①＜　②＞　③＜

セ　①72　②26　③102.8　④59.4

セ　(左から順に)①(例)25，4　(2.5，40)
②(例)25，40，2.5，4，0.25，0.4

## 5 わり算の世界を広げよう

ソ　150円

**考え方**　360÷2.4＝150(円)

ソ　①7.5　②135　答え…18km

タ　①4.5　②4.5　③4.5

タ　㋑，㋓

チ　①1.4　②3.15　③4.5
④5.5　⑤8.2　⑥30
⑦6　⑧3　⑨27

チ　19ふくろ

**考え方**　28.5÷1.5＝19(ふくろ)

ツ　①0.7　②0.6　③0.75
④0.45　⑤1.2　⑥2.5

ツ　①

```
          0.8
     ------
3.2 ) 2.56
      256
     -----
        0
```

②

```
           0.75
     --------
5.6 ) 4.2
      392
     -----
       280
       280
     -----
         0
```

テ　①94　②8.6　③14.5
④3.15　⑤0.975　⑥7.5

テ　①＞　②＞　③＜

## 小数の倍

ト ㋑の長さは，㋐の長さをもとにすると 0.4 倍
㋐の長さは，㋑の長さをもとにすると 2.5 倍

ト ㋐D(ディー)　　㋑B(ビー)

ナ 61 g
考え方 54.9÷0.9＝61（g）

ナ B(ビー)小学校…450 人，C(シー)小学校…180 人
考え方
B 小学校…360÷0.8＝450（人）
C 小学校…450÷2.5＝180（人）

## 6 形も大きさも同じ図形を調べよう

ニ ①辺 EF(イーエフ)，角 D(ディー)
②辺 DF…4 cm，角 F…85°

ニ 135°

ヌ （省略(しょうりゃく)）

ヌ （図は省略）
5 cm，3 cm，70° を使う。
または，3 cm，75°，70° を使う。

ネ （図は省略(しょうりゃく)）
（例）辺 AB(エービー)（4 cm）をひき，角 B が 60° になるようにして，辺 BC(シー)（4 cm）をひく。
（2 つの辺の長さとその間の角の大きさが決まるので，三角形 ABC がかける。）
辺 AD(ディー)，辺 CD が 4 cm になるように，頂点(ちょうてん) D を決める。（3 つの辺の長さが決まるので，三角形 ACD がかける。）

ネ （図は省略）
（例）辺 BC（5.5 cm）をひき，角 B が 80° になるようにして，辺 BA（3.5 cm）をひく。
（2 つの辺の長さとその間の角の大きさが決まるので，三角形 ABC がかける。）
辺 AD，辺 CD が 6 cm になるように，頂点 D を決める。（3 つの辺の長さが決まるので，三角形 ACD がかける。）

## 7 図形の角を調べよう

ノ ㋐50°　㋑115°　㋒135°　㋓140°

ノ ㋐95°　㋑120°　㋒135°　㋓145°

ハ ㋐100°　㋑70°

ハ ㋐130°　㋑55°

## 8 整数の性質を調べよう

ヒ ①24，48，72　②14，28，42
③35，70，105　④36，72，108

ヒ ①96　②84　③72　④80

フ 12 はくごと
考え方 同時に鳴るのは，はく数が 3 と 4 の公倍数のときで，3 と 4 の最小公倍数は 12 です。

フ 7 時 18 分，7 時 36 分，7 時 54 分
考え方 7 時の後に同時に発車するのは，分を表す数が 6 と 9 の公倍数のときです。
6 と 9 の最小公倍数は 18 なので，
60 までの整数のうち 6 と 9 の公倍数を小さいほうからならべると，
18，18×2＝36，18×3＝54 です。

ヘ ①40，80，120　②72，144，216
③126，252，378

ヘ ①90　②84

ホ ①公約数…1，3，9　最大公約数…9
②公約数…1，2，4　最大公約数…4
③公約数…1，2，3，4，6，8，12，24
最大公約数…24

ホ ①たて…4 cm，横…2 cm，高さ…3 cm
② 24 $cm^3$
考え方 面 A(エー)の面積＝高さ×横＝6（$cm^2$）
面 B(ビー)の面積＝たて×横＝8（$cm^2$）
面 C(シー)の面積＝高さ×たて＝12（$cm^2$）
上の 3 つの式に同時にあてはまる，たて，横，高さを表す整数（cm）を考えます。

マ ①3　②5　③14

マ ①3　②8

## 9 分数と小数，整数の関係を調べよう

ミ ①5　②9　③11
④4　⑤8　⑥17

ミ ①2　②7　③2

ム ①0.2　②2.5　③4
④7　⑤2.8　⑥4.375

ム ①<　②>　③＝　④<

メ （例）① $\frac{8}{10}$　② $\frac{93}{100}$　③ $\frac{2}{1}$
④ $\frac{601}{100}\left(6\frac{1}{100}\right)$　⑤ $\frac{9}{1}$

メ ①㋑　②㋔　③㋒

# おもしろもんだいにチャレンジ

## 1 整数と小数のしくみをまとめよう

答え→ 146ページ

**1** [1]から[9]の9まいのカードと[.](小数点)のカードから，7まいを選んでならべて，小数をつくります。

小数点のカードはどこに置けばいいかな。

① いちばん小さい数をつくりましょう。

② 50にいちばん近い数をつくりましょう。

**2** とても短い長さを表すには，小さい単位を使うと便利です。

1 mmの$\frac{1}{1000}$の長さを1 μm(マイクロメートル)といいます。

① 1 μmは何mmですか。

② マスクは，下のような小さいつぶや，つぶをふくんだ飛まつをすいこむのを防(ふせ)ぎます。

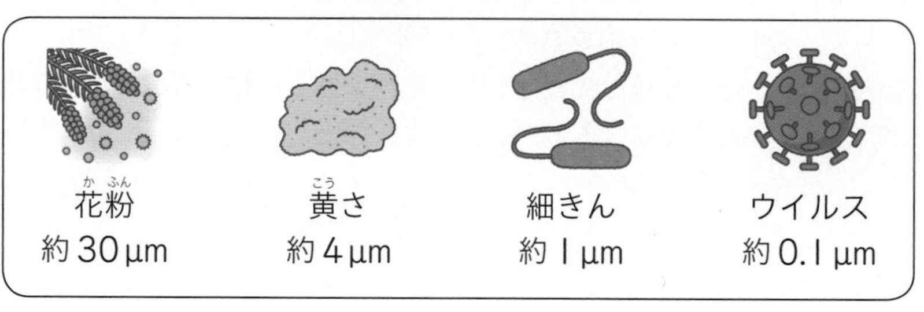


花粉のつぶの大きさは何mmですか。
また，ほかのつぶの大きさも，mm単位で表しましょう。

③ さらに小さい単位として，1 μmの$\frac{1}{1000}$の長さを1 nm(ナノメートル)といいます。1 nmは何μmですか。また，何mmですか。

## 直方体や立方体のかさの表し方を考えよう

答え→ 146ページ

**1**　1辺の長さが18cmの正方形の工作用紙の4すみを切り取って，辺の長さが整数のふたのない箱の形を組み立てます。

　このとき，4すみから切り取る正方形の1辺の長さと，できる箱の容積（ようせき）の関係を調べましょう。

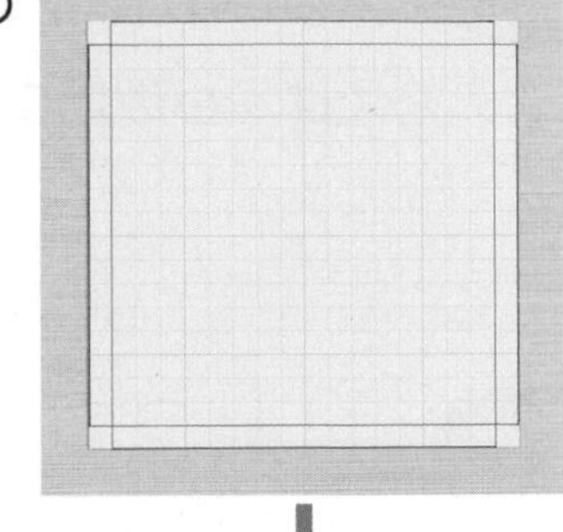

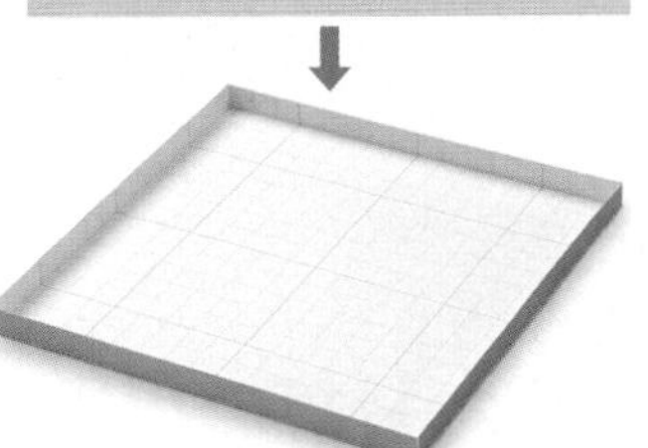

①　切り取る正方形の1辺の長さが1cmのとき，できる箱の容積は何$cm^3$ですか。

たて　横　深さ　容積

□×□×1＝□($cm^3$)

②　切り取る正方形の1辺の長さを，1cm，2cm，3cm，…，8cmと変えたとき，できる箱の容積を求め，下の表に書きましょう。

| 切り取る正方形の1辺の長さ（cm） | 1 | 2 | 3 | 4 | 5 | 6 | 7 | 8 |
|---|---|---|---|---|---|---|---|---|
| できる箱の容積（$cm^3$） | | | | | | | | |

③　切り取る正方形の1辺の長さが0cmのときと，9cmのときは，箱はできません。しかし，次のように考えてみましょう。

切り取る正方形の1辺の長さが0cmのときは，たて18cm，横18cm，深さ0cmの直方体ができ，容積は18×18×0＝0($cm^3$)になる。
9cmのときは，たて0cm，横0cm，深さ9cmの直方体ができ，容積は0×0×9＝0($cm^3$)になる。

　このとき，切り取る正方形の1辺の長さと，できる箱の容積の関係を，折れ線グラフに表しましょう。

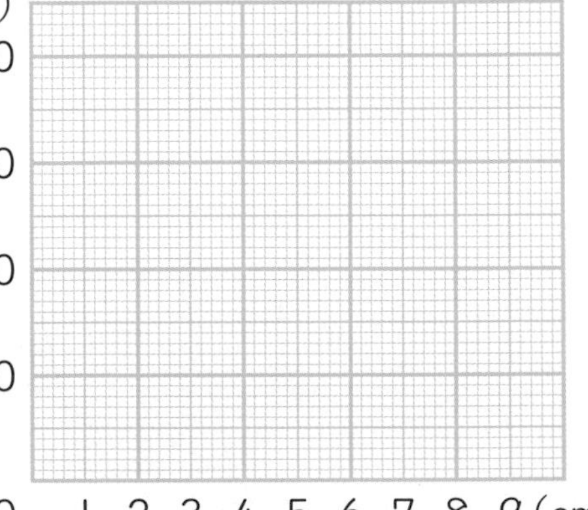


④　箱の容積がいちばん大きくなるのは，切り取る正方形の1辺の長さが何cmのときですか。

グラフに表すとひと目でわかるね。

あみ

## 4 かけ算の世界を広げよう

答え→ 147ページ

**1** 体積が 10 cm³ の立方体の 1 辺は何 cm かを調べます。
答えは，小数第二位まで求めましょう。

□×□×□ = 10

電たくを使っていいよ。

1×1×1 = 1　小さすぎる…。
2×2×2 = 8　小さすぎる…。
3×3×3 = 27　大きすぎる…。

2.5×2.5×2.5 = 15.625
まだ大きすぎる。

## 5 わり算の世界を広げよう

答え→ 147ページ

**1** [0] から [9] までの 10 まいのカードから 4 まいを選んで，
下のわり算をつくります。

□.□÷□.□

5.0 のように
小数第一位に [0] を
置いてもいいよ。

① 商がいちばん大きくなる式をつくり，答えも書きましょう。

② 商が 1 にいちばん近くなる式をつくり，答えも書きましょう。

## 6 形も大きさも同じ図形を調べよう

答え→ 147ページ

**1** 下の図形と合同な図形をかきましょう。図形の名前のほかに，
あと何がわかればかけますか。
　必要な長さや角の大きさをはかって，答えましょう。
　はかるところは，できるだけ少なくしましょう。

① 円　② 平行四辺形　③ 長方形　④ 正方形　⑤ ひし形

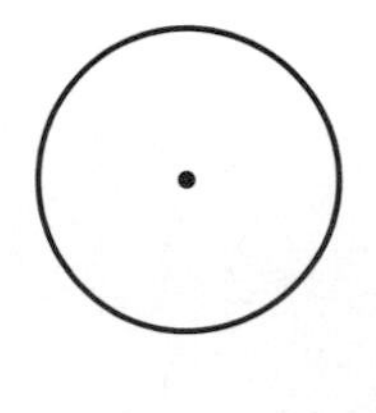

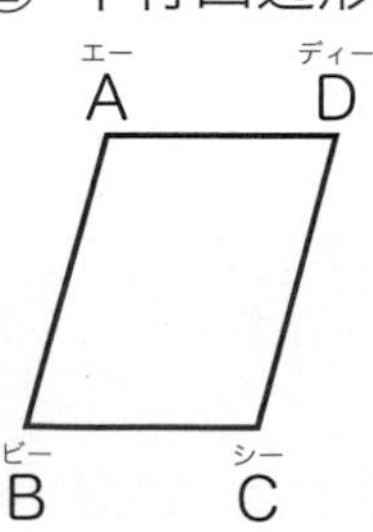


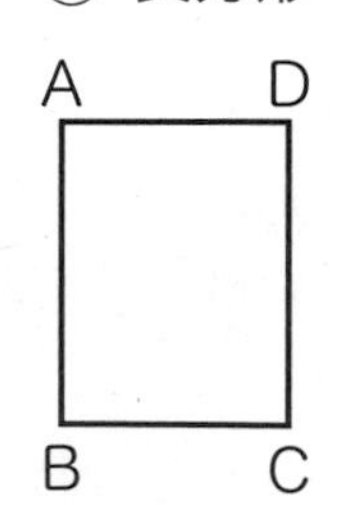


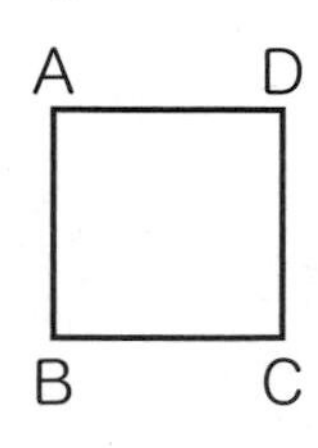


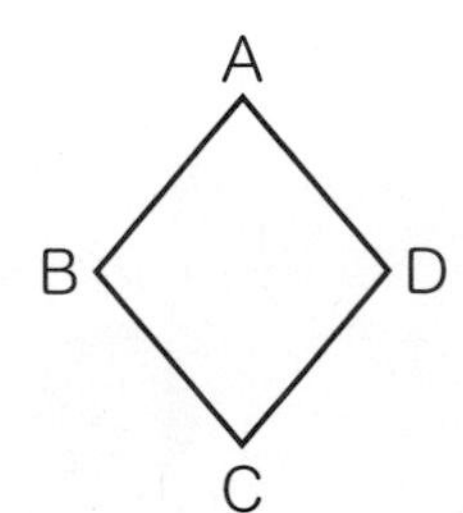

# 7 図形の角を調べよう

答え→ 147ページ

**1** たけしさんは，４年で学習した平行四辺形のかき方で，角Bが直角である四角形ABCDをかきました。

❶ 角Bが直角になるように，辺ABと辺BCをかきます。

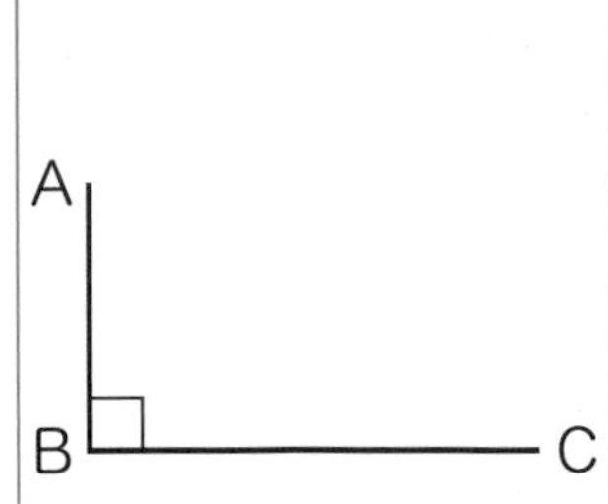


❷ コンパスで，頂点Aから辺BCの長さをとり，頂点Cから辺ABの長さをとり，その交点を頂点Dとします。

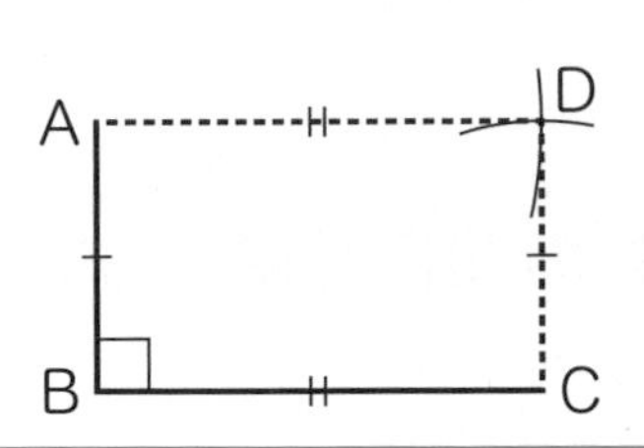


❸ 頂点Aと頂点D，頂点Cと頂点Dを結んで，四角形ABCDをかきます。

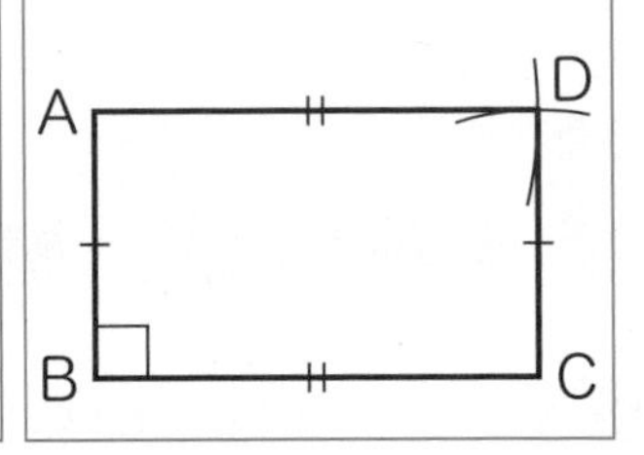


できた四角形ABCDは，長方形になっています。

たけしさんのかき方❶，❷，❸をふり返って，その理由を説明してみましょう。

① 右の図のように，対角線ACをひきます。

三角形ABCと三角形CDAが合同であることを説明しましょう。

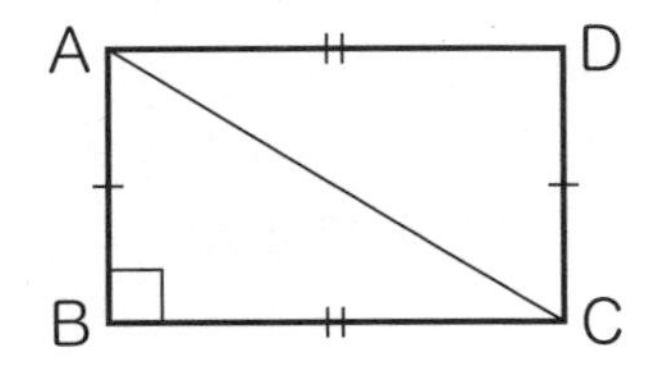


② 三角形ABCと三角形CDAが合同であることから，角Dの大きさは何度とわかりますか。理由もいいましょう。

③ 四角形ABCDの角Aと角Cの大きさは何度ですか。

右の図を使って，どのように考えたか説明しましょう。

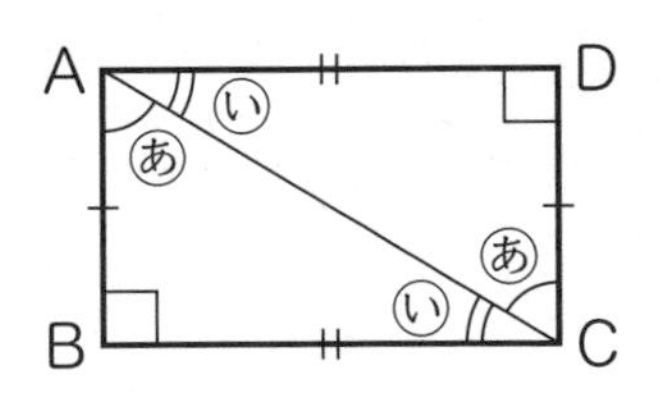


４つの角がみんな直角であることが，説明できたかな。
説明できれば，上の四角形ABCDは長方形であるといえるよ。

## 8 整数の性質を調べよう

答え→ 147ページ

**1** ある3けたの数は，3でわっても2あまり，4でわっても2あまり，5でわっても2あまり，6でわっても2あまり，7でわっても2あまり，8でわっても2あまります。この数はいくつですか。

□□□ ÷ 3 6 4 8 5 7 = ? あまり2

この数が2小さかったら…。

## 9 分数と小数，整数の関係を調べよう

答え→ 147ページ

**1** 2÷7は，いくらわり進んでもわりきれません。

```
    0.285714
7)2.0
  14
   60
   56
    40
    35
     50
     49
      10
       7
       30
       28
```

① 右の計算を続けていくと，商の小数第六位の4の後にはどんな数字がならびますか。4の後に続く数字を6こ書きましょう。

② 商の小数第五十位の数字は何ですか。

## おもしろもんだいにチャレンジの答え 142～146ページ

### 1 整数と小数のしくみをまとめよう

**1** ① 1.23456　② 49.8765

**2** ① 0.001 mm

② 花粉（かふん）…0.03 mm

黄さ（こうさ）…0.004 mm

細きん…0.001 mm

ウイルス…0.0001 mm

③ 0.001 μm（マイクロメートル），0.000001 mm

### 2 直方体や立方体のかさの表し方を考えよう

**1** ① $16\times16\times1=256(cm^3)$

②

| 切り取る正方形の1辺の長さ（cm） | 1 | 2 | 3 | 4 | 5 | 6 | 7 | 8 |
|---|---|---|---|---|---|---|---|---|
| できる箱の容積（ようせき）（$cm^3$） | 256 | 392 | 432 | 400 | 320 | 216 | 112 | 32 |

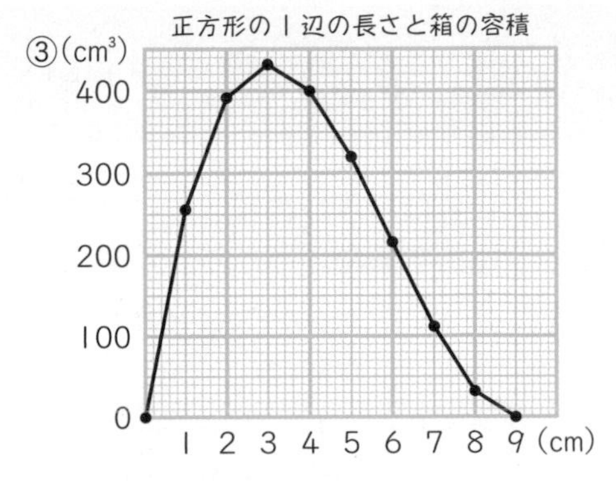


④３cm のとき

## 4 かけ算の世界を広げよう

**1** 2.15cm

## 5 わり算の世界を広げよう

**1** ① 9.8÷0.1 ＝ 98
② 7.9÷8.0 ＝ 0.9875

## 6 形も大きさも同じ図形を調べよう

**1** (例)①半径(１cm)
②辺AB(エービー)(2cm)，辺BC(シー)(1.5cm)，
角B(75°)
③辺AB(2cm)，辺BC(1.5cm)
④辺AB(1.5cm)
⑤辺AB(1.5cm)，角B(100°)

## 7 図形の角を調べよう

**1** ①(例)辺BC(ビーシー)と辺DA(ディーエー)は，等しい長さです。
辺ABと辺CDは，等しい長さです。
辺ACは，２つの三角形で共通です。
対応(たいおう)する辺の長さが３つとも等しいので，
三角形ABCと三角形CDAは合同です。
② 90°　理由…(例)合同な図形では，
対応する角の大きさが等しいから。
③ 90°　説明…(例)三角形の３つの角の
大きさの和は 180°なので，
90°＋㋐＋㋑＝180°です。㋐＋㋑＝90°
だから，角Aも角Cも90°になります。

## 8 整数の性質を調べよう

**1** 842

## 9 分数と小数，整数の関係を調べよう

**1** ① 285714　② 8

# おぼえているかな？の答え

### 39ページ

**1** 比例(ひれい)している。

**2** ① 2.5倍　② 400cm

**3** (上から左から順に)
① 3，3，84　② 10，10，100，2800
③ 280　④ 2800

**数と計算であそぼう**

㋐ 12　㋑ 4　㋒ 2　㋓ 18　㋔ 8　㋕ 3
㋚ 5　㋛ 8　㋜ 25　㋝ 50　㋞ 2　㋟ 4

### 71ページ

**1** ㋐ $\frac{1}{6}$　㋑ $\frac{8}{6}$，$1\frac{2}{6}$
㋒ $\frac{11}{6}$，$1\frac{5}{6}$　㋓ $\frac{22}{6}$，$3\frac{4}{6}$

**2** ①(順に)4，3，8，5
② 516　③ 5.16　④ 240　⑤ 0.024

**3** ① 7.83　② 2　③ 38.28　④ 25.859
⑤ 0.51　⑥ 0.95　⑦ 4.26　⑧ 0.908

**4** (省略(しょうりゃく))

**数と計算であそぼう**

① 100　② 100　③ 1000　④ 1000
⑤ 9700　⑥ 9300　⑦ 13000
⑧ 11000

### 124ページ

**1** ① 51.3　② 1.28　③ 0.63　④ 1.2
⑤ 22.4　⑥ 0.6　⑦ 0.8　⑧ 2.45

**2** 25kg

**3** ① 24　② 30　③ 36

**4** ① 8　② 9　③ 6

**5** ① 729 $cm^3$　② 39.2 $m^3$　③ 320 $cm^3$

**6** ① $\frac{12}{9}\left(1\frac{3}{9}\right)$　② $2\frac{5}{6}\left(\frac{17}{6}\right)$　③ $4\frac{1}{4}\left(\frac{17}{4}\right)$
④ $3\frac{4}{5}\left(\frac{19}{5}\right)$　⑤ $\frac{3}{7}$　⑥ $3\frac{2}{4}\left(\frac{14}{4}\right)$
⑦ $2\frac{1}{5}\left(\frac{11}{5}\right)$　⑧ $2\frac{6}{8}\left(\frac{22}{8}\right)$

**数と計算であそぼう**

□＝12，○＝6，△＝4，
♡＝2，◇＝3

# 数直線の図を使って考えてみよう

36ページ 3 の問題の場面です。

　1mのねだんが80円のリボンがあります。このリボンを9m買うと，代金はいくらになりますか。

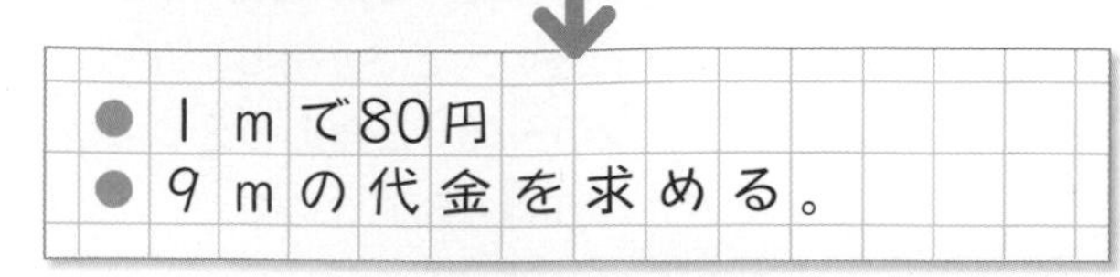


代金はリボンの長さに比例するね。

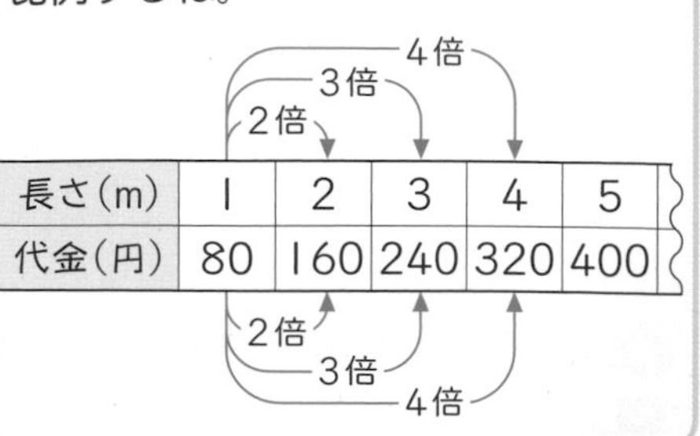


| 長さ(m) | 1 | 2 | 3 | 4 | 5 |
| --- | --- | --- | --- | --- | --- |
| 代金(円) | 80 | 160 | 240 | 320 | 400 |

りく

●上のかけ算の問題を，数直線の図に表してみましょう。

**1**

左はしにめもりと0を書き，
2本の平行な直線をひく。
下の直線の右はしに(m)を書く。
上の直線の右はしに(円)を書く。

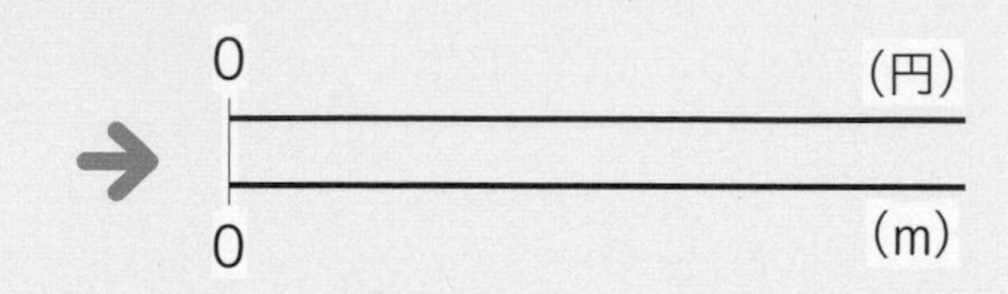


**2**

「1mで80円」なので，下の直線に
1つ分(1m)を表すめもりと1を書く。
上の直線にめもりと80を書く。

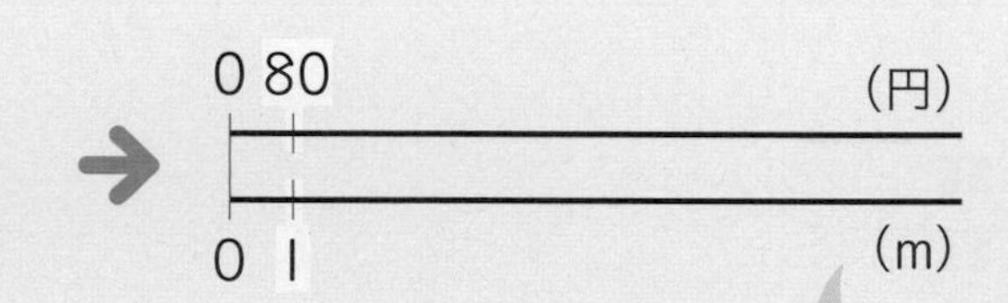


1つ分の1を下の数直線に書くから，(m)も下の数直線に書くんだね。

**3**

わからない数なので□で表す。

「9mで□円」として，下の直線に
いくつ分(9m)を表すめもりと9を書く。
上の直線にめもりと□を書く。

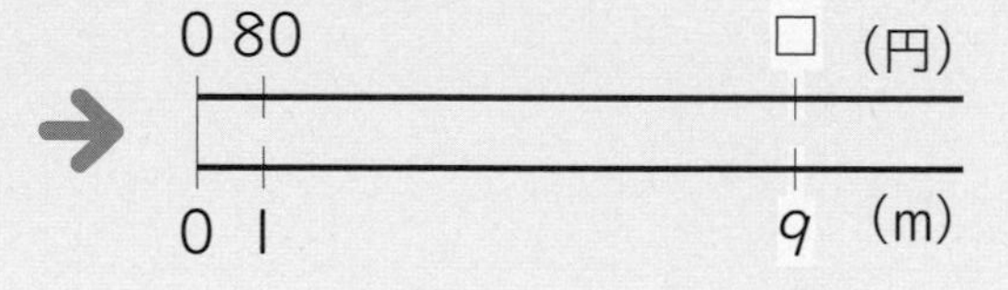

しほ

代金はリボンの長さに比例するので，
リボンの長さが9倍になれば，
代金も9倍になります。
だから，代金を求める式は，
　80×9

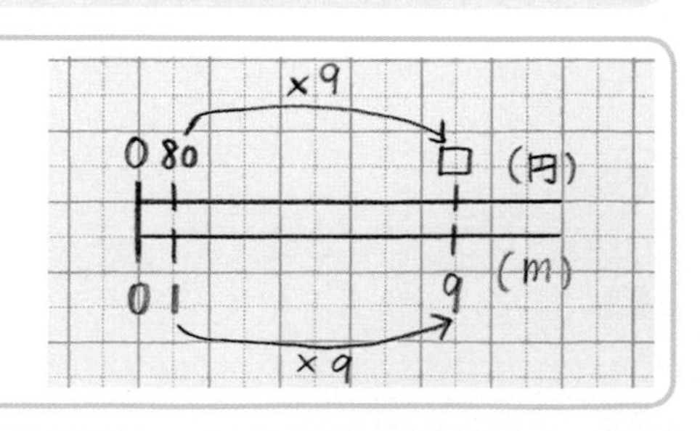

リボンを９ｍ買ったら，代金は720円でした。このリボン１ｍのねだんは何円ですか。

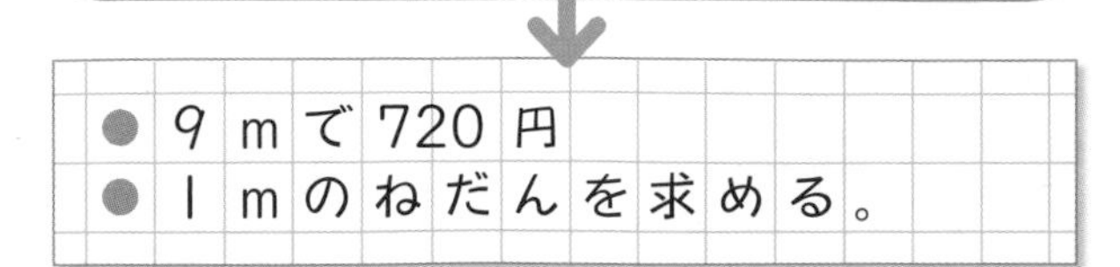


代金はリボンの長さに比例(ひれい)するね。

みさき

●上のわり算の問題を，数直線の図に表してみましょう。

**1**

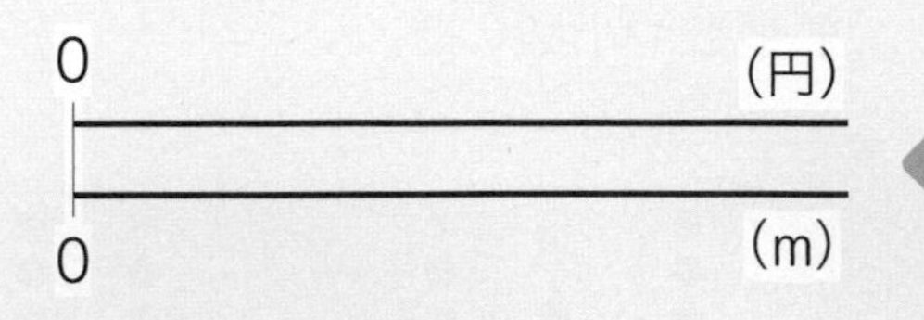


左はしにめもりと０を書き，２本の平行な直線をひく。下の直線の右はしに(m)を書く。上の直線の右はしに(円)を書く。

**2**

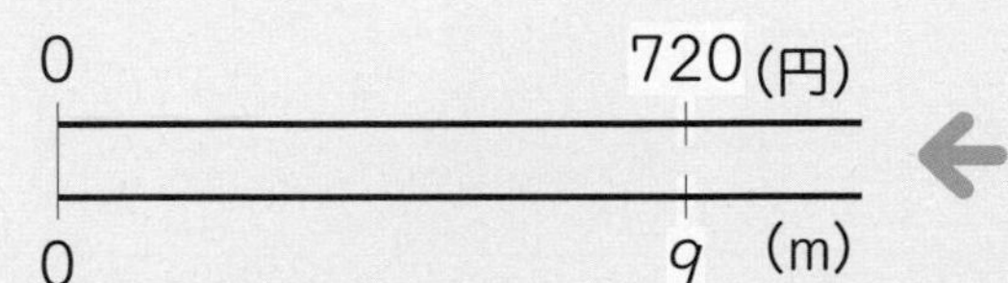


「９ｍで720円」なので，下の直線にいくつ分(９ｍ)を表すめもりと９を書く。上の直線にめもりと720を書く。

**3**

わからない数なので□で表す。

「１ｍで□円」として，下の直線に１つ分(１ｍ)を表すめもりと１を書く。上の直線にめもりと□を書く。

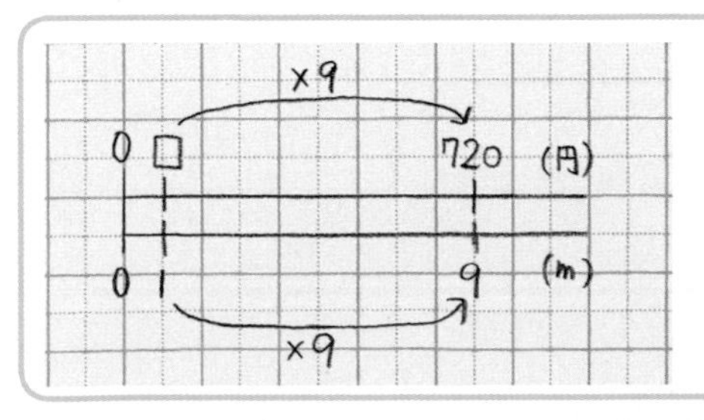


代金はリボンの長さに比例するので，リボンの長さが９倍になれば，代金も９倍になります。かけ算の式に表すと，

□×９＝720

だから，□を求める式は，

□＝720÷９

こうた

# ふりかえりコーナー

## ① かけ算の性質(せいしつ)(4年)

かけ算では，かけられる数やかける数を10倍，100倍すると，積も10倍，100倍になる。

2 × 3 = 6
↓×10　　　)×10
20 × 3 = 60

2 × 3 = 6
　↓×100　)×100
2 × 300 = 600

2 × 3 = 6
↓×10 ↓×100　)×1000
20 × 300 = 6000

## ② わり算の性質(せいしつ)(4年)

わり算では，わられる数とわる数を同じ数でわっても，商は変わらない。

150 ÷ 50 = 3
↓÷10　↓÷10　)変わらない
15 ÷ 5 = 3

わり算では，わられる数とわる数に同じ数をかけても，商は変わらない。

15 ÷ 5 = 3
↓×10　↓×10　)変わらない
150 ÷ 50 = 3

## ③ がい数の表し方(4年)

◆四捨五入(ししゃごにゅう)
位の数字が〔0，1，2，3，4〕→切り捨(す)てる。
位の数字が〔5，6，7，8，9〕→切り上げる。

| 千の位までのがい数にする<br>→1つ下の百の位で四捨五入する | 上から1けたのがい数にする<br>→上から2つめの位で四捨五入する |
|---|---|
| ㊉㊆<br>13648<br>↓切り上げ<br>14000 | ①②<br>13648<br>↓切り捨て<br>10000 |
| ㊉㊆<br>17392<br>↓切り捨て<br>17000 | ①②<br>17392<br>↓切り上げ<br>20000 |

## ④ 整数や小数のしくみ(4年)

◆ 1536.248 の表し方

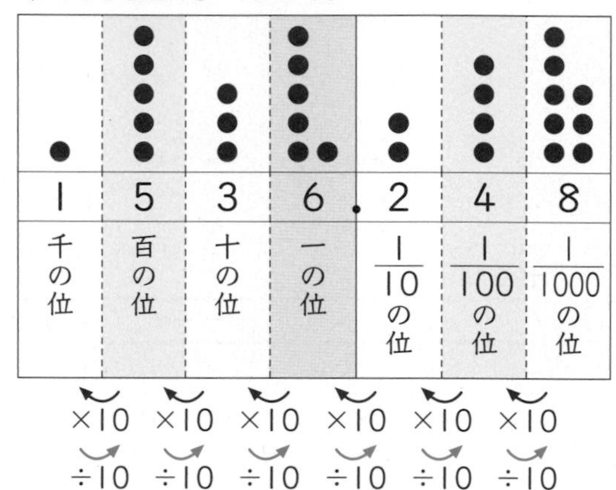


## ⑤ 等号，不等号(3年)

等号や不等号は，数や式の大小などの関係を表す。

等号
同 = 同

不等号
大 ＞ 小
小 ＜ 大

## ⑥ 分数の表し方としくみ(4年)

もとの長さが1mの$\frac{1}{3}$の長さを$\frac{1}{3}$mと書く。
$\frac{1}{3}$mの5こ分の長さを，$\frac{5}{3}$mまたは$1\frac{2}{3}$mと書く。

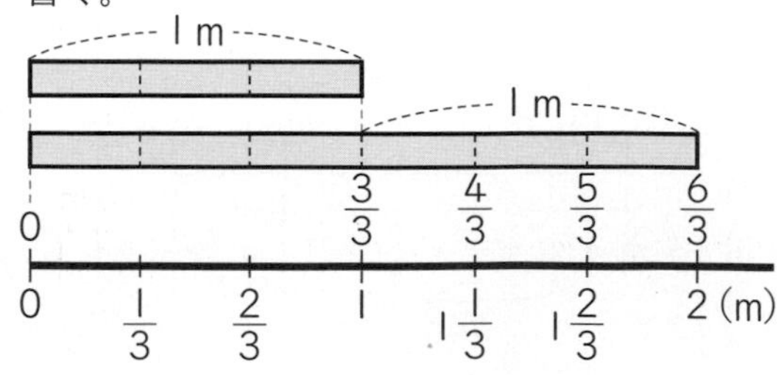

## 7 いろいろな四角形(4年)

**台形**
向かい合った１組の辺が平行な四角形。

平行

**平行四辺形**
向かい合った２組の辺が平行な四角形。
平行四辺形の向かい合った辺の長さや角の大きさは等しい。

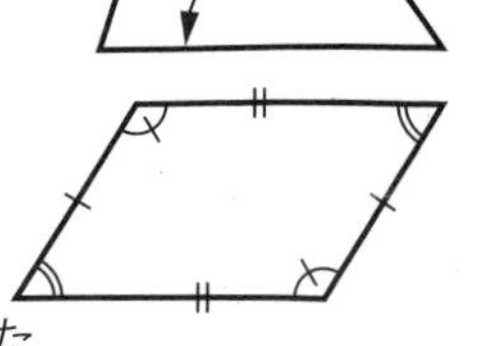

**ひし形**
辺の長さがすべて等しい四角形。ひし形の向かい合った辺は平行である。
向かい合った角の大きさは等しい。

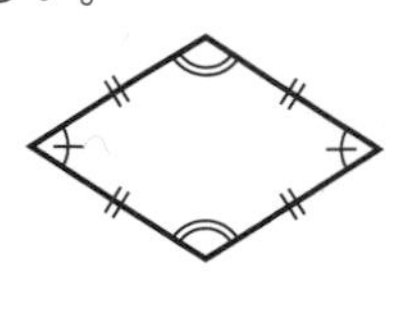

## 8 角のかき方(4年)

◆60°の角のかき方

① 辺アイをひく。

② 分度器の中心を点アに合わせる。

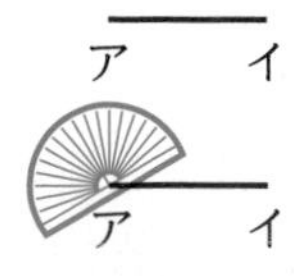


③ 0°の線を辺アイにそろえる。

④ 60°のめもりのところに点ウをうつ。

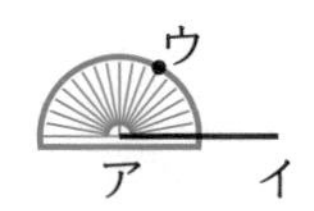


⑤ 点アと点ウを通る直線をひく。

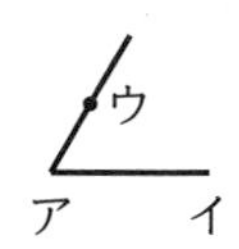


## 9 対角線(4年)

**対角線**
四角形の向かい合った頂点(ちょうてん)を結んだ直線。
四角形の対角線には，それぞれ性質(せいしつ)がある。

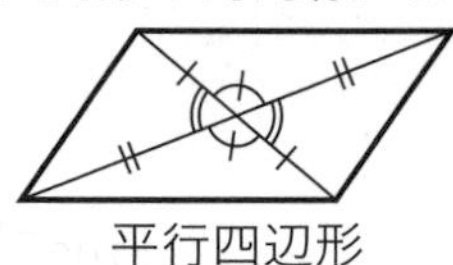
平行四辺形

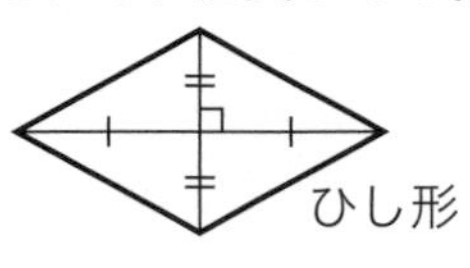
ひし形

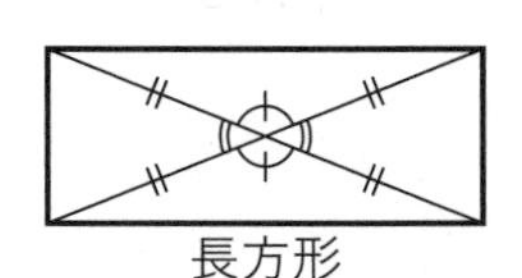
長方形

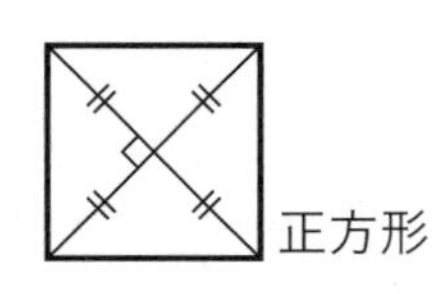
正方形

## 10 倍(4年)

| | 長さ(m) |
|---|---|
| 赤 | 2 |
| 青 | 6 |
| 白 | 5 |

赤の長さをもとに，青，白の長さを表すと，下のようにいうことができる。

赤の長さ(2m)を１とみると
・青(6m)は3にあたる長さ　(6÷2＝3)
・白(5m)は2.5にあたる長さ　(5÷2＝2.5)

これを「倍」を使ってことばや図で表すと，

赤の長さをもとにすると
・青は赤の3倍の長さ
・白は赤の2.5倍の長さ

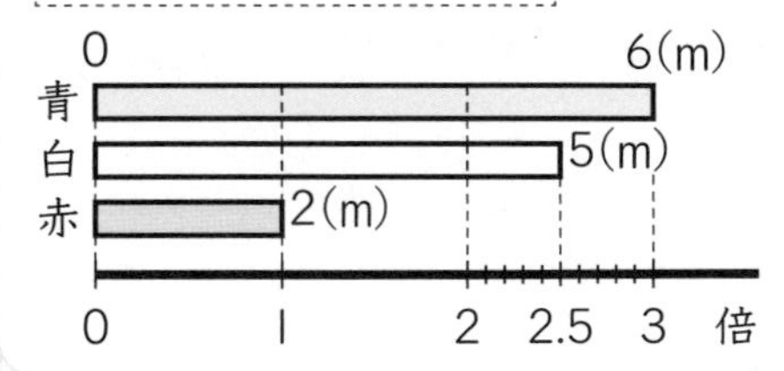


## 11 面積の表し方と公式(4年)

面積は，１辺が１cmや１mなどの長さの正方形が何こ分あるかで表す。１辺が１cmの正方形の面積は１cm²と表す。

１cm
１cm
１cm²

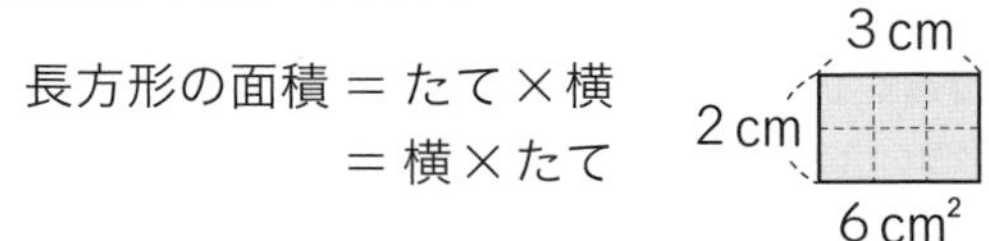
長方形の面積＝たて×横
＝横×たて

3cm
2cm
6cm²

正方形の面積＝１辺×１辺

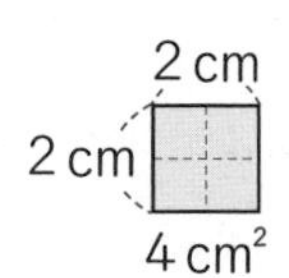


## 12 量の単位(2，3年)

【長さ】
１cm＝10mm
１m＝100cm
１km＝1000m

【かさ】
１L＝1000mL

【重さ】
１kg＝1000g
１t＝1000kg

## 著作関係者

〈代表〉

藤井斉亮　東京学芸大学名誉教授

真島秀行　お茶の水女子大学名誉教授

赤川峰大　神戸大学附属小学校教諭
浅田真一　国立学園小学校教諭
雨宮秀樹　山梨大学教育学部附属小学校副校長
池田敏彦　長崎県長崎市立桜町小学校校長
石原　直　東北福祉大学教授
市川伸一　東京大学客員教授
市川　啓　宮城教育大学准教授
太田伸也　東京学芸大学教授
大谷　実　金沢大学教授
岡崎隆信　北海道札幌市立伏見小学校教諭
尾形祐樹　東京都日野市立日野第五小学校教諭
岡部寛之　早稲田実業学校初等部教諭
春日　学　東京都台東区立台東育英小学校教諭
勝木奈美恵　福井県福井市社南小学校教諭
勝進亮次　東京都品川区立御殿山小学校校長
加藤　明　関西福祉大学学長
木月康二　東京都新宿区立四谷小学校教諭
久下谷明　お茶の水女子大学附属小学校教諭
倉次麻衣　東京学芸大学附属竹早小学校教諭
栗田辰一朗　東京学芸大学附属世田谷小学校教諭
小泉　友　東京都立川市立幸小学校教諭
児玉宏之　国立学園小学校校長
米田重和　佐賀大学准教授
近藤修史　高知大学教育学部附属小学校教諭
齊藤一弥　島根県立大学教授
佐々祐之　北海道教育大学教授
佐藤　拓　山梨県富士河口湖町立船津小学校教諭
清水宏幸　山梨大学准教授
清水美憲　筑波大学教授
白井一之　東京都荒川区立第三峡田小学校校長
杉田博之　前成城学園初等学校副校長
清野辰彦　東京学芸大学准教授
添田佳伸　宮崎大学教授
高橋昭彦　DEPAUL 大学准教授
高橋丈夫　成城学園初等学校教諭
立花正男　岩手大学教授
田端輝彦　前宮城教育大学教授
辻　宏子　明治学院大学教授
角田大輔　山梨県甲府市立国母小学校教諭
土居英一　高知県高知市立潮江南小学校校長
内藤信義　東京都品川区立御殿山小学校教諭
中野俊幸　高知大学教授
中野博之　弘前大学教授
中村光一　東京学芸大学教授
中村潤一郎　昭和学院小学校教諭
中村真也　東京学芸大学附属小金井小学校教諭
中村享史　前山梨大学教授
永山香織　東京学芸大学附属世田谷小学校教諭
西尾博行　武庫川女子大学特任教授
二宮裕之　埼玉大学教授
長谷　豊　東京都目黒区立八雲小学校校長
羽中田彩記子　日本女子大学特任教授
早川　健　山梨大学教授
日出間均　十文字学園女子大学教授
日野圭子　宇都宮大学教授
藤田　究　高知市教育委員会学校教育課学力向上推進員
細萱裕子　東京都豊島区立高松小学校教諭
細川　力　東京都港区立高輪台小学校校長
堀越和子　前東京都江戸川区立松江小学校校長
堀辺千晴　成城学園初等学校教諭
前田一誠　環太平洋大学准教授
蒔苗直道　筑波大学准教授
益子典文　岐阜大学教授
増本敦子　東京都杉並区立杉並第七小学校教諭
松浦武人　広島大学教授
御園真史　島根大学准教授
宮脇真一　熊本大学大学院准教授
村元秀之　北海道札幌市立緑丘小学校校長
森本　明　福島大学教授
両角達男　横浜国立大学教授
山本信也　前熊本大学教授
山本朋弘　鹿児島大学准教授
横須賀咲子　東京都台東区立金曽木小学校教諭
横田　良　横須賀市教育委員会学校支援員
渡邊公夫　前早稲田大学教授
渡辺秀貴　創価大学准教授

**■特別支援教育に関する指導・助言・校閲**

青山新吾　ノートルダム清心女子大学准教授
荒川正敏　神奈川県横須賀市立船越小学校教諭
岡田克己　神奈川県横浜市立仏向小学校教諭
菊地一文　弘前大学教授
廣瀬由美子　明星大学教授

東京書籍株式会社
ほか２名



●**色彩デザインに関する編集協力**：色覚問題研究グループぱすてる

●**プログラミング教育に関する編集協力**：特定非営利活動法人みんなのコード

●**表紙**：スズキトモコ　●**表紙・本文デザイン**：エイブルデザイン（和田裕・佐藤由梨）

●**さし絵・図版・写真**：池田八惠子／石森愛彦／イラスト工房／大畑俊男／熊アート／黒沢信義／斉藤みお／サカイノビー／田村公生／長谷部真美子／BOOSUKA／福島有伸／フジイカクホ／アフロ／ＪＲ東海／東武タワースカイツリー株式会社

73，74ページで使います。

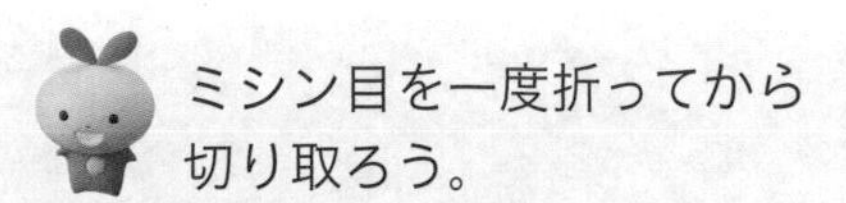


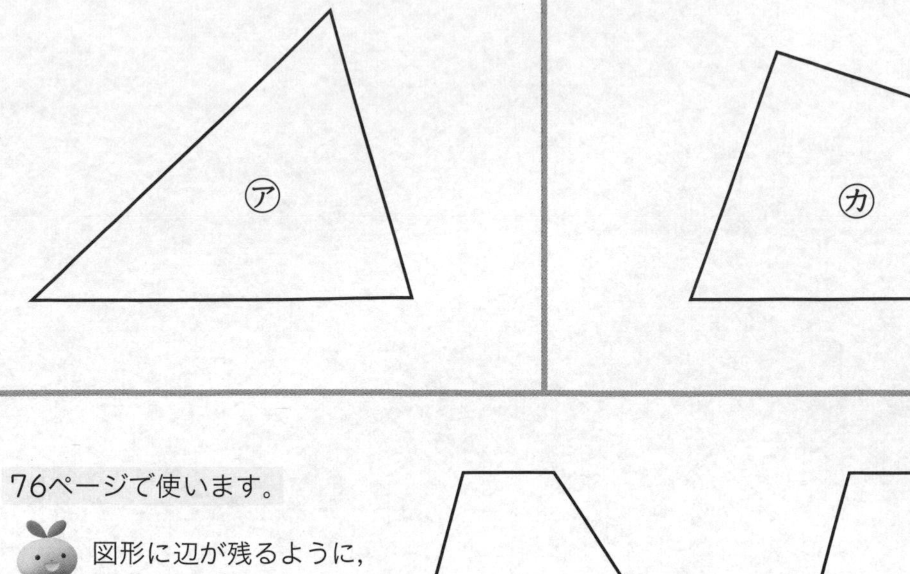


76ページで使います。

図形に辺が残るように，
辺にそって切り取ろう。

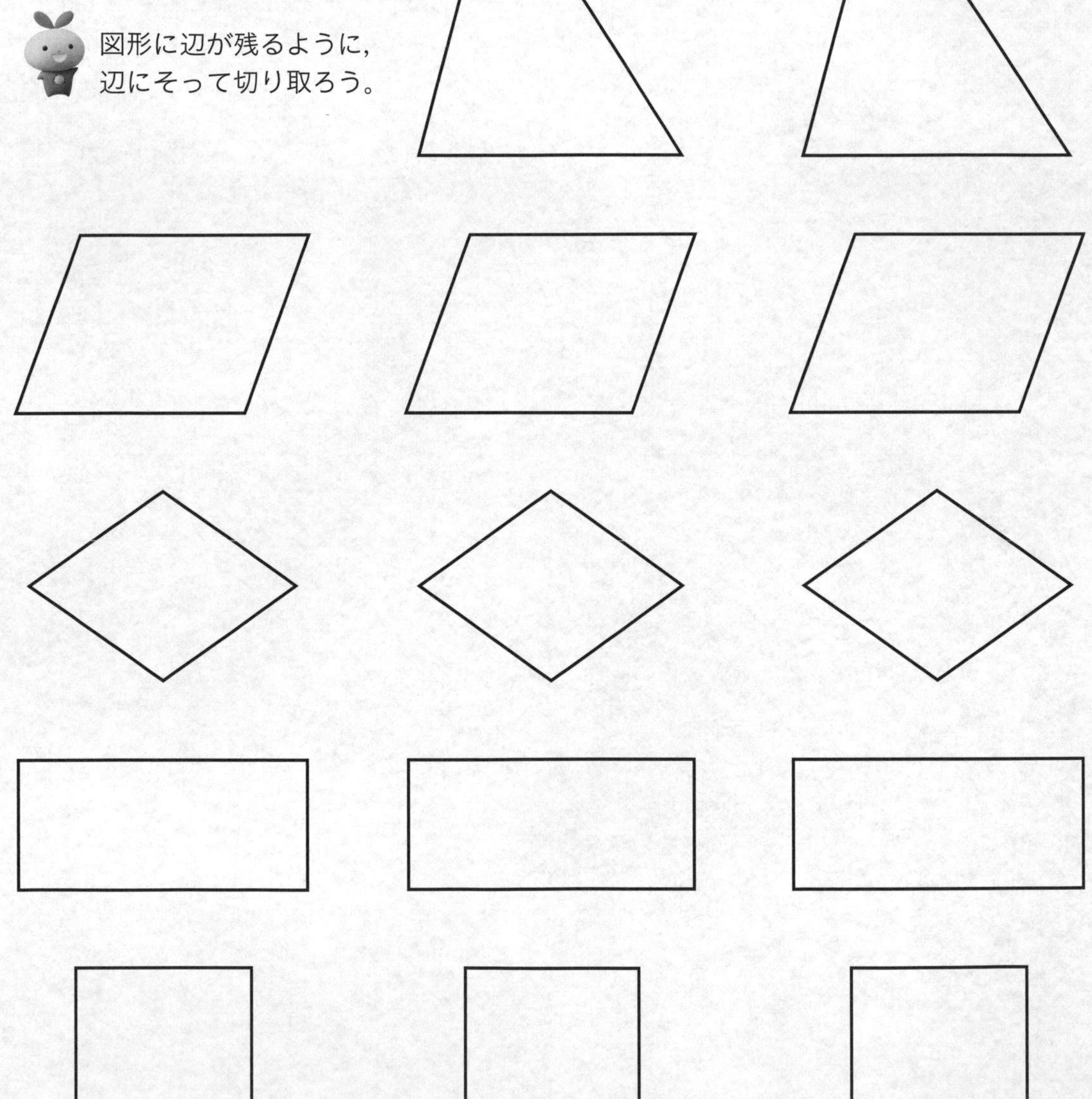

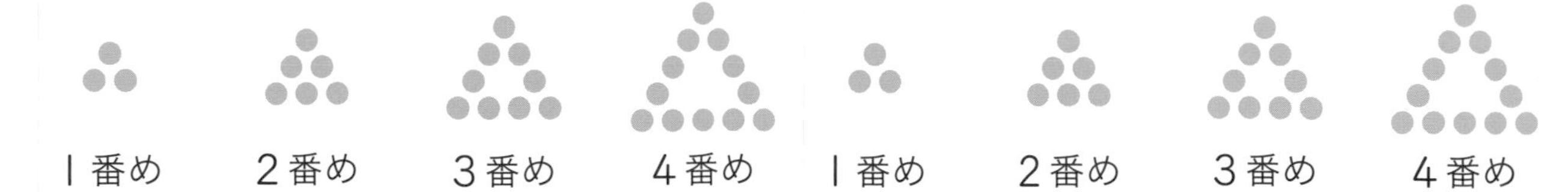


2ページで使います。

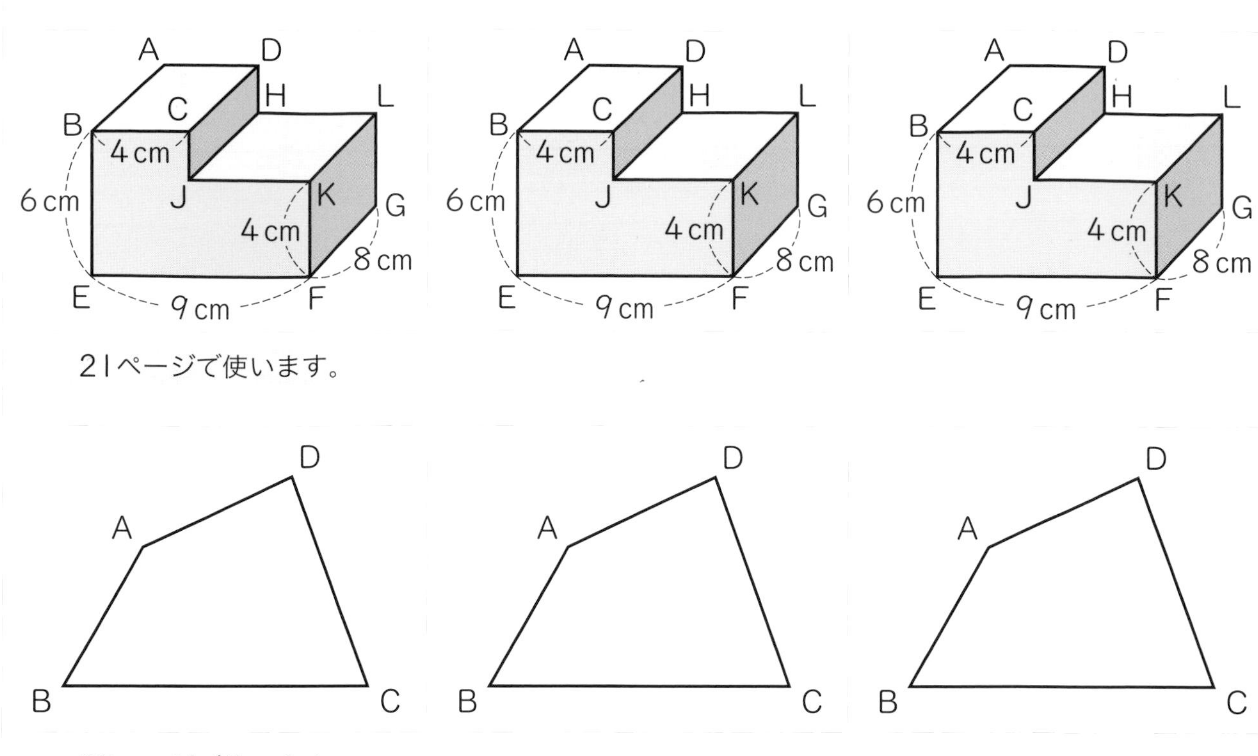


21ページで使います。

87ページで使います。

93ページで使います。